陶富源文集 第4卷

哲学与
马克思主义哲学

ZHEXUE YU
MAKESIZHUYI ZHEXUE

陶富源 著

安徽师范大学出版社
·芜湖·

责任编辑：张奇才　吴顺安
谢晓博　陈　艳
装帧设计：丁奕奕
责任印制：桑国磊

图书在版编目（CIP）数据

哲学与马克思主义哲学/陶富源著．—芜湖：安徽师范大学出版社，2016.5
（陶富源文集；第4卷）
ISBN 978－7－5676－2283－8

Ⅰ．①哲…　Ⅱ．①陶…　Ⅲ．①马克思主义哲学—文集　Ⅳ．①B0－0

中国版本图书馆 CIP 数据核字（2015）第 280652 号

哲学与马克思主义哲学

陶富源　著

出版发行：安徽师范大学出版社
芜湖市九华南路 189 号安徽师范大学花津校区　　邮政编码：241002
网　　址：http：//www.ahnupress.com/
发 行 部：0553－3883578　5910327　5910310（传真）　E－mail：asdcbsfxb@126.com
印　　刷：浙江新华数码印务有限公司
版　　次：2016 年 5 月第 1 版
印　　次：2016 年 5 月第 1 次印刷
规　　格：710×1000　1/16
印　　张：23.75
字　　数：391 千
书　　号：ISBN 978－7－5676－2283－8
定　　价：89.00 元

出版说明

本套文集为安徽师范大学政治学院陶富源教授从事马克思主义哲学研究40多年成果的结集，按内容及篇幅共分为十卷，收入该文集的大部分作品为当年公开出版或发表过的。为了保留原作的本来面貌，除对个别文字、标点符号、部分参考文献作必要的技术处理外，对原文不作实质性改动。由于时间仓促，水平所限，在编辑过程中难免有疏漏，敬请读者海涵。

作者简介

陶富源（1944. 11. 3—　），江苏海安人，1969 年 7 月毕业于北京大学哲学系，安徽师范大学政治学院教授，博士生导师。现任中国历史唯物主义学会常务理事、中国人学学会常务理事。曾任国家社会科学基金学科评审组专家。终身享受国务院特殊津贴。获全国模范教师、省级教学名师、省十大杰出教师等荣誉称号，获省“五一”劳动奖章等 10 多项荣誉。主持和完成国家社会科学基金项目 3 项，其最终成果获“良好”等级。独撰和合作出版著作、译作 13 部，发表论文 200 多篇，其中在《中国社会科学》《哲学研究》《马克思主义研究》上发表论文 16 篇。获省部级教学科研成果一等奖、曾宪梓教育基金会高等学校教师奖三等奖等 10 多项奖项。

总　序

哲学是时代的产物。

中国共产党的十一届三中全会，开启了中华民族走向经济腾飞、文化复兴的伟大时代。这是一个古老民族从挫折中总结，于艰难中奋起，不断走向昌盛的时代，是一个解放思想、继往开来、锐意革新的时代。

沐浴着时代风雨，鼓荡起哲思才情，四十多年，一路走来。作为我的哲学旅程的一些记录和反映，共独撰和合作出版了著作和译作13部，发表学术论文200余篇。在发表的论文中，有近半数的论文被《新华文摘》《光明日报》《中国人民大学报刊复印资料》《全国高等学校文科学术文摘》（现用名）等转载、摘介和被多种著作所引用。

我信奉马克思主义哲学，因为它是指引人类走向彻底解放的真理，是科学的哲学。和一切科学一样，马克思主义哲学会随着时代的变化而发展。它的某些具体结论和具体原理，有的可能有错，而被证伪；有的也会过时，而被取代，但其基本原理具有持久的生命力，是不会从根本上被驳倒，被推翻，因而是必须坚持的。当然，马克思主义哲学的基本原理也要与时俱进，要经过不断改进、补充和丰富，从而能更系统、更全面、更正确地反映不断发展着的时代精神。

我这几十年来，除对自己留意以外，确也时时想到国家，想到社会，想到自己的责任，因而对治学始终持一种认真的态度，并以能为马克思主义哲学的宣传和发展尽自己的一点微力，而感到欣慰。

承蒙学界朋友的鼓励和支持，我对多年来撰写和发表的部分文稿进行了梳理和审定，按相关专题，分成十卷出版。这十卷的书名分别是：《形上智慧论》《实践主导论》《终极关怀论》《哲学与马克思主义哲学》《青年马克思与费尔巴哈》《唯物辩证论与实践智慧》《唯物史观在当代》《政治文明的哲学观照》《精神家园的哲学守望》《学术论文写作通鉴》。

收入该文集的个别文章在发表时因各种原因删节较多，现恢复原稿，这种情况已在文中作了说明。其余文章，除个别文字校正外，未作修改，以保持原貌。有少量文章是与别人合作撰写的，对此在书中也有标明。

本文集的出版，得到了安徽师范大学领导、政治学院领导的大力支持，得到了我的学生兼好友王平、陶庭马、方芳、金承志、马和平、杨晶、张涛、黄友生、毛加兴等的帮助，得到了我的家人的关怀，也得到了安徽师范大学出版社的鼎力相助。对各方的支持，谨此致以衷心的谢意。

作　者

2015年10月20日

序　言

这几十年来，关于哲学、马克思主义哲学，以及马克思主义哲学与哲学的关系等的理解上，人们提出了不少新的问题，引起了热烈的讨论，从而极大地开阔了视野，活跃了思维，促进了认识的深化。在这样一个思想解放的潮流中，我也受到了感染、激励和启迪，从而形成了自己的一些见解，并把它付诸文字，发表了出来。这里就以下几点作些说明。

一

有论者认为，“哲学不可定义”。其理由是，哲学带有时代特殊性、民族特殊性和创立者的个体价值性。其实，这一理由不能成立。因为任何事物都有特殊性。因而哲学形态、哲学派别有其特殊性，对此并非有特别需要强调的理由。另外，也不能因为肯定哲学有特殊性，而去否定其一般性，否定以哲学一般为前提的哲学的一般定义。哲学的一般定义可以表述为：哲学是以普遍方式把握人与世界关系的理论。或者说，哲学是以普遍方式理解和协调人与世界关系的理论。

二

哲学的这样一个定义，与通常认为的，哲学是关于世界观的理论形态，或哲学是关于世界观的学问，其关系如何呢？其间存在着不一致。但这里的不一致，主要是给哲学下定义的角度不一样所引起的。

哲学是以普遍方式把握人与世界关系的理论，这个定义是基于对所有哲学理论形态的概括而立论的。即它不仅涵盖了以普遍方式把握人与世界总体关系的世界观哲学理论形态，而且涵盖了以普遍方式把握人（主体）与部分世界（比如，自然、历史、政治等）关系的子层次哲学理论形态，如自然哲学、历史哲学、政治哲学等，以及以普遍方式把握人的部分（人的认识、情感、意志、心理、语言等）与世界关系的子层次哲学理论形态，如认识哲学、情感哲学、意志哲学、心理哲学、语言哲学等。而哲学是关于世界观的理论形态这一定义，则是从哲学的最高层次，或人与世界总体关系的层次立论的。作为最高层次的哲学世界观对哲学的其他一切理论形态都具有统摄性。如果不是从各种哲学理论形态的内容，而是从对这些内容的统摄性角度说，哲学是关于世界观的理论形态，仍然是能成立的，是正确的。

三

哲学是关于世界观的理论形态，如何理解这里的“世界”。以往哲学教科书把这里的世界理解为人的外在世界。这不妥。这里的世界应该是哲学意义上理解的人的世界，以人为中心的世界，而不是认知意义上理解的人的外在世界。另外，这里的世界是“整个世界”或“世界整体”，而不是“世界的部分”或“部分世界”。对此，有论者表示质疑。他们认为，人的认识是有限的，到目前为止，人的认识只限于世界的一个极小部分，即以地球为中心的一百几十亿光年的范围内；人的实践则更为有限，基本上只限于地球浅层和表层及有限的地外空间。说人能把握整个世界，这不是痴人说梦吗？其实，这种认识并不正确。人所面对的有三个世界，一是生活和实践的有限世界，二是无限的宇宙世界，三是哲学把握的世界整体。人们是立足于有限的世界，通过哲学的抽象，把握世界的一般本性，从而也就涵盖了世界的万事万物，亦即从一般内涵的意义上把握了整个世界。这就是哲学所理解的“世界”的概念。

四

哲学作为学科概念，是日本人西周于1837年首先用中国的“哲学”二字来表述源于古希腊罗马的西方哲学学说，中国晚清的学者黄遵宪将这一表述介绍到中国来。据此，有人认为“中国古代无哲学”。其实，所谓哲学，也就是中国人称之为的“道学”，或印度人称之为的“梵学”。只是名称不同，实质是相通的，都是关于宇宙人生之学，或曰天人统一之学。当然，各有侧重。从总体上说，西方传统哲学的主流是以宇宙论为侧重点的天人之学；中国传统哲学的主流则是以自我意识或人类学为侧重点的天人之学。中西传统哲学各有所长，各有所短。但无论长处和短处，都是我们今天坚持和发展马克思主义哲学所必须加以借鉴的重要的哲学资源。

五

马克思恩格斯实现了哲学史上最伟大的变革。如何理解这一变革？这其中形成了各种不同的理论观点。

有一种观点认为，马克思主义哲学颠覆了形而上学，是革了形而上学的命，或曰本体论的命，因而马克思主义哲学不是一种本体论。然而，从哲学史角度看，本体论有多种形态，大体说来，有旧唯物主义的自然实体论本体论，以及与之对立的唯心主义的精神实体论本体论。这便是后现代主义所诟病的本质主义或基础主义的本体论。即把世界上一切事物的共同本质加以孤立化、绝对化、实体化理解的本体论。代替本质主义本体论的，不应该是后现代主义的反本质主义，而应该是本质论本体论，即人与世界关系的普遍本质和规律的理论。马克思主义哲学本体论，是科学的本质论本体论，具体说来，就是辩证物质本体论。因此，说马克思主义哲学拒斥形而上学，这并不准确。马克思主义哲学所拒斥的只是实体论形而上学，或实体论本体论，而主张科学的形而上学，或科学的本质论本体论。

六

马克思恩格斯的哲学革命也不是要革哲学的命，即消灭哲学。马克思恩格斯虽然在其学术生涯中，不止一次地谈到要“消灭哲学”“终结哲学”。然其所指，都是特指，而非泛指。比如，在《黑格尔法哲学批判导言》中，马克思说：“德国的哲学是德国历史在观念上的延续”，是“观念历史的遗著”，是“梦想的历史”。“因此，德国的实践政治派要求对哲学的否定是正当的。该派的错误不在于提出了这个要求，而在于停留于这个要求——没有认真实现它，也不可能实现它。……一句话，你们不使哲学成为现实，就不能够消灭哲学。”① 很显然，这里所言的消灭哲学，是特指脱离现实的、“想象的”、“梦想的”德国思

---

① 《马克思恩格斯文集》第1卷，9—10页，北京：人民出版社，2009年。

辨哲学。又比如，恩格斯在《路德维希·费尔巴哈与德国古典哲学的终结》中说："现代唯物主义本质上都是辩证的，而且不再需要任何凌驾于其他科学之上的哲学了。"① 这里的"哲学"，显然也是特指。也是在这本书中，恩格斯还说："现代唯物主义，否定的否定，不是单纯地恢复旧唯物主义，而是把2000年来哲学和自然科学发展的全部思想内容以及这2000年的历史本身的全部思想内容加到旧唯物主义的永久性基础上。这已经不再是哲学，而只是世界观。这种世界观不应当在某种特殊的科学中，而应当在现实的科学中得到证实和表现出来。因此，哲学在这里被'扬弃'了，就是说，'既被克服又被保存'；按其形式来说是被克服了，按其现实的内容来说是被保存了。"② 这里所说的哲学，也是特指，是指旧唯物主义哲学。总之，不能脱离特定的语境，脱离上下文，来解读马克思恩格斯关于"消灭哲学"的论述，把特指说成所谓泛指。

七

马克思恩格斯扬弃了旧的哲学，创立了新的哲学。如何理解这里的新哲学，有论者认为，马克思创立了实践本体论哲学，还有论者认为，马克思创立了生存本体论哲学，或人本体论哲学。实践概念在马克思主义哲学中有着极为重要的地位，但不能把实践绝对化、本体化。因此，实践本体论是不能成立的。人在马克思主义哲学中处于中心位置，但也不能把人作绝对化、本体化的理解。实践有唯物唯心两种理解，对实践作超越唯物唯心的理解，必然会从根本上曲解人类实践活动的本性，最终落入唯心主义的窠臼。同样，离开人所处的社会环境、自然环境，把人孤立起来，把人作为本体，对外界加以投射，加以创造，也必然会陷于人本主义。马克思主义哲学既不是某些论者所认为的实践本体论哲学，也不是所谓生存本体论哲学，而是以人为本、实践主导的辩证唯物主义哲学。在这里，把人本性和实践性加以突出，只不过是把辩证唯物主义所内含的人本性和实践性加以显著标示出来。之所以这样做，一是为了与以往哲学教科书所理解的辩证唯物主义有

---

① 《马克思恩格斯文集》第3卷，545页，北京：人民出版社，2009年。

② 《马克思恩格斯文集》第9卷，146页，北京：人民出版社，2009年。

所区别，二是有利于回应实践本体论和生存本体论对马克思辩证唯物主义的误读，三是有利于科学全面地理解马克思主义哲学的本质精神。如果有一天，人们都能科学把握辩证唯物主义所内含的现实人本性和实践主导性，那么到那时，在辩证唯物主义的称谓上，把现实人本性和实践主导性在其前面显著地加以标明，也就没有必要了。

收入本卷的文章，其主要内容是关于哲学、马克思主义哲学以及马克思主义哲学与哲学关系的一些论述。具体说来，包含以下三个方面。一是关于哲学的一般本性的理解。二是对马克思恩格斯所实现的伟大哲学变革的说明。三是对马克思主义哲学本体论的系统论述，指明马克思主义哲学本体论是辩证物质本体论。

作 者

2015 年 10 月 20 日

目　录

以普遍方式把握人与世界关系的理论

——哲学一般定义的唯物辩证考量 …… 1

一、“哲学不能说‘是什么’”的观点难以成立 …… 1

二、哲学的“家族相似论”似是而非 …… 3

三、哲学一般本质的科学规定别于本质主义 …… 5

四、哲学的民族特殊性与世界共通性的统一 …… 7

五、哲学的时代特殊性与历史继承性的统一 …… 9

六、哲学的个体价值性与人类价值性的统一 …… 12

七、哲学是对人与世界关系的普遍把握 …… 14

哲学的本质之思

——从“爱智”与“求道”说开去 …… 20

一、哲学追求宇宙人生的统一之道 …… 20

二、中西传统哲学是各有特点的天人之学 …… 23

三、马克思主义哲学是科学的天人之学 …… 26

哲学的“世界”概念

——兼评科普宁及凯德洛夫的相关观点 …… 32

一、哲学有自己的“世界”概念 …… 32

二、哲学与科学的“世界”概念之区别 …… 33

三、哲学的“世界”是无限多样的统一整体 …… 36

四、从抽象到具体是把握整个世界的路径 …… 38

五、坚持哲学的“世界”概念的重要意义 …… 41

科学地界说哲学对象 …… 44

一、哲学对象与具体科学对象的关系 …… 44
二、一般哲学对象与具体哲学对象的关系 …… 46
三、哲学规定与哲学对象规定的关系 …… 48
四、以往哲学对象与马克思主义哲学对象的关系 …… 52

哲学与时代发展 …… 56

一、哲学的“猫头鹰”与“高卢雄鸡”论 …… 56
二、哲学对时代的反映与引领 …… 57
三、哲学生命力的表现 …… 59

哲学应如何面向生活 …… 63

一、“哲学回归生活论”并不足取 …… 63
二、不能笼统谈论“生活世界” …… 64
三、哲学不能回归未经思考的生活 …… 67
四、哲学对现实生活的审视与超越 …… 69
五、哲学对现实生活的引领 …… 70

马克思主义哲学与现时代 …… 72

一、马克思主义哲学是不断发展的学说 …… 72
二、马克思主义哲学与现代科技革命 …… 74
三、马克思主义哲学与现代西方哲学 …… 75
四、马克思主义哲学与中国特色社会主义 …… 77

哲学追求最高的人性智慧 …… 79

马克思学说创立者述评 …… 84

一、“马克思学说”概念使用的历史考察 …… 84
二、“马克思学说”以马克思命名的缘由 …… 87
三、马克思学说创立中恩格斯的贡献 …… 91
四、关于“马克思恩格斯对立论”批判 …… 98

马克思学说科学本质解析 …… 119

一、马克思学说是一个成熟的理论体系 …… 119
二、马克思学说是共产主义世界观的理论体系 …… 126
三、马克思学说是共产主义世界观的科学体系 …… 142

马克思主义哲学是"一块整钢"
——评《马克思主义哲学的二重化》 …… 151

一、"二重化"与"一块整钢"的对立 …… 152
二、马恩的哲学道路是"殊途同归" …… 153
三、马恩哲学导向的根本一致 …… 154
四、实践唯物论与辩证唯物论的统一 …… 156
五、驳实践唯物论与辩证唯物论的对立论 …… 158
六、马恩的自然观与历史观的统一 …… 161

马克思主义关于自然与人的辩证统一理论 …… 164

一、自然与人相统一的两个基础 …… 164
二、"实践本体论"为何不能成立 …… 166
三、实践唯物论与辩证唯物论的统一 …… 168
四、所谓哲学导向上的对立是不存在的 …… 170

论马克思主义哲学理论结构的生态维度 …… 175

一、问题的提起 …… 175
二、马克思恩格斯有其生态理论 …… 176
三、马克思恩格斯生态理论的重要地位 …… 179
四、马克思恩格斯生态理论的基本观点 …… 182
五、坚持马克思主义哲学生态理论的重大意义 …… 186

马克思主义的魅力
——当代西方学术界一瞥 …… 192

一、马克思主义的魅力是真理的魅力 …… 192
二、马克思主义是我们时代的主导真理 …… 196

马克思主义的当代命运 …… 201

一、马克思主义属于全人类 …… 201
二、马克思主义是一个科学的理论体系 …… 206
三、在与时俱进中保持青春活力 …… 210

自在世界与人 …… 215

一、人生活在人化世界与自在世界的统一之中 …… 215
二、“自在世界与人无关”是一个假命题 …… 216
三、“现实感性世界”不等于人化世界 …… 218
四、“抽象理解的自然界”对人才是“无” …… 220

论虚拟现实的客观实在性 …… 222

一、虚拟世界是观念外化的电子场景 …… 223
二、虚拟世界是关于现实世界的模拟 …… 225
三、虚拟世界的构成依托于现实世界 …… 226
四、虚拟世界的发展依赖于现实世界 …… 228

论规律客观性之根据 …… 230

相互作用 · 本质契合与规律生成
——兼与鲁品越教授商榷 …… 236

一、规律生成于事物的相互作用中 …… 236
二、规律是事物相互作用达成的本质契合 …… 238
三、规律是世界统一和谐的普遍形式 …… 239
四、规律生成中根据条件偶然必然的作用 …… 241
五、规律生成中人的合目的性介入 …… 243

恩格斯认同黑格尔“思维与存在的同质性观点”吗
——与俞吾金先生商榷 …… 246

一、事体重大，不可不辨 …… 246
二、黑格尔的一个唯心主义基本观点 …… 247

三、恩格斯并未认同黑格尔 …… 248
四、如此“思维跳跃”搞不得 …… 249
五、这种“文字技巧”玩不得 …… 250
六、这般“移花接木”使不得 …… 251

关于马克思主义哲学超越唯物主义的一点否证 …… 253

一、费尔巴哈对机械唯物主义的超越 …… 254
二、费尔巴哈哲学是人本学唯物主义 …… 255
三、马克思超越了旧唯物主义的直观性 …… 256
四、马克思“实践活动的唯物主义” …… 259

关于“超越论”的反思 …… 261

一、二元论哲学的特征不可他移 …… 261
二、唯物唯心的涵义不容曲解 …… 264
三、实践的折中主义理解不能成立 …… 268
四、本体论思维方式不可超越 …… 270

“存在”不是马克思主义哲学的逻辑起点
——与谢斌先生商榷 …… 276

一、存在在马克思主义哲学中的涵义 …… 277
二、存在或有范畴不大于高于物质范畴 …… 278
三、马克思主义哲学不能以存在或有为逻辑起点 …… 283

实践观与物质观的辩证统一 …… 286

一、辩证唯物主义的基石是物质而非实践 …… 286
二、物质第一性是唯物主义认识论的逻辑前提 …… 289
三、“实践一元论”并未超越唯物唯心的对立 …… 292
四、实践观点是辩证唯物认识论的首要观点 …… 293

也谈“实践”在马克思主义哲学体系中的地位
——与杨春贵先生商榷 …… 296

一、逻辑上的自相矛盾 …… 296

二、唯物主义是马克思主义哲学的第一原理 ………………… 297
三、科学实践观支撑了科学物质观的形成 ………………… 299
四、科学物质观是马克思主义哲学的基石 ………………… 301

关于实践唯物主义讨论的反思 ……………………………… 304

一、实践唯物主义讨论的成就与不足 ……………………… 304
二、实践唯物主义与辩证唯物主义并非对立 ……………… 308
三、实践本体论与实践超越论不能成立 …………………… 311

走出“以往哲学教科书”批判的误区 ……………………… 315

一、必须克服一种不良倾向 ………………………………… 315
二、“传统教科书”论不能成立 …………………………… 315
三、“斯大林体系”论言而无据 …………………………… 316
四、“近代哲学”论不可听信 ……………………………… 319
五、“板块结构”论牵强附会 ……………………………… 322
六、“缺根少据”论不足为据 ……………………………… 324
七、教科书重在建设 ………………………………………… 325

论实践主导的辩证唯物主义
——马克思主义哲学本质精神新解 ……………………… 329

一、超越两种片面性 ………………………………………… 329
二、实践主导的辩证唯物主义的思想溯源 ………………… 333
三、实践主导的辩证唯物主义的基本内涵 ………………… 337
四、坚持实践主导的辩证唯物主义的根本意义 …………… 341

人不是哲学本体论意义上的世界之本
——评《“以人为本”的哲学意义》 …………………… 347

一、马克思实践唯物主义并非只研究人的生活世界 ……… 347
二、不能在本体论意义上说“生活世界以人为本” ……… 351
三、不能在哲学本体论意义上论生活世界之本 …………… 354

一本有特色的哲学教材
——推荐《马克思主义哲学》 …………………………………… 357

可贵的探索
——《马克思的第一个伟大发现》读后 ………………………… 358

以普遍方式把握人与世界关系的理论*

——哲学一般定义的唯物辩证考量

很长一个时期以来，“哲学不可有一般定义”的观点，被一些论者，包括某些名家不时谈论和予以肯定。为此，他们提出了种种理由，即认为，哲学只能说不是什么，而不能说是什么；哲学只有“家族相似”，而无共同本质；哲学只有时代特殊性、民族特殊性、个体价值性，而无所谓超时代、超民族、超哲学家个人的一般哲学或哲学一般，以及没有所有哲学家所共同认可的哲学定义等。在我看来，这些理由恐难成立。下面谈谈自己的一些看法，借以说明哲学有其存在的客观根据，因而可以有一般定义。哲学是以普遍方式把握人与世界关系的理论。

一、“哲学不能说‘是什么’”的观点难以成立

有论者认为，哲学不可定义，其理由在于，哲学不能说是什么，而只能说不是什么，于是不能通过说哲学“是什么”去给哲学下定义。为此，该观点引用了海德格尔在《形而上学导论》中的一段话来加以论证。海氏说：“哲学发展的每一个阶段，每一个开端都有自身的法则。人可以说的，只有哲学不是什么，哲学不能作什么。”①海德格尔无疑是当代有影响的哲学家，然而对他的这一观点，也不能无批判地信以为真。

“是”或“不是”，作为对事物的一种判定，不是孤立存在的，而是彼此互为条件，在相互联系中存在的。也就是，说一个事物不是什

* 原刊于《马克思主义研究》，2016（1）。

① ［德］海德格尔：《形而上学导论》，熊伟、王庆节译，10页，北京：商务印书馆，1996年。

么，这同时也就意味着在说，它是另外的什么。当然，在许多情况下，通过“不是”所作的这种排除，可能需要进行多次。通过排除所有的“不是”，其间接道出的，自然也就是“是”了。

对“是”与“不是”辩证关系的这种理解，可以从斯宾诺莎和黑格尔那里得到佐证。斯宾诺莎有一个著名的论断：“规定就是否定”①。在斯宾诺莎看来，个别事物是有限的。“有限”就是对事物的一定规定，即规定事物具有某种性状，这便是肯定。但就它不具有与此性状相对而言的彼性状而言，这又是否定。对斯宾诺莎的这一思想，黑格尔很为重视，并给予了进一步的说明。他说：“肯定的东西与否定的东西本质上是彼此互为条件的，并且只是存在于它们的相互联系中。”②斯宾诺莎与黑格尔在这里关于肯定与否定辩证统一关系的论述，用来对“是”与“不是”的关系进行分析，也是完全适用的。因为“是”是对事物指认中的一种肯定或一种规定，而“不是”则是一种否定。因此，“是”与“不是”也是辩证统一、不可分割的。因而，根本不存在那样一种情况，即对哲学只能说不是什么，而不能说是什么。

事实上，哲学“是什么”与“不是什么”的辩证统一，对任何哲学言说者来说，都具有必然的约束性。除非你什么也不说，当你一旦说了哲学不是什么，那你实际是在间接地说哲学是什么。不仅如此，如果你对哲学的言说，不是三言两语，而是立论成篇，那么你还不得不直接去说哲学是什么。不然，其“论”就难以展开，其“篇”也无以成就。因为一篇论哲学的文章，总不能从开篇到结尾，只说哲学不是什么，而不说哲学是什么。如果是那样，恐怕只有天晓得，这文章如何写下去。

就拿海德格尔本人来说，在他提出上述命题的《形而上学导论》一书中，也并没有按这一命题所要求的原则行事。即他在行文中，不仅说了哲学不是什么，而且还说了哲学是什么。比如他说：“哲学本质上是超时间的”③，“哲学总是通过强调人类自身在其在中所获得

① ［荷］斯宾诺莎：《伦理学》，贺麟译，7页，北京：商务印书馆，1975年。
② ［德］黑格尔：《小逻辑》，贺麟译，257页，北京：商务印书馆，1980年。
③ ［德］海德格尔：《形而上学导论》，熊伟、王庆节译，10页，北京：商务印书馆，1996年。

的意义和目标设置”①，“哲学活动就是对超乎寻常的东西作超乎寻常的发问”②。不难看出，这里的列举，无一例外，都是关于哲学的全称判断，其所言说的，都不是某种哲学是什么，而是哲学是什么。由此可见，海德格尔所提出的哲学只能说“不是什么”的观点，既无理论依据，也无事实支撑，因而是一个假命题。有的论者对这样一个假命题，不加分析，拿来加以引申，用以论证所谓不能通过说哲学“是什么”，去对其加以定义，这种做法显然是草率的、不明智的。

二、哲学的“家族相似论”似是而非

有论者借维特根斯坦的“家族相似论”来说明各种形态的哲学无共同本质，因而哲学不可有一般的定义。

何谓“家族相似”？有人以为它是指谓所有家族成员都有共同的相似之处。其实不然，且正好相反。“家族相似”作为维特根斯坦后期的一个特有概念，这里的“相似”并非指所有家族成员的相似，而是指家族成员中，一个成员与另一个成员在某一点上相似，而另一个成员又在另外一点上与第三个成员相似，如此等等。维特根斯坦举例说，比如一个成员与另一个成员形体相似，这两个成员再与另外第三个成员步姿相似，后者再与另外第四个成员的眼睛长得一样等。这样以此类推，家族成员间依靠这种两两的特殊相似来形成联系，而又没有一种相似是所有家族成员共有的，于是该家族成员也就没有共同的本质。有些论者用这一观点来看待哲学家族，借以证明：哲学家族没有共同本质，因而也就没有作为其共同本质规定的哲学的一般定义。

维特根斯坦的这一观点看似有理，实际是经不住推敲的。

维特根斯坦的“家族相似论”，所讲的“家族”是一个比喻。他是用作为人的家族来比喻作为人的一类活动的语言游戏，用以说明语言的各种用法只有家族相似，而无共同本质。作比喻无可非议。用比喻来说明观点，这是人们常用的论证手段之一。但比喻要能成立，还须有一个前提，即对用来作比喻的事物，要有一个真切的把握，不然就

① ［德］海德格尔：《形而上学导论》，熊伟、王庆节译，11页，北京：商务印书馆，1996年。

② ［德］海德格尔：《形而上学导论》，熊伟、王庆节译，14页，北京：商务印书馆，1996年。

毫无意义，甚至会造成误导。我认为，维特根斯坦的“家族相似论”，就是这样一个造成误导的比喻。因为他用来作比喻的人的家族成员，并非如他所言，没有共同之处，而是有的。这个共同之处首先在于：这个家族的成员有一个共同的祖先。正因为源于同一祖先，所以其家族成员也就具有了生理上的共同性。不然，也就无所谓家族可言。如果撇开这一根本点不谈，像维特根斯坦那样，去谈论所谓家族成员中两两的，或形体、或步姿、或眼睛等的相似，那就不仅离真实很远，而且还会引发歧义。因为上述任何一个方面的相似，在社会人群中不乏其例，可他们并非一定来自同一个家族。而这一点，是每个人在日常生活中都能体验到的。

既然某一家族成员因有一个共同的祖先，而有生理上的共同性。那么可以推知，人类有一个共同祖先：森林古猿，因而，人类所有成员在生理上也有其共同之处。关于这一点，现在已被人类遗传密码的研究成果所证明：人与人之间除了有0.1%的基因不同以外，其余99.9%的基因都是相同的。这从而也就为关于人类具有共同生理本质的观点提供了科学依据。

如此说来，那么人类的言语活动是否也有一个共同起源呢？有的。这个共同的起源就是人类的劳动交往（这是马克思主义人类起源理论早已揭示的、并获广泛认可的真理），因而人类的言语活动也就必然有其共同之处。关于这些共同之处，在语言学家那里，也早已获得某种说明。比如，言说者在同一言语活动中，必须遵循语言指谓的同一性原则和语言使用的社会约定性原则，不然就会引起混乱；又比如，言语活动中的语义创新，必须符合和体现使用该语言的社会人群的历史传统和文化心理。不然，这种所谓创新，也就只能是自说自话，而毫无生命力可言。当今那些被一些人热炒的网络词汇，不多时便无人问津，其原因就在这里。由此看来，维特根斯坦的“家族相似论”并未获得科学的支持，因而是似是而非的。有的论者以这样一个不能成立的观点作为论据，来论证哲学的家族相似，来说明哲学没有共同的本质，因而没有其一般定义，这种做法显然是不妥的。

哲学从古到今，虽然有众多成员，且各有特性，比如，不同哲学有其党性之别，在阶级社会中，还有其阶级性之分，但他们所构成的哲学家族，确有一个共同起源。这个起源就是人的实在处境和生存需要。具体说来，就是人生活于世界之中，人的生存依赖于世界。因此，人必须把握人与世界的总体关系，要研究其普遍本性及一般规律。只有这样，人才能提升自己的主体性和自由度，才能自觉有效地改造世界。既然如此，那么哲学家族的成员也就必然有其共同本质。从而可以给哲学下一个一般定义。

诚然，哲学“家族相似论”肯定哲学家族的每个成员都有自己的特殊面孔，这没有错。但在承认这一点的同时，却又把特殊与一般绝对对立了起来，这实际是一种“白马非马”的逻辑。试想，如果听信维特根斯坦的“家族相似论”，而认为哲学家族的成员只有自己的特殊面孔，而无家族的共同面孔、共同特征，那么又何以说明这些成员是哲学家族的成员，而不是别的什么家族，比如科学家族、或艺术家族、或宗教家族的成员呢？很显然，他们对这个问题无以回答。

实际上，哲学作为家族，与其他家族相对而言，必然有其本质规定。正如黑格尔所说：“不管各种哲学体系彼此如何不同，但它们之间的差别总没有像白色和甜味，绿色和粗糙之间的差别那样大；它们之间有一点是相同的，即它们都是哲学体系。”[①] 如此一来，这些论者所谓的哲学“家族相似论”也就陷入了尴尬的境地。因为他们一方面承认哲学是一个家族，可另一方面又否认各种形态的哲学有其家族的共同本质，这在逻辑上是自相矛盾，不能自圆其说的。

三、哲学一般本质的科学规定别于本质主义

有论者认为哲学不可定义，是因为哲学是什么的问题，是以“一般哲学”或“哲学一般”的存在为前提的。而在该论者看来，一般哲学或哲学一般只是“无”，不是“有”。即“根本没有能够超越时代、超越民族、超越哲学家个人的一般哲学”。

这里涉及一般与特殊的关系问题。根据唯物辩证原理，一般与特殊或共性与个性不是彼此孤立，而是相互关联的。也就是说，脱离一般的特殊和脱离特殊的一般都是不存在的。如果用这一唯物辩证原理来考察和说明哲学一般与哲学特殊的关系，那么也可以说：哲学一般

① 转引自［俄］列宁：《哲学笔记》，333 页，北京：人民出版社，1974 年。

与哲学特殊也是不可分割的。哲学一般不是独立于哲学特殊而孤立存在的；同样，哲学特殊也不是脱离哲学一般而孤立存在的。那种把哲学一般视为脱离哲学特殊而孤立存在的观点，实际是对哲学一般作了后现代主义所诟病的本质主义理解。

本质主义认为个体和类都具有本质，个体除了有特殊本质以外，还有其类的一般本质。这一认识是正确的。然而其缺陷也很致命，即它把类的一般本质先验化、绝对化，把一般本质想象为超越个别事物的实体存在。然后用这种主观设定的本质实体，作为现实个别事物的主宰和根据，去解释同类中个别事物的存在和发展。这样一来，个别事物也就成了这个本质实体的不同表现或特殊化身。然而同一的本质实体，何以能在其表现上呈现出差异与特殊，本质主义则不能自圆其说。

后现代主义反对本质主义关于对事物一般本质所作的那种先验化、绝对化、实体化的理解，这是应该肯定的。但也不能像后现代主义那样，从一个极端走向另一个极端。即不能因反对本质主义，而走到否定事物具有类的一般本质的地步。因此，在哲学一般与哲学特殊的关系问题上，有论者否认有那种超越时代、超越民族和超越哲学家个人的一般哲学的存在，这是对的。但不能因否定关于“一般哲学”的本质主义理解，而去否定对“哲学一般”的唯物辩证理解。如同不能因否定那种孤立存在的水果一般，而去否定苹果、梨、桃都具有水果的一般本质。很显然，在这里，不能把二者不加区别，混为一谈。

有论者为了否认哲学一般的存在，大谈所谓哲学的特殊性，认为“哲学都是属于特定民族的特殊哲学”，“哲学都是属于特定时代的特殊哲学”，“哲学……就是某个哲学家的哲学”，等等。强调哲学的民族特殊性、时代特殊性和个体价值性，这没有什么不对，但由此把哲学的特殊性与哲学的一般性割裂开来、对立起来，并用前者去否定后者，那就不妥了。其实，哲学既有民族特殊性又有世界共通性；既有时代特殊性又有历史继承性；既有个体价值性又有人类价值性。这其中的每一对关系不仅是辩证统一的，而且就其世界共通性、历史继承性及人类价值性来说，它们又都是以哲学的一般性为内在根据的。可见，肯定哲学的民族特殊性、时代特殊性和个体价值性所表现的特殊性，而去否认哲学的一般性，是毫无道理的。下面就此分别来加以具体说明。

四、哲学的民族特殊性与世界共通性的统一

哲学的民族特殊性，是指在民族历史形成和尚未完全结束的历史时期中，任何哲学的产生和发展都具有一定的民族背景和体现一定的民族性格。

所谓哲学的民族背景是指一定哲学得以产生的民族地理环境、生产方式、生活方式、风土人情、社会制度、文化传统，包括哲学传统等的总和。

所谓哲学的民族性格，是指某一民族哲学是通过一定的哲学主旨、哲学范畴、哲学理路来表现该民族特有的思维方式、价值指向，以及折射出来的道德情操、审美旨趣等。

因为哲学具有民族特殊性，所以才分别形成了以古希腊罗马哲学为源头的西方民族哲学（简称西方哲学），体现中华民族背景和性格的中华民族哲学即中国哲学，以及作为印度民族赖以安身立命的印度哲学等。

哲学除了有民族特殊性的一面以外，还有其世界共通性的一面。即具有面向世界的可理解交融性，以致可以通过交融形成一种世界性哲学或世界哲学，从而也就具有了世界性的影响和作用。

诚然，民族哲学的世界共通性在不同的历史时期其表现形式是不同的。在民族历史的时代条件下，民族哲学的世界共通性基本上是一种隐性存在。当人类历史从民族历史逐渐转变为世界历史的时代条件下，民族哲学的世界共通性也就从以往隐性的存在，而在愈来愈大的程度上变成了显性的存在。即民族哲学走出了民族范围，开始了真正世界化的进程。马克思当年就曾预见到这种趋势。他在《〈科伦日报〉第179号的社论》中指出，将来必然会出现这样的时代，即哲学“变成当代世界的哲学”[①]。我国学者胡适在1919年发表的《中国哲学史大纲》（卷上）中也曾说：“世界上的哲学大概可分中西两支，东支又分印度中国两系。……到了今日，这两大支的哲学互相接触、互相影响，

---

① 《马克思恩格斯全集》第1卷，220页，北京：人民出版社，1995年。

五十年后、一百年后，或竟能发生一种世界的哲学，也未可知。”①

当年马克思的预见和胡适的期待在今天正在逐渐变成现实。正是基于对哲学的民族特殊性与世界共通性相统一的理性自觉，长期以来，我们党在包括哲学在内的文化建设中，坚持了洋为中用、推陈出新，弘扬中华文化，促进世界文化发展的方针。如果从更长一些的历史说，如果没有包括西方哲学在内的西方文化的东渐，没有马克思主义及其哲学的传播，没有其与中国传统文化及其哲学的交流与碰撞，没有中国人在这种交流碰撞中的自觉选择和创新，那么中国近现代哲学的形成，特别是中国马克思主义哲学的产生，就是不可想象的。近代以来，民族哲学的世界性交流，对促进各民族哲学的发展来说，已成为一种带规律性的表现，并且也愈来愈成为世人的一种共识。

民族哲学的世界共通性，从其内在根据来说，它是哲学一般性的一种体现。道理很简单。只有一般性的东西或被一般性所统摄的东西才能有共通性，从而也才具有世界的可理解交融性。民族哲学的这种一般共通性主要表现在：

第一，任何一种民族哲学都要为着自己民族的生存和发展去研究人与世界的总体关系。其中，包括人与自然、人与人、人与自我的关系。尽管各民族哲学中的主流哲学，其研究的侧重点会有所不同。比如西方传统主流哲学侧重于研究人与自然的关系；中国传统主流哲学侧重于研究人与人的关系，特别是人的政治、伦理关系；印度传统主流哲学则是侧重于研究人与自我的关系，特别是人与内在自我即真实本性的关系等。但就总体而言，被民族传统主流哲学所遮蔽的部分，又往往通过该民族的非主流哲学而得以彰显，从而形成了各民族哲学的内在张力结构。

第二，任何一种民族哲学总要通过人与世界总体关系的研究去寻找该民族处理和驾驭自身与世界总体关系的最普遍的根据和法则。尽管对这种最普遍根据和法则的概括和表述在各民族哲学中是不同的。例如，西方传统哲学中的“逻各斯”，中国传统哲学中的“道”，印度传统哲学中的“梵”，其实质都是标示人的活动的第一原理或第一原则。

---

① 转引自冯契：《智慧的探索》，539—540页，上海：华东师范大学出版社，1994年。

第三，任何一种民族哲学寻找处理和驾驭人与世界总体关系的最普遍根据和法则，说到底都是为了以理性的方式增强民族的主体性，提升民族的自由度，都力图为本民族规划和展现一个理想的境界。比如，西方传统哲学中的“理想王国”；中国传统哲学中的“大同世界”；印度传统哲学中的“梵我一如”，都是这样的理想境界。

正因为各民族哲学都要为本民族的生存和发展去研究人与世界的总体关系，去探寻处理和驾驭自身与世界总体关系的最普遍根据和法则，去规划和展现一个理想的境界。因而具有民族特殊性的哲学也就内在地具有了世界性，具有了世界的可理解交融性。

可见，哲学的民族特殊性与作为其一般性体现的哲学的世界共通性是统一的，因而不能以哲学的民族特殊性去否定哲学的一般性。

五、哲学的时代特殊性与历史继承性的统一

哲学的时代特殊性，是指哲学的产生和发展具有时代条件性和对时代的表现与适应性。

这里所说的时代是按社会发展的基本特征来对社会历史所作的不同阶段的划分。时代是一个历史范畴，是一个动态的存在，因而时代又被称之为历史时代。

哲学作为时代的产物和表现，它的产生离不开一定的时代条件，并且也要随着时代的发展而发展。对此，恩格斯曾经指出：“不论在法国或是在德国，哲学和那个时代的普遍的学术繁荣一样，也是经济高涨的结果。”另外，被经济所决定的“政治的、法律的和道德的反映”则“对哲学发生最大的直接影响”①。卢卡奇也说：“对哲学来说，问题及其解决方向，都是由生产力的发展，社会的发展，阶级斗争的开展提出来的。如不根据对这些首要推动力的认识，一个时期的哲学的根本线索就不可能被揭示出来。”②

由于哲学是以自己所处的时代为基础和出发点，并随着时代变迁

① 《马克思恩格斯选集》第4卷，703—704页，北京：人民出版社，1995年。

② ［匈］卢卡奇：《理性的毁灭　非理性主义的道路——从谢林到希特勒》，王玖兴等译，1—2页，济南：山东人民出版社，1988年。

而更替的，因而哲学便有了其发展的阶段性展开，于是也就有了古代哲学、近代哲学、现代哲学等的划分。

哲学除了有时代特殊性的一面以外，还有其历史继承性的一面，即革新中保留的一面，变化中不变的一面，替代中顺接的一面。关于哲学的历史继承性，黑格尔有很好的说明。他说："各派哲学的原则是被保持着的，那最新的哲学就是所有各先行原则的结果，所以没有任何哲学是完全被推翻了的。那被推翻了的并不是这个哲学的原则，而只不过是这个原则的绝对性、究竟至上性。……因此我们对于哲学的态度，必包含一个肯定的和一个否定的方面。我们必须对于一个哲学的这两方面有了正确认识，态度才算公正。"①

那么哲学既有时代特殊性，又有历史继承性，其根据何在呢？

其根据首先在于：人类历史既有时代性又有继承性。历史不外是各个时代的依次更替。每一个时代都必须利用以前各代遗留下来的材料、资金和生产力；由于这个缘故，每一时代的人们一方面在完全改变了的环境下继续从事所继承的活动，另一方面又通过完全改变了的活动来变更旧的环境。因为历史发展是时代性与继承性的统一，所以这也就从根本上决定了作为其反映和表现的哲学发展也是时代特殊性与历史继承性的统一。

诚然，这种决定作用不是简单直接、自行实现的，而是通过哲学本身的发展来实现和体现的。对此，恩格斯指出："每一个时代的哲学作为分工的一个特定的领域，都具有由它的先驱传给它而它便由此出发的特定的思想材料作为前提。"时代的各种影响"对先驱所提供的现有哲学材料发生的作用……决定着现有思想材料的改变和进一步发展的方式"②。这就是说，哲学在时代推动下的每一阶段的发展，并不是对先前阶段的简单否定，不是一切推倒，从头开始，而是从既有哲学材料出发的继承性发展。可以说，没有继承就谈不上发展，当然没有发展也就无所谓继承。继承、创新、发展，这是包括哲学在内的文化发展的规律。几千年来，中国哲学之所以生生不息，也正在于中华民

① ［德］黑格尔：《哲学史讲演录》第1卷，贺麟、王太庆译，40—41页，北京：商务印书馆，1959年。

② 《马克思恩格斯选集》第4卷，703—704页，北京：人民出版社，1995年。

族对它的不断传承和创新。正是基于对哲学的时代特殊性与历史继承性相统一的理性自觉，长期以来，我们党在包括哲学在内的文化建设上，坚持了古为今用、推陈出新的方针。

哲学的历史继承性，从其内在根据来说，它是哲学一般性的一种体现。其道理并不复杂。因为只有一般性的东西，才可能在阶段性发展中而具有继承性。哲学的这种历史继承性主要表现在以下三个方面。

第一，任何时代的哲学都贯穿着哲学基本问题的研究和思考。哲学基本问题是思维与存在的关系问题。它是现实生活世界的基本矛盾，即主观与客观的矛盾在哲学上的升华和理论表达。每个时代的哲学都面临自己时代的许多具体问题，但这些具体问题的解决都不离开对这个哲学基本问题的探索和思考。比如，在西方的远古时代，原始人关于灵魂与外界世界关系的认识所表现是哲学基本问题的萌芽形态；古希腊罗马时代关于具体物质形态与灵魂关系的认识所表现是哲学基本问题的最初形态；中世纪唯名论与唯实论的斗争所表现的是哲学基本问题的扭曲形态；近代唯物主义与唯心主义之争则呈现了哲学基本问题的成熟形态。现代西方哲学大分化，不少哲学派别宣称拒斥哲学基本问题，然而都未能如愿。哲学发展的历史证明，只要人存在，现实生活世界的基本矛盾，即主观与客观的矛盾就存在，那么作为这一基本矛盾哲学表现的哲学基本问题就存在，就不可拒斥。因而以往关于哲学基本问题的研究成果就具有学习、借鉴和继承的意义。

第二，任何时代哲学都会体现着形上智慧的探索和追求，即关于至真、至善、至美及其统一的追求。在这种追求中形成的理论观点，所创造的方法原则对后世哲学也具有学习、借鉴和继承的意义。

第三，任何时代哲学都渗透着哲学的自由精神，即独立思考、追求真理、不断探索、永不满足的精神。马克思指出："哲学研究的首要基础是勇敢的自由的精神。"① 因而各个时代的哲学家所表现的那种不畏权贵、不怕权威、甚至不惜牺牲生命的哲学自由精神，也就成为引导哲学不断前进的精神火炬，从而也就具有了令后世景仰和继承的恒久价值。

正因为各个时代的哲学都要研究哲学基本问题，都要追求形上智

① 《马克思恩格斯全集》第40卷，112页，北京：人民出版社，1982年。

慧，都渗透着哲学的自由精神，因而具有时代特殊性的哲学，其研究的积极成果也就内在地具有了可继承性。

可见，哲学的时代特殊性与作为哲学一般性体现的哲学的历史继承性是统一的，因而不能以哲学的时代特殊性去否认哲学的一般性。

六、哲学的个体价值性与人类价值性的统一

哲学的个体价值性是指哲学总是打上哲学家个人价值印记的哲学。作为个人哲学总是哲学家个人辛勤劳动的产物，总凝结着他个人的所感所悟、所憎所爱，从而总表现着他特有的价值追求。因而在哲学史上往往是以哲学家个人的名字来命名他所创立的哲学。比如，康德哲学、黑格尔哲学、老子哲学、朱熹哲学等。

个人哲学除了有其个人价值性以外，还有其人类价值性。个人哲学的人类价值性是指个人哲学是对人类问题和人类智慧的反映和表达。因为个人哲学具有人类价值性，所以任何个人哲学，并非纯粹个人的，因此不能把个人哲学归结为哲学家个人的自我认识。相反，它恰是通过哲学家的个人观察和思考去反映和表达人类的问题和人类的智慧。马克思在《〈科伦日报〉第179号的社论》中对这个问题曾做过精辟的论述。马克思认为，哲学是哲学家头脑思维的产物，但哲学不能归结为纯思维的头脑，即哲学家的自我意识，“哲学家并不像蘑菇那样是从地里冒出来的，他们是自己的时代、自己的人民的产物，人民的最美好、最珍贵、最隐蔽的精髓都汇集在哲学思想里。”①

个人哲学具有人类价值性，其根据首先在于哲学家个人是一个被人类性所规定的个体存在。也就是说，哲学家作为个体存在，但同时又是在人类公共环境和公共关系中活动的，因而是被现实的人类公共性所规定的个体存在。与此相联系，哲学家的个人哲学作为他所生活于其中的人类公共环境和公共关系的反映和表现，也就必然具有人类价值性。对此，英国哲学家罗素指出：“哲学乃是社会生活与政治生活的一个组成部分：它并不是卓越的个人所作出的孤立的思考，而是曾

① 《马克思恩格斯全集》第1卷，219—220页，北京：人民出版社，1995年。

经有各种体系盛行过的各种社会性格的产物与成因。”① 罗素在这里所说的社会性格就是相对于个人哲学的个人特殊性而言的人类社会性。

个人哲学的人类价值性，从其内在根据来说，它是哲学一般性的一种体现。其道理在于，只有一般性的东西才具有普遍性，才能得到公众认同，从而也才具有作为人类性体现的公众意义。个人哲学的人类价值性主要表现在以下几个方面。

第一，任何个人哲学都要透过个人爱憎去关注世道人心。哲学家在私人生活范围内，都有他的个人情感，但哲学家能透过个人爱憎去抒发更深更广的情怀。即推己及人，由家及国，从人类到自然。中国古代儒家哲学的修齐治平、独善兼济；老庄哲学的道法自然、安时处顺；现代西方哲学家的我他共在，都是这种深广情怀的表达。西方哲学家笛卡尔的“我思故我在”中的“我”、施蒂纳的“唯一者”，以及中国古代哲学家杨朱的“为我”“贵己”等所言说的“我”或“己”，都不是哲学家的个我、一己，而是作为主体人的个我，或每个人之我。可见，这些哲学家所表达的也是一种众生情怀。正因为如此，几乎所有的哲学家都怀有一种深沉的忧患意识，或忧人生，或忧民族，或忧自然。这大概也是哲学家的高远之处与超人之境吧！这可能也是他们的个人哲学能世代流传、广为人知的一个重要原因。

第二，任何个人哲学都要借个人思考去形成某些普遍道理，即他要通过哲学思考，从现象到本质，从个别到一般，从有限到无限，从而获得普遍的道理。这些普遍的道理也就具有了人类的普遍价值。即对任何人自觉从事任何活动具有了一般指导价值。

第三，任何个人哲学都要通过个人言说去表达某种人类智慧。每个哲学家都有自己的语言风格，但其陈述或多或少都会含有人类智慧。例如，黑格尔哲学尽管语言晦涩、调子古怪，但他通过绝对观念的自我运动所表达的关于世界和社会运动规律的观点，则启示人们要按辩证规律办事，这里所表达的就是人类智慧。老子的“欲刚柔守”、孔子的“过犹不及”、毛泽东的“实事求是”等，所表达的也都是人类智慧。因而这些名字才犹如一颗颗星辰在哲学天幕中占有一席之地，他们的个人哲学也才因此成为人类的精神财富。

① ［英］罗素：《西方哲学史》上卷，何兆武、李约瑟译，5页，北京：商务印书馆，1963年。

正因为任何个人哲学都要关注世道人心，都要形成某些普遍道理，都要表达种种人类智慧，因而具有个人价值性的哲学也就内在地具有了人类价值性。

可见，哲学的个人价值性与作为其一般性体现的哲学人类价值性是统一的。因而不能以哲学的个人价值性去否认哲学的一般性。

七、哲学是对人与世界关系的普遍把握

认为哲学不可定义的论者，还提出了另一个理由，即没有一个哲学定义是所有哲学家共同认可的。这是因为每个哲学家都有自己的哲学定义，哲学的不可定义性正在于它有无数个定义。还有论者认为，这种情况的存在，根源于哲学不是知识，不是科学，而是关于思想和观念的学说，其本质是一种价值体系。而问题在于任何哲学家都有自己的价值立场，于是也就形成了不同哲学家关于哲学的不同理解。

说哲学不是知识，不是科学，其在本质上是一种价值体系，那么怎样看待这一观点呢？如果从学术的严谨性角度说，这一说法较为粗糙，甚至有些武断。知识是人类认识成果的总称，其中包括科学，也包括哲学，因而才有科学知识、哲学知识之谓。诚然，相对于一般知识，科学有其特点，即科学是形成理论体系的知识。哲学相对于其他具体科学，也有其特点，哲学是以普遍方式把握人与世界关系的学说，是对真善美统一的追求。既然哲学包含着对真的追求，因而离不开具体科学的支撑，它是依靠具体科学所提供的思想材料，进行最高层次的抽象和概括而形成和发展的。这样一来，科学获得了哲学的提升，哲学也获得了科学的基础，由此，哲学也就具有了科学性。

所谓科学性是指认识中包含了不以人的意志为转移的客观内容。科学之所以被称之为科学，是因为科学是以发现真理、创造知识为内容的社会意识形式，其核心和实质就是提供对一切客观对象的真实面貌和规律的认识。

哲学与科学一样具有科学性，这表现在：第一，哲学和科学一样都要以事实为根据；第二，哲学和科学一样都要以规律为对象，从世界观意义上说，哲学所反映的是关于人与世界普遍联系的规律；第三，

哲学和科学一样也是以实践为检验标准。① 当然，哲学除了有科学性的一面以外，还有价值性的一面。

价值性是客体对主体的效应性。哲学的价值性是哲学理论体系对于价值主体的效应性。价值主体一般分为三类：一是个体主体，二是群体主体，三是人类主体。哲学家个人作为个体价值主体，他创立的个人哲学无疑要体现他个人的价值立场。但这种个人价值立场并非纯粹个人的，在其中必然会或多或少体现人类的价值内涵。关于这一点，前文已有详细的说明。

正是在人类价值的意义上，哲学的科学性与价值性才得以达于高度的一致。也就是说，只有立足于人类的价值立场，才能公正无私地按世界本来面目去加以认识和改造世界，从而形成具有科学性的哲学。另外，愈具科学性的哲学也才愈有利于指导人们去正确认识和改造世界，从而才愈能实现人类生存和发展的利益。也正是在这个意义上，我们说，以继承人类以往全部科学和文明成果为基础的、以争取人类彻底解放为宗旨的马克思主义哲学，才是科学性与革命性（价值性）高度统一的哲学。

可见，在对哲学价值性的理解上要注意防止两种偏向：

一是不能离开哲学的科学性来理解哲学的价值性。作这种理解的哲学价值性，也就使哲学跌落到了疯话和胡说的地步。因为疯话和胡说没有科学性，但不妨碍对其言说者有价值性，不然在社会上也就不会有各色人等热衷于装疯卖傻、胡说八道。与之相反，哲学的人类价值性正是基于其普遍的科学性。正如马克思所说：“哲学……所关心的是一切人的真理，而不是个别人的真理。”②

二是不能脱离哲学的人类价值的内涵，把哲学家个人的价值立场作孤立化、绝对化的理解。作这种理解的哲学家的个人价值立场也就成了纯粹的个人褊私。在哲学史上，持这种一己褊私立场的哲学家是根本没有、也是不可能有的。因为从根本上说，哲学的产生意味着思维超出了日常的世俗的个人功利的水平。正如黑格尔所指出的：“哲学是在这样一个时候出发：即当一个民族的精神已经从原始自然生活的

① 陈先达：《重视人文科学在文化建设中的地位和作用》，《高校理论战线》，1997（11）。

② 《马克思恩格斯全集》第1卷，215页，北京：人民出版社，1995年。

蒙昧混沌境界中挣扎出来了，并同样当它超出了欲望私利的观点，离开了追求个人目的的时候。精神超出了它的自然形态，超出了它的伦理风俗，它的生命饱满的力量，而过渡到反省和理解。”① 当然，哲学超越了个人的功利，不等于超越了其所属群体的功利（比如阶级的功利），但它一定要或多或少上升到人类功利的境界，因为只有这样，它才是哲学，或者说，才是名副其实的哲学。

因此，有的论者立足于对哲学家个人价值的片面理解，从中引申出关于不同哲学家对什么是哲学的回答只能有各自的定义，而不能有公认的统一定义的观点，自然是不能成立的。

另外，有论者认为，没有所有哲学家都承认的哲学定义，因而哲学没有一个一般定义。其实，这是不同的两回事，不能混为一谈。原因在于，哲学的一般定义对应着哲学的一般本质，它是对哲学一般本质的一种规定。至于这个关于哲学一般本质的规定，能否被所有哲学家共同认可，则应另当别论。因为这个一般定义可能正确，也可能部分正确，也可能是错误的，这就必然会造成认可上的分歧。另外，即使这个一般定义是正确的，在一个短时期内，也不一定能形成所有哲学家在认可上的共识，因为这涉及不同哲学家主观上的多种因素，比如认识角度、思维框架、价值偏好等。但是，即使出现这些分歧意见，也并不妨碍人们去承认可以给哲学下一个一般定义。因此，不能认为没有一个所有哲学家都公认的哲学定义，而否认可以给哲学下一个一般定义。

更何况，任何个人哲学或多或少都具有科学性和人类价值性，这从而也就为哲学家通过交流，调整认识角度、修正思维框架、纠正价值偏好，达于会通，即为形成关于哲学定义的共识提供了某种前提和基础。这也就是中国古人所说的“百虑而一致，殊途而同归”。其可能的根据在于：世界的普遍本性和一般规律是客观存在的，因而哲学的真理也是一元而非多元的。因此，关于哲学的一般定义，尽管一时还形不成共识，那也没有什么要紧，决不能因此把它定格为一种宿命。从长远角度说，现在没有形成共识，不等于将来不能形成共识。因而

① ［德］黑格尔：《哲学史讲演录》第1卷，贺麟、王太庆译，54页，北京：商务印书馆，1959年。

对此也需要有一种辩证的对待。

至于如何给哲学下一个一般定义，我认为黑格尔下面的话富有启发意义。他说："什么地方普遍者被认作无所不包的存在，或什么地方存在者在普遍的方式下被把握或思想之思想出现时，则哲学便从那里开始。"[①] 黑格尔又说："哲学以思想普遍者为内容。"[②] 黑格尔上述论述包含两层意思：其一，哲学是以普遍方式把握世界整体；其二，哲学是以普遍方式把握有限事物。黑格尔这一论述大体是对的。但如果把这一论述作为哲学的一般定义则有些不妥。一是它在文字表述上较为拖沓，概括不够，因而有待浓缩。二是它在哲学研究对象的指谓上也存有不确之处，因而有待修正、补充。因为哲学以普遍方式把握的对象不是脱离人的世界整体或有限事物，而是人与世界的关系整体或人与有限事物的关系。

我认为，在对黑格尔这段论述进行加工改造的基础上，或可形成这样一个哲学的一般定义：哲学是以普遍方式把握人与世界关系的理论。这里的"普遍方式"，即指高度抽象与综合。"人与世界关系"中的"世界"是指世界的总体或世界的部分；同样，"人"是指人的总体或人的某些方面。"人与世界"的关系是指人与世界在实践基础上所形成的认识关系、价值关系、审美关系和改造关系及其统一。

这个定义具有如下优点：

第一，它揭示了哲学的一般本质，即哲学是对人与世界关系的普遍把握。这从而也就使哲学与具体科学对事物的特殊把握，以及宗教对人与世界关系的信仰（盲目的）把握划清了界限。

第二，这个定义体现了理论与方法的统一，这里的"把握"不仅体现了一种理性自觉，而且是以理性自觉为基础的作为方法的关于理论的运用、驾驭。

第三，这个定义具有普遍的涵盖性。这个定义里的"人与世界关系"，包括三层涵义。

---

① ［德］黑格尔：《哲学史讲演录》第1卷，贺麟、王太庆译，93页，北京：商务印书馆，1959年。

② ［德］黑格尔：《哲学史讲演录》第1卷，贺麟、王太庆译，93页，北京：商务印书馆，1959年。

一是人与世界的总体关系。那么其相关哲学理论就是关于世界观的理论，这是最高层次的哲学。我国许多马克思主义哲学原理教科书，往往就是在这个层次上给哲学下定义的。这个定义对以人与世界总体关系为研究对象的哲学理论来说，无疑是正确的。可除此之外，还有许多哲学理论并不以人与世界的总体关系为对象，而是以人与世界的部分关系，即人的某一方面与世界的关系为对象。或者说，在这些理论体系中，虽然体现、渗透了一定的世界观内容，但不能把它们归结为关于世界观的理论。因为它们只是应用一定世界观，或在普遍方式下把握具体对象的哲学理论。因此，哲学的完整定义还应涵盖下面两个层次的对象。

二是人与部分世界的关系。那么其相关哲学就是人与部分世界的关系的理论。比如人与自然、历史、政治、环境、生态、文化等的关系，其相关哲学理论就是自然哲学、历史哲学、政治哲学、环境哲学、生态哲学、文化哲学等。也就是说，自然哲学不同于研究自然的自然科学，而是以普遍方式把握人与自然的关系的哲学理论。同样，历史哲学也有别于研究社会历史的科学，而是以普遍方式把握人与社会的关系的哲学理论。

三是人的某一方面与世界的关系。那么其相关哲学就是人的某一方面与世界的关系的理论。比如，人的认识、语言、意志等与世界的关系，其相关哲学就是认识哲学、语言哲学、意志哲学等。也就是说，认识哲学不是关于认识的知识学或科学学，而是人如何通过认识把握世界的哲学认识论。同样，语言哲学也不同于关于语言表达和语言涵义的语言学、语义学，而是关于语言如何体现着人对世界理解的哲学理论。另外，意志哲学也不是单纯研究意志的意志学，而是以最普遍方式研究人的意志与世界关系的哲学理论。

总之，上述关于哲学不可定义的种种理由，有的片面武断，有的似是而非，有的概念混淆，有的以偏概全。其共同点，是把不同哲学形态的差异夸大化、绝对化，人为地设置不可超越的界限、隔绝，这实际是一种形而上学的哲学观，因而是不可取的。在这里，之所以如此看重这个问题，不仅仅是因为这是一个对哲学其他问题进行探讨的前提性问题，而且还因为关于哲学不可有一般定义的观点在我国哲学界还有相当的市场。有的论者甚至认为，别的学科都可定义，唯有哲学不能有一般定义，并把它视为哲学的一个特性、一个优长，来加以肯定。殊不知，这种说法必然导致哲学的碎片化、虚玄化。因为它在逻辑根据上否定了世界普遍本性和一般规律的客观存在，以及对它的科学把握，这从而也就最终否定和消解了哲学。从马克思主义哲学的唯物辩证观点来看，哲学作为以人为基点的对自己所处世界的普遍本性的认识和利用，它是可以有一般定义的。哲学是以普遍方式把握人与世界关系的理论。当然，这一定义是否恰当，还有待他人评说。不过，我希望通过讨论，把关于这个问题的认识，向前推进一步。因为肯定哲学可以有一般定义，并在研究中，不断推进关于哲学一般定义的科学化和完善化，这对人们，特别是青年一代消解对哲学的隔膜和迷茫，激发其学习和应用哲学，特别是马克思主义哲学的热情，是很有意义的。

哲学的本质之思*

——从“爱智”与“求道”说开去

一、哲学追求宇宙人生的统一之道

近十多年来，关于什么是哲学，中国古代有无哲学，以及什么是马克思主义哲学等问题，在我国哲学界引发了诸多争论。黑格尔曾说，哲学史就是哲学。此话有理。它启示我们要弄清什么是哲学及上述相关问题，必须具有哲学史的深邃眼光。当然，这里所说的哲学史不是黑格尔所理解的纯粹观念的历史，而是人类哲学活动的历史，即自由和独立地进行思考和探索活动的历史。

哲学作为活动，其原初意味，就是古希腊人所谓的“爱智”。不过，在我看来，也是中国古人所说的“求道”。

用“爱智”或“求道”来说明哲学，在今人看来，已经不很确切、不合时宜。但也不能据此认为，上述指谓已完全失去价值。因为“爱智”与“求道”确实包含了古代西方人和中国人的形上追求，或者说，它们以各自的方式体现了哲学之作为哲学的一般。

德国哲学家海德格尔经考证认为，古希腊早期思想家赫拉克利特最早使用了“爱智”或“爱智慧”这个概念。张世英依据古希腊文解释说：“‘爱智慧’在赫拉克利特那里，就是指人对万物（一切存在者）合而为一的一种和谐一致的意识。”①张先生的这种解释，可以从黑格尔那里得到佐证。黑格尔说：“希腊人以自然和精神的实体性合一为基础、为他们的本质。”②

---

* 原刊于《安徽师范大学学报》（人文社会科学版），2006（6）。

① 张世英：《哲学导论》，358 页，北京：北京大学出版社，2002 年。

② ［德］黑格尔：《哲学史讲演录》第 1 卷，贺麟、王太庆译，160 页，北京：商务印书馆，1959 年。

因此，不管人们对“爱智”有这样那样的不同看法，但至少有一点是一致的，即作为“哲学”涵义的原初表达，“爱智”所追求和探讨的决非操作性的具体知识，而是对宇宙人生的一些最基本问题的理性思考。甚至可以说，从古希腊罗马哲学发源的整个西方哲学，尽管在历史上不断分化、不断丰富，但对宇宙人生总体关系的探讨，总是其不可缺少的一个基本内容。其在古代表现为“灵魂对外部世界的关系”，在近代以来则明确地表现为“思维对存在、精神对自然界的关系问题”①。

与古希腊人“爱智”的表述不同，中国古人把“求道”作为根本取向，视为人生最大的事情。《尚书·大甲》中就有“必求诸道”之议。老子也说：“孔德之容，唯道是从。”② 其意思是说，大“德”的人的一切容止，都是遵从“道”的。

孔子曾问道于老子，他感慨道：“朝闻道，夕死可矣。”③ 孔子又说，他是“志于道，据于德，依于仁，游于艺”④。

由此可见，在老子哲学和孔子哲学中，“道”都是最高概念。

那么什么是“道”呢？“道”作为中国哲学的元概念在认识史上有一个逐步提升的过程。“道”最初指道路，后来在转化的意义上指规律、法则，再后来通过提升，用以标示包括人在内的天地万物之本原，以及天人合一、物我相通之总原则。求道也就是“究天人之际”“通古今之变”（司马迁）。

为什么要求道？在中国古人看来，天人一理。因此，“观乎天文，以察时变；观乎人文，以化成天下”⑤。这里的天文指自然秩序，人文指人事条理。观天文、观人文两者相互联系，不可分割。观天文，察时变，说到底是为了使人适应这种变化，“推天道以明人事”；观人文，以化成天下，也就是“以人入天”，按照人的需要和利益去理解和改变天下事物。

由此可见，西方人所说的“爱智”与中国人所说的“求道”，其哲

---

① 《马克思恩格斯选集》第4卷，224页，北京：人民出版社，1995年。

② 《道德经·第二十一章》。

③ 《论语·里仁》。

④ 《论语·述而》。

⑤ 《易·贲·彖》。

学的内在本质是共通的，都是追求宇宙人生的统一之道，都是从总体上去关注人与世界的关系问题。也就是说，“爱智”和“求道”都包含了哲学的一般涵义，即哲学是关于宇宙人生总体关系的学说，或者说，是把宇宙人生呈在一个整体之中来加以考察的一门学问。

对于哲学本质的这样一种理解，中外不少哲学家都曾有所论述。

韦伯说，哲学是对宇宙人生的“普遍性解释”。冯友兰说，“我所说的哲学，就是对人生的有系统的反思的思想”，“宇宙论的产生，是因为宇宙是人生的背景，是人生戏剧演出的舞台”。因此，他说：“无论我们是否思人生，是否谈人生，我们都是在人生之中。也无论我们是否思宇宙，是否谈宇宙，我们都是宇宙的一部分。”① 张岱年说得更直接。他说：“哲学是天人之学，即关于宇宙人生基本问题的研讨。关于宇宙人生的基本问题，都具有最广泛的普遍性。”② 周辅成对此也有生动的说明。他说：“西方有人曾比喻古代哲学是一个大家庭，包括多种学科。譬如一群子女，后来一一长大了，都出嫁了或长大独立成家了（即各学科独立了），只剩下老两口，一是宇宙论，一是人生观（包括道德论）。但不能再分，再分，便不能成家，也不能独立生存。这说明哲学是以自然哲学与人生哲学为根本。最后这两部分，一点也不能分离；离婚就是死路一条。”③ 张世英在综合中西哲学史对哲学的种种界定，对其发展过程和趋势加以审视的基础上，也指出：“哲学应以进入人与世界融为一体的高远境界为目标之学。”④

以上这些学者的论述，尽管表述各异，但都抓住了哲学之作为哲学的根本。

哲学作为概念，是日本人西周于1837年首先用中国的“哲学”二字来表述源于古希腊罗马的西方哲学学说。中国晚清的学者黄遵宪将这一表述介绍到中国来。据此，有人认为“中国古代无哲学”，并由此引发了没完没了的争论。其实，哲学作为一个概念，作为“名”，只是“实”的一种符号表征。只要中国有哲学之实，是用哲学之名来指称，

① 冯友兰：《中国哲学简史》，4页，北京：北京大学出版社，1985年。

② 张岱年：《我的哲学思想——当代中国部分哲学家的学术自述》，5页，南宁：广西人民出版社，1994年。

③ 《建设中国特色的新伦理学——访周辅成教授》，《哲学动态》，1997（9）。

④ 张世英：《哲学导论》，4页，北京：北京大学出版社，2002年。

还是用“道”“道学”来标示，都是无关紧要的。如果因中国古代没有哲学之名，而否定中国古代有哲学之实，这是不合逻辑的，是不可取的。从哲学之实来说，中国不仅有哲学，而且是哲学古国。它在两千多年以前就有非常发达的哲学思维，可以说，先秦诸子与古希腊那些哲学家相比毫不逊色。诚然，中国有哲学，有的是中国特点的哲学。

二、中西传统哲学是各有特点的天人之学

中西传统哲学都是天人之学。这是它们的共性，但二者又各有特点。从总体上说，西方传统哲学是以宇宙意识或宇宙论为侧重点的天人之学，中国传统哲学则是以自我意识或人类学为侧重点的天人之学。

宇宙意识反映的是作为整体的世界以及世界本身的统一性或宇宙的终极原理；自我意识是关于人自身的本质、人存在的意义、人的完善等的追求。

在中西哲学史上，都既有重视宇宙的宇宙论哲学家，也有重视人自身的人类学哲学家。早期希腊哲学最先萌发的是宇宙意识，即所谓“仰天而思”。原子论的先驱者阿拉克萨戈拉，在回答为什么活着的问题时宣称，他活着为了沉思太阳、天空以及支配着整个宇宙的秩序。到苏格拉底，开始确立自我意识。苏格拉底要求人们去认识自己。他把哲学的主要任务视为“关心改善自己的灵魂”。他说：“完全不管人事，而对天上的事情加以猜测”，“选择这种思考对象的人是愚蠢的”①。黑格尔曾就此指出：“无限的主观性、自我意识的自由，在苏格拉底的学说中生长出来了。”②

在中国哲学史上，最早萌发的也是宇宙意识，其较为系统的理论形态是老子的自然无为的天道观。即所谓“天之道，不争而善胜，不言而善应，不召而自来”③。在中国，自我意识哲学的形成，其典型形态是以孔子为代表的儒家仁学理论。孔子尊人、贵人，重视人的人格

---

① 北京大学哲学系外国哲学史教研室编译：《西方哲学原著选读》上卷，69、60 页，北京：商务印书馆，1981 年。

② ［德］黑格尔：《哲学史讲演录》第 2 卷，贺麟、王太庆译，44 页，北京：商务印书馆，2009 年。

③ 《道德经·第七十三章》。

力量和道德作用。在孔子看来，“仁者爱人”，“仁”为安身立命之本。“仁”既是一种人格塑造，“诚意、正心、修身”，又是一种政治理想，“齐家、治国、平天下”，“天下归仁”。

哲学的宇宙意识与自我意识并不是互为外在、互不相干，而是相互联系、内在统一的。就二者的关系来说，宇宙是人的无机的身体，人是宇宙生命的人格化身。因此，人对宇宙的认识总是包含了人对自我的认识；同样，人对自我的认识也总是体现了人对宇宙的理解。所以宇宙论哲学家虽然侧重于对宇宙的审视，但总是要从宇宙的视角思考人生，总是要以沉思宇宙法则为人生寻找指导。同样，人类学哲学家虽然侧重于对人自身的审视，但也总是要从人生的视角思考宇宙，要为人生原则提供宇宙论的支撑。

因此，宇宙论哲学的致思路向，大体是“以天引人”。比如，宇宙论哲学家赫拉克利特就曾说过：“智慧就在于说出真理，并且按照自然行事，听自然的话。”① 中国宇宙论哲学家老子，有着与赫氏相类似的致思路向。老子认为：“天道自然无为”，“无为”是最高原则，因而人要向天道学习，不能有为。这就叫“人法地，地法天，天法道，道法自然”②，即人只能“顺其自然”“安之若命”。可见，老子的“道”既是一种宇宙本体的形上思考，同时也是一种对人生的消极保守的指引。

与宇宙论哲学家相反，人类学哲学的致思路向，大体是“以人入天”。比如，人类学哲学家孔子，“罕言天道”，重在人道，即重在伦理学、价值论。东汉哲学家王充说：“孔子道德之祖，诸子之中最卓者也。”③ 但人道如果没有天道做根据，那么就会缺乏应有的权威性。为此，人的东西就必须从超人的东西来求得论证，而这个最广大的、超人的存在就是自然，就是宇宙。所以儒家侧重讲人道，但还需要借助“天道”，从而求得宇宙论的证明。于是形成了孔子的唯心主义天命观。孔子说：“不知命，无以为君子也”④，“天生德于予”⑤。也就是说，在

① 北京大学哲学系外国哲学史教研室编译：《西方哲学原著选读》上卷，25页，北京：商务印书馆，1981年。

② 《道德经·第二十五章》。

③ 王充：《论衡·本性》，45页，上海：上海人民出版社，1974年。

④ 《论语·尧曰》。

⑤ 《论语·述而》。

孔子看来，仁德、仁性来自天。至于如何来自天，在孔子那里尚未得到具体的说明，但大体路向已经指出了。

无独有偶，现代西方人本主义哲学中的唯意志主义、生命哲学，也是把原本属人的“意志”“生命冲动”等赋予宇宙万物，说到底，也是为各自哲学的主导原则设立一个形上的根据。

由于宇宙论哲学和人类学哲学都在其中按不同比例，凝结了宇宙意识和自我意识，因而在历史的流变中，原先的“宇宙论哲学”可以转化或“改造”为“人类学哲学”。比如，黑格尔主义到新黑格尔主义的转变。又比如，西方传统宇宙论哲学向现代西方人本主义的转向。反之，原先的“人类学哲学”也可以转化或“改造”为“宇宙论哲学”。比如，从先秦儒家的仁学到宋明的“理学”。当然这样说，也并不否认中西哲学在主流趋势上的差异。就西方哲学而言，其主流是宇宙论哲学，或者说，是以宇宙论为侧重点的天人之学，而中国哲学占主导地位的则是人类学哲学，或者说，是以人类学为侧重点的天人之学。

中西哲学的这种区别，或如康德所言的是“自然形而上学”与“道德形而上学”的区别。西方的“自然形而上学”，主要讲人与自然的关系，人如何把握宇宙的本原，即“是者”。这里的如何把握，即如何避免语言和思想中的矛盾，或者说，是如何避免“是”与“不是”的矛盾。关于对“是者”的不同理解，从而形成了唯物主义的物质实体论和唯心主义的精神实体论两大基本派别，并在各自的视域中形成了关于机械人、生物人（旧唯物主义），奴仆人（经院哲学），理性人、非理性人（唯心主义）等的不同理解。在关于对“是者”的“是”与“不是”的争辩中，形成了如何认识、如何表达等一系列理论。围绕这样两个问题的解答，由此形成了西方哲学中本体论、认识论、逻辑学的结合。于是“本原”“存在”“本质”“一与多”“变与不变”“是与不是”“可知与不可知”“真理与意见”“唯名与唯实”“感性与理性”“抽象与具体”“证实与证伪”“语言与言语”“所指与能指”“文本与诠释”等范畴便进入了西方哲学的研究视野，由此展开了多层次、多方位的系统研究。

中国的“道德形而上学”，以人为根本对象，以如何提高人生境界，正确处理人际关系为目标。《尚书》云：“天视自我民视，天听自我民听”，“民之所欲，天必从之”。在中国古人的认识中已经开始了从

“尊天”到“贵人”的转变。

中国古代哲学强调：“道者，非天之道，非地之道，人之所以道也”①，认为“道不远人，人之为道而远人，不可以为道”②。不仅如此，从孔子开始，已经开始用天命来证明人事。到了孟子那里，他沿着孔子的思路，用“诚”把人和天联系起来。他说：“诚者，天之道也；思诚者，人之道也。”③ 于是“尽心知性而知天”④。至此，“诚”不仅指人的德性，而且还指谓统治天地人的形上本体。其后的《中庸》则更是把“人性”与“天道”直接联系起来，提出了“天命之谓性”的命题。这一命题为后来汉朝董仲舒的“天人感应论”和宋明的“理学”“心学”提供了理论前提和得以发挥的基础。

不难看出，道德形而上学用人文、人伦之理推究天理，把无限宇宙人性化、伦理化、政治化，实际是借助天道来表达人的价值诉求，由此形成了中国哲学中本体论、伦理学和价值论的统一。于是“天文与人文”“天道与人道”“天理与人欲”“自然与人为”“力与命”“为道与为人”“群与己”“仁与礼”“忠与孝”“诚与信”“公与私”“善与恶”“义与利”“居与养”等，便成为中国哲学研究的一系列范畴，由此形成了既一脉相承又形态丰富的各种理论。

总之，中西哲学作为天人之学，从主导方面说，各自研究的侧重点、致思路向和使用的哲学范畴等是不同的。因此，既不能以西方哲学为模式标准来衡量和贬低中国哲学，甚至否认中国有哲学，也不能以中国哲学为模式标准来衡量和贬低西方哲学，甚至排斥西方哲学。无论是中国哲学，还是西方哲学，都各有所长，各有所短。另外，也无论是长处，还是短处，都是我们今天坚持和发展马克思主义哲学所必须加以借鉴的重要的哲学资源。

三、马克思主义哲学是科学的天人之学

相对于一般哲学，相对于中西传统哲学，马克思主义哲学是无产

① 北京大学《荀子》注释组：《荀子新注》，91页，北京：中华书局，1979年。

② 《礼记·中庸》。

③ 《孟子·离娄上》。

④ 《孟子·尽心上》。

阶级世界观的科学理论体系。或者说，是科学的天人之学。

关于这一点，马克思主义经典作家曾多次予以申明。马克思在创立其哲学的过程中就指出："哲学把无产阶级当做自己的物质武器，同样，无产阶级也把哲学当做自己的精神武器。"[①] 1885年恩格斯在为《反杜林论》所写的序言中论述道：马克思和他所主张的新的哲学就是"辩证的同时又是唯物主义的"世界观。《反杜林论》"比较连贯地阐述"了"辩证方法和共产主义世界观"。"这一世界观，首先在马克思的《哲学的贫困》和《共产党宣言》中问世。"[②] 列宁也曾指出："马克思是严格根据他的辩证唯物主义世界观的一切前提确定无产阶级策略的基本任务的。"[③]

马克思主义哲学是世界观，这是马克思主义哲学的一般本质规定。作为世界观，马克思主义哲学与其他哲学一样，它所理解和研究的是包括人在内的世界的整体，是人与世界的总体关系。

因此，哲学世界观意义上的世界不是宇宙学所理解的物理世界。因为宇宙学并不研究人与物理世界的关系，而是仅就宇宙本身进行实证的研究。这里的世界也不是从人的日常经验所理解的人的生活世界。因为生活世界是一个有限的打上了人的生活印记的世界。这里的世界是世界观意义上的世界，即与人联系的作为人的活动的对象及舞台和背景的、无限的、被人理解和反映的意义上的世界。

近一些年来，在我国哲学界存在着一种否定马克思主义哲学的世界观本性的倾向。一些论者认为，马克思主义哲学只研究生活世界；或者说，只研究实践所创造的世界；甚至认为，只研究人。

这些观点都是笔者不敢苟同的。倡导哲学，包括马克思主义哲学应回到生活世界，这有其可取之处。但由此认为，马克思主义哲学只应关注生活世界，这就不对了。哲学应回到生活世界，可以说，这是以往所有人类学哲学家的共同观点，同时也是以关注人类命运为己任的马克思主义哲学创始人——马克思和恩格斯的观点。尽管马克思和恩格斯与以往的人类学哲学家所理解的生活世界并不相同，但是任何

---

① 《马克思恩格斯选集》第1卷，15页，北京：人民出版社，1995年。

② 《马克思恩格斯选集》第3卷，349、347页，北京：人民出版社，1995年。

③ 《列宁选集》第2卷，443页，北京：人民出版社，1995年。

哲学之作为哲学，都不可能停留于对生活世界的感性的或实证层面的理解上，而必须上升到普遍理性的概念化把握，即对世界一般本性的把握。如果没有这个上升过程，也就否定了哲学的世界观本性，否定了作为哲学的马克思主义哲学。

有的论者把马克思主义哲学的对象局限于实践所创造的世界，这种观点也是没有根据的。实践所创造的世界只是世界的局部表现、特殊形态。无疑，实践原则是马克思主义哲学的主导原则，马克思主义哲学主张把“对象、现实、感性”“当作实践去理解”。但不能把这个命题曲解为只是理解实践及其创造物。马克思主义哲学之所以主张要把对象世界当作实践去理解，这是因为实践以缩影的形式映现着现实世界，蕴含着现实世界的全部秘密，是人所面临的一切现实矛盾的汇焦点，即人与自然、人与人以及人与其意识等矛盾的集中显现点。因此，尽管现实的实践是有限的，实践所创造的对象也是有限的，但是实践所联系、所表现的世界是无限的。所以，马克思主义哲学主张通过实践这个透视点去理解世界，去把握世界的一般本性，从而为人类实践提供普遍根据和法则。

有的论者把哲学包括马克思主义哲学归结为人学，认为只有以人为对象，才能体现哲学的特点。这种观点是似是而非的。哲学的本性是世界观理论，它研究的是人的世界，是人与世界的总体关系。在这二者的相互联系中，人是主体，环境世界是客体。在这个意义上，人是哲学研究的出发点和归宿点。但是能否因此而走向另一个极端，离开人与世界的关系，离开客体的环境世界来谈人自身，来谈哲学呢？不能。在我看来，把哲学归结为人学，就是这种极端的观点。

其实，人总是在世界中生活的。正如马克思所说：“人不是抽象的蛰居于世界之外的存在物。人就是人的世界，就是国家，社会。”① 离开世界的存在，哪有作为主体的人？在哲学领域中就人论人的哲学是没有的。

总之，那种仅仅把生活世界，或把人的实践所创造的世界，或把人作为马克思主义哲学对象的观点，都消解了马克思主义哲学的世界观本性，都是使马克思主义哲学停留在“人间”，而不是从“人间”升

① 《马克思恩格斯选集》第1卷，1页，北京：人民出版社，1995年。

到“天国”。而马克思和恩格斯曾明确主张他们的哲学“是从人间升到天国”[①]，即从人们的物质生活过程出发，经过科学的抽象，升华到对世界一般本性的概念化把握。

当然，仅仅承认马克思主义哲学是世界观理论是不够的，还必须承认马克思主义哲学是科学的世界观理论。

科学从根本方面来说，在于它的内容的客观性，或者说，认识中包含了不以人的意志为转移的客观内容，其核心和实质就是提供了对客观对象本身的真实面貌和规律的认识。

哲学之作为哲学，总是对自然知识、社会知识和思维知识等的概括和总结，总是在某一方面，或某一层次，或某一环节上提供了关于对象世界的真实面貌和规律的认识，因而任何一种哲学总会多少具有科学性。正如黑格尔所言，纯粹胡说的哲学是没有的。但是在承认这一点的同时，又必须看到，以往的哲学在总体上是不科学的，因而不能称之为科学的世界观。

以往哲学在总体上的不科学性，主要表现有三：

第一，抽象性。无论是以往的宇宙论哲学还是人类学哲学，其作为理论的支点或基础的，都是想象中的实体或抽象的人性。然而人类实践和科学发展证明：这种独立于万物之外作为万物本原的实体，以及脱离社会历史的先天人性都是不存在的。

第二，形而上学性。以往宇宙论哲学作为理论之点的实体“一”可以变成或生成“万物”，但“一”本身是绝对的、永恒的、不变的；以往的人类学哲学从某种先天人性出发，在逻辑发展中在形态上表现为人性的丧失或异化，但是这种人性本身也是绝对的、永恒的、不变的。因此，二者的最后归宿，前者是万物复归为“一”；后者则是克服人性丧失或异化，使人性复得或复归或救赎，即都有一个终点。到了终点，运动停止了，矛盾也终结了。关于这一点，在古代辩证法家和近代辩证法大师黑格尔那里，其套路和结局都是大致相同的。用黑格尔的话说，当绝对观念回复到自身，回复到“最高的真实，本然的真实，就是最高的对立与矛盾的解决”[②]。由此可见，即使如黑格尔辩证

① 《马克思恩格斯选集》第1卷，73页，北京：人民出版社，1995年。

② ［德］黑格尔：《美学》第1卷，朱光潜译，128页，北京：人民文学出版社，1958年。

法也是不彻底的，也是带有形而上学性的。

第三，历史观上的唯心主义。无论是旧唯物主义，还是唯心主义，在历史观上都陷入了唯心主义。它们或是把社会看作社会之外的神秘精神力量的展示，或是人的先天本性的展示。

马克思主义哲学是科学的世界观。这里的科学性主要表现在马克思主义哲学“不是从人们所说的、所设想的、所想象的东西出发，也不是从……设想出来的、想象出来的人出发，去理解有血有肉的人”，而是以“从事实际活动的人”为“出发点”①，即从社会实践的人出发来理解人本身、来理解历史、来理解世界及世界与人的关系，这就坚持了彻底的唯物主义，即按照世界的本来面目来认识世界，而不附加任何外来成分，从而克服了旧哲学的抽象性；马克思主义哲学坚持了彻底的辩证法，它立足于实践，深刻揭示了自然、社会、人类思维的一般规律，从而克服了旧哲学的形而上学性；马克思主义哲学以实践，特别是生产劳动为基础，坚持了唯物辩证的自然观与历史观的统一，把历史唯心主义从社会历史领域赶了出去，创立了历史唯物主义，从而在世界观层面上形成了通过实践来认识和改造人与世界的能动的、历史的、辩证的唯物主义。

马克思主义哲学从最一般的概括来说，是辩证唯物论或唯物辩证论。从一般与个别的关系来说，承认马克思主义哲学的辩证性，也就必然承认马克思主义哲学的历史性和能动性。因为历史性只是世界的辩证性在其纵向的形态表现，即过程形态的表现，通常称之为过程辩证法（除此以外，世界的辩证性还有横向形态的表现，即系统形态的表现，通常称之为系统辩证法）。所以列宁说：“辩证法包括历史性。”②

另外，能动性是世界的辩证性的一种人为形态的表现，即人的实践形态的表现（当然，世界的辩证性还有自在形态的表现，并且人为形态的辩证法是以自在形态的辩证法为前提和基础的）。对人来说，能动性是人区别于动物的根本特点。所以，毛泽东说，辩证法的“最重要的方面是能动性”③。

① 《马克思恩格斯选集》第1卷，73页，北京：人民出版社，1995年。

② ［俄］列宁：《对布哈林〈过渡时期的经济〉一书的评论》，44页，北京：人民出版社，1958年。

③ 中共中央文献研究室：《毛泽东哲学批注集》，311页，北京：中央文献出版社，1988年。

由此可见，唯物辩证法与（广义）历史辩证法、实践辩证法在根本上是一致的。从理论上说，唯物辩证法是（广义）历史辩证法、实践辩证法的逻辑根据；（广义）历史辩证法、实践辩证法是唯物辩证法的逻辑引申。因此，国内有的论者把历史唯物主义作广义理解，进而把它与辩证唯物主义相提并论的观点是不可取的。另外，有的论者把马克思辩证法归结为实践辩证法而拒斥唯物辩证法的做法，也是不对的，是错误的，其结果是从根本上否定了实践辩证法的世界观基础。

哲学是世界观和方法论的统一。辩证唯物论关于世界物质性和辩证性的终极解释，为无产阶级和广大人民群众认识和改造世界，实现全人类的解放，提供了根本的依据。马克思说："哲学家们只是用不同的方式解释世界，而问题在于改变世界。"① 关注和研究世界的改变，这是马克思主义哲学的实质所在，是马克思主义哲学区别于其他哲学的一个根本特点。从这个意义上说，马克思主义哲学不仅是无产阶级解释世界的科学世界观，而且也是面向实践的科学认识论和方法论。

中国共产党人学习和运用马克思主义哲学，是"以研究思想方法论为主"② 的。毛泽东思想倡导实事求是，一切从中国的实际出发；邓小平理论强调解放思想与实事求是的统一；"三个代表"重要思想关于解放思想、实事求是、与时俱进的辩证理论，都是从思想方法论的角度，以中国语言对马克思主义哲学的精髓和核心所作的概括和总结，是对马克思主义哲学的唯物论原理和辩证法原理的实际运用，是指导中国人民进行伟大实践的思想路线。历史的经验告诉我们，坚持这条思想路线是我们不断取得胜利的根本保证，偏离这条思想路线就必然会招致挫折和失败。

---

① 《马克思恩格斯选集》第1卷，61页，北京：人民出版社，1995年。

② 中共中央文献研究室：《毛泽东书信选集》，189页，北京：人民出版社，1983年。

哲学的“世界”概念*

——兼评科普宁及凯德洛夫的相关观点

哲学是关于世界观的学说。因此如何理解这里所说的“世界”，是一个首要的基本的理论问题。

一、哲学有自己的“世界”概念

有人说，哲学不需要“世界”这个概念。原苏联哲学家科普宁所持的就是这样一种观点。他说，关于“世界”一词，有地理学上的指称，有天文学上的理解，有物理学意义上的运用，等等，可见，“世界”这一术语在现代科学中是在各种不同的意义上使用的。由此，科普宁认为，“世界”不是科学的概念，是“无内容的概念”。“马克思列宁主义哲学也没有这个范畴。……所以现在当然不能用世界一词来给世界观下定义。”①

世界是一个多义词，这是一个客观事实。但是能否如科普宁所认为的，因为“世界”是一个多义词，所以它就是一个不科学的、无内容的概念呢？在笔者看来，不能。一词多义，虽然会产生理解上的困难，会产生某种不确定性。但是这种缺陷并不是不可克服的。就“世界”这个概念来说，在不同的学科领域中，在不同的语境中，就会由于文义或语义的交叉限定，而显示出它在具体应用中的确定涵义。换句话说，一词的多义性，本来就是相对不同场合的具体运用而言的。科普宁的失误就在于，他离开了上述这种前提，抽象地谈论“世界”一词的多义性，并由此夸大其涵义的不确定性，接着来了一个思维跳

* 原刊于《江淮论坛》，1993（4）。

① ［俄］科普宁：《马克思主义认识论导论》，马迅等译，6—10页，北京：求实出版社，1982年。

跃，硬把“世界”一词的多义性说成了无意义性。应该说，科普宁的这一认识，是不妥的。

另外，科普宁说，马克思列宁主义哲学也没有世界这个范畴。笔者认为，这一论断也是不符合事实的。马克思的下述名言是大家熟知的。马克思说：“哲学家们只是用不同的方式解释世界，而问题在于改变世界。”① 列宁的《哲学笔记》在论述思维的形式与内容的关系时，同样运用了“世界”这个概念。他指出：“逻辑不是关于思维的外在形式的学说，而是关于……世界的全部具体内容及对它的认识的发展规律的学说。”② 马克思和列宁在上述论述中，都运用了“世界”这一概念来说明辩证唯物主义的根本哲学见解，这绝不是偶然的，而是由哲学的对象和根本内容所必然决定的。因为哲学是关于世界观的学说，是关于整个世界的根本观点的理论体系，所以，世界观这个概念本身已经逻辑地包含了对“世界”这一概念的承认，包含了从世界观意义上对“世界”这个概念的理解。

如果离开“世界”这一概念，又怎么可能给哲学世界观下一个适当的定义呢？科普宁在《马克思主义认识论导论》一书中，虽然给世界观下了一个定义，并且确实没有使用“世界”这一概念。然而这是怎样的一个定义呢？他说：“现代的科学的世界观包括：解决哲学基本问题；建立包括社会发展规律在内的发展的概念；了解人的本质及其在现实的其他现象中的地位；确立人的社会理想。”③ 科普宁的这一表述能称得上关于科学的世界观的定义吗？不能。实际上，它只是关于世界观的部分内容的罗列，而不是关于哲学世界观的总体的概括。

由此可见，在肯定“世界”概念的多义性的同时，并不妨碍人们去承认哲学意义上的“世界”概念，也不妨碍人们去说明它与具体科学所理解的“世界”概念的区别。

二、哲学与科学的“世界”概念之区别

其区别在于，哲学所理解的“世界”，是“世界的整体”，或者说

① 《马克思恩格斯选集》第1卷，61页，北京：人民出版社，1995年。

② ［俄］列宁：《哲学笔记》，89页，北京：人民出版社，1974年。

③ ［俄］科普宁：《马克思主义认识论导论》，马迅等译，6—10页，北京：求实出版社，1982年。

是“整个世界”；具体科学所理解的“世界”，是“世界的局部”，或者说是“部分世界”。

然而有些哲学家并不认为哲学研究的是整个世界。比如，科普宁就认为：“关于世界的普遍联系和属性的科学，关于整个世界的科学”，“是早已过了时的自然哲学”①。“现在的科学的哲学（辩证唯物主义和历史唯物主义）不是对整个世界一般观点或关于整个世界的观念的体系。”他说：“把世界观定义为关于整个世界的观点的体系，就会造成这样一种观念：世界观似乎是描绘各种世界：微观世界、宏观世界、宇宙和反宇宙的整个的特性和规律的包罗万象的物理学。”② 原苏联哲学家凯德洛夫也认为：“马克思、恩格斯和列宁从来不曾把自己的哲学对象说成是‘整个世界’。”③

那么科普宁和凯德洛夫为什么否认哲学所理解和研究的世界是整个世界，哲学是以整个世界为对象呢？因为在科普宁看来，“任何一种科学都是这样或那样的研究整个世界的。……描绘整个宇宙，不是世界观的任务，而是科学知识全部总和的任务。”④ 凯德洛夫也是这样认为的。他说：“绘制一个总的世界图景绝不仅仅是哲学一门科学（或世界观）的任务，而是所有科学的任务，无一例外。”⑤

笔者认为，科普宁和凯德罗夫关于整个世界不是哲学的对象，而是所有科学的对象的观点，是似是而非的。凯德洛夫关于马克思主义经典作家从来不曾把自己哲学的对象说成是整个世界的观点，也是没有根据的。

哲学以整个世界为对象，它所研究的是关于整个世界的本质和一般规律；具体科学则是以部分世界为对象，它所研究的是关于世界的一定方面或一定层次的本质和规律。这一观点在亚里士多德那里被表

① ［俄］科普宁：《辩证法·逻辑·科学》，王天厚等译，15页，上海：华东师范大学出版社，1981年。

② ［俄］科普宁：《马克思主义认识论导论》，马迅等译，18页，北京：求实出版社，1982年。

③ E.M.凯德罗夫、赵洁珍：《关于“整个世界”是不是马克思主义哲学对象的问题》，《国外社会科学》，1980（4）。

④ ［俄］科普宁：《马克思主义认识论导论》，马迅等译，5—7页，北京：求实出版社，1982年。

⑤ E.M.凯德罗夫、赵洁珍：《关于“整个世界”是不是马克思主义哲学对象的问题》，《国外社会科学》，1980（4）。

述为：“所谓特殊科学……各自割取‘有’的一部分，研究这个部分的属性”；而哲学则是“专门研究‘有’本身”，“能够说出一切‘有’的最确定的原则”①。

黑格尔也认为：“特殊科学的对象只是有限的对象和现象”；而哲学则是以“具有完全普遍的对象作为内容的”②。所以他称“哲学为世界的智慧”③，研究的是世界的整体。黑格尔说：“世界这个词，一般说来是指多样性事物的无形式的整体。”④

马克思主义经典作家是怎样看待作为哲学对象的“世界”的呢？对此，恩格斯在《反杜林论》中指出，辩证法要求把事物“放到它同宇宙的总联系中来考察”⑤。列宁也表述了与恩格斯同样的思想。他认为，哲学所研究的是“整个世界的必然联系”，是“一切事物的相互规定的联系”⑥。

由上可见，具体科学所理解和研究的“世界”是世界的部分，哲学所理解和研究的“世界”是世界的整体，这是哲学史上众多哲学家的共识。诚然，世界的整体是由世界的各部分构成的，对世界整体的认识也必须借助于对世界的部分的认识，即在具体科学认识的基础上，进行综合和概括而形成的。这就是说，哲学对整个世界的认识离不开具体科学对世界的部分的认识，离不开具体科学所提供的材料。但是不能由此认为具体科学也研究整个世界。就其性质和使命来说，具体科学所研究的只是部分世界。它所以能在哲学对整个世界的认识过程中发挥作为思想材料的作用，也仅仅是因为作为对世界的部分认识，具体科学被统摄于和综合于对世界整体的哲学的认识中。这就是说，具体科学在对世界整体的认识中的作用，是通过哲学认识实现的，是哲学所赋予的，说到底，是哲学的认识作用的表现。可见，不能因为

---

① 北京大学哲学系外国哲学史教研室编译：《西方哲学原著选读》上卷，121、122 页，北京：商务印书馆，1984 年。

② ［德］黑格尔：《哲学史讲演录》第 1 卷，贺麟、王太庆译，58 页，北京：商务印书馆，1959 年。

③ ［德］黑格尔：《哲学史讲演录》第 1 卷，贺麟、王太庆译，62 页，北京：商务印书馆，1959 年。

④ 转引自［俄］列宁：《哲学笔记》，161 页，北京：人民出版社，1974 年。

⑤ 《马克思恩格斯选集》第 3 卷，361 页，北京：人民出版社，1995 年。

⑥ ［俄］列宁：《哲学笔记》，106 页，北京：人民出版社，1974 年。

具体科学为哲学提供了思想材料，而否认具体科学与哲学在研究对象上的区别，不能把具体科学所理解的部分世界混同于哲学所理解的整个世界。

当然，哲学研究整个世界，这并不是说，哲学不研究世界的部分，不研究有限的事物，不是的。但是哲学并不研究纯粹有限的事物，而是从人与世界整体的角度，去研究有限事物，或者说，是把有限的对象置于无限中加以研究。这正如黑格尔所说："什么地方普遍者被认作无所不包的存在，或什么地方存在者在普遍的方式下被把握或思想之思想出现时，则哲学便从那里开始。"①

黑格尔在这里讲了两层意思：一是哲学研究整个世界的普遍存在；二是哲学把有限的事物放在普遍的方式下加以把握。比如，自然观、历史观和思维观要分别研究自然、社会和思维，但是这种研究又不同于自然科学、社会科学和思维科学的研究，而是把自然、社会和思维放在人与世界总体关系中加以研究。它们分别是关于自然、社会和思维的世界观理论。因此，不能说自然观、历史观和思维观分别以自然、社会和思维为对象，而只能说，它们分别从自然、社会和思维等不同领域去揭示和表现关于人与世界总体关系的一般本性，从而丰富和发展了关于一般世界观的理论。

总之，哲学世界观所理解的"世界"是人的世界整体，哲学是从整个世界的角度研究事物的，这是由哲学的世界观本性所决定的。

三、哲学的"世界"是无限多样的统一整体

所谓世界的无限多样性，这是从整个世界的外延的意义上说的，是指整个世界包括所有一切事物和过程。所谓世界的无限多样性的统一整体，是从整个世界的内涵的意义上说的，是指一切事物和过程的统一性。换句话说，是什么把一切事物和过程结合成一个有机联系的整体，它们的共同基础或共同本质是什么，贯穿其中的规律性是什么。概括地说，哲学所理解的世界整体就是把万事万物结成为整体的共同

---

① ［德］黑格尔：《哲学史讲演录》第1卷，贺麟、王太庆译，93页，北京：商务印书馆，1959年。

本质和贯穿其中的一般规律所体现的世界统一性。

能不能脱离上述内涵，而仅仅从纯粹外延的角度去理解整个世界呢？不能。

科普宁之所以会否认整个世界是哲学的对象，是与他从纯粹外延的意义上来理解整个世界相联系的。科普宁把整个世界说成是微观世界、宏观世界、宇宙和反宇宙等的加和。由此他认为，哲学如果以整个世界为对象，那么世界也就成了“包罗万象的物理学”“自然哲学”①。

科普宁的这一认识是不对的。研究物质的结构、原子和电子的运动，研究我们视野所及的宇宙的形成（如大爆炸宇宙学），研究这个有限的宇宙之外，还有怎样的宇宙存在等，这是自然科学的任务，而不是哲学的任务。哲学的任务不是如科普宁所说的是把“物理学的研究成果”“重复”一遍，不是通过对一个部分世界的认识，再加上对另一个部分世界的认识，以至无穷累积，从而去认识世界的整体。不是这样的。众所周知，世界是无限的。因此，不能把哲学意义上的整个世界理解为无穷个部分世界的加和，因为无穷多的有限的加和，仍然是有限。

关于这一点，黑格尔有很好的分析。黑格尔在《大逻辑》和《逻辑学》里都摘引了哈勒咏叹自然或上帝的一首诗，他认为该诗中所说的“世界之上我堆起世界，时间之上我加上时间”的无限进展，这是一种坏的无限性的典型。在黑格尔看来，只是在外延的意义上，去追溯时间的无限绵延、空间的无限伸张等，都是属于这一类的无穷进展。他说：“人们先立定一个限度，于是超出了这限度。然后人们又立一限度，从而又一次超出这限度，如此递进，以致无穷。凡此种种，除了表面上的变换外，没有别的了。这种变换从来没有离开有限事物的范围。”② 这种“有限化的无限”仍然是有限，无限终究是不可企及的彼岸。所以黑格尔称这种无限为“恶无限”，即不可捉摸的无限。如果按照这种无限的思路，即从外延的无限扩张性上去理解世界整体，那么人们在实际上所面对的永远只能是有限的部分世界，而不可能以无限的世界整体为对象。

---

① ［俄］科普宁：《马克思主义认识论导论》，马迅等译，10 页，北京：求实出版社，1982 年。

② ［德］黑格尔：《小逻辑》，贺麟译，207 页，北京：商务印书馆，1980 年。

科普宁否认整个世界是哲学的对象，我国哲学界也有人认为，以整个世界为哲学对象是“人为的虚设”，之所以会产生如此认识，就是因为他们都是从纯粹外延的意义上，即以恶无限的思路去理解整个世界的。这样所理解的整个世界，当然不可能成为哲学的对象。

如果不是从纯粹外延的意义上，而是从外延与内涵相统一的意义上来理解整个世界，那么哲学以整个世界为对象就不仅是可能的，而且也是必然的。

所谓从内涵与外延相统一的意义上去理解整个世界，就是要在思维中，扬弃关于整个世界在外延上的消极无穷进展，集中兴趣于这种恶无限得以实现的真实内容、内在的根据。这也是黑格尔所主张的，要追求“真无限”，即从有限物中揭示出凝缩于其中的、此有限物与它之外的无限物相关的内在根据。对于无限整体的世界来说，追求真无限，就是要揭示世界无限进步过程的本质或根据。

对此，恩格斯指出：“当我们说，物质和运动既不能创造也不能消灭的时候，我们是说：宇宙作为无限的进步过程而存在着，即以恶无限性的形式存在着，而且这样一来，我们就理解了这个过程中所必须理解的一切。”① 在恩格斯看来，世界整体作为一个无限发展的过程，其根据就在于世界统一于永恒运动的物质。这就是世界整体以恶无限的形式存在的真正内涵，即真正无限。换句话说，从外延与内涵相统一的意义上来理解整个世界，也就是要抓住世界作为整体的共同本质和运动发展的一般规律。这种对整个世界的共同本质和一般规律的认识，也就涵盖了无限世界的万事万物。不管这些事物的结构和形态怎样的千变万化，也不管是已被我们认识之物，还是将被我们认识之物，它们都统一于永恒运动的物质。这就是马克思主义哲学所理解的整个世界。

四、从抽象到具体是把握整个世界的路径

这个认识的路径就是从古希腊哲学家开始探得的，并且一直延续走到现今的，它是从“多”中找“一”，即从众多特殊中找一般。随着人们的认识从特殊上升到一般，也就从有限进入了无限，进而对抽象

① 《马克思恩格斯选集》第4卷，344页，北京：人民出版社，1995年。

的普遍性形式进行综合，这样也就形成了关于无限的整体世界的认识。正如恩格斯指出的：“我们在思想中把个别的东西从个别性提高到特殊性，然后再从特殊性提高到普遍性；我们从有限中找到无限，从暂时中找到永久，并且使之确定起来。然而普遍性的形式是自我终结的形式，因而是无限性的形式；它把许多有限的东西综合为一个无限的东西。”① 从特殊中找到普遍，从有限中找到无限，这是任何一门科学都必须遵循的逻辑。所不同的是，哲学所追求的普遍是世界观意义上的普遍，即相对于整个世界而言的普遍，哲学所追求的无限也是世界整体意义上的无限。

那么从特殊上升到普遍，也就从有限进入了无限，这种认识的发展何以可能呢？

这是因为特殊意味着确定某一特质的规定性，而排斥它质的规定性。而就确定某一特质的规定性来说，也就是对自身的限定，这也就是所谓有限性。可见，特殊本身就标示着有限性。又因为特殊意味着排斥它质的规定性，即某一特质只有在其与它质的关系中才能确定自身。而这种关系何以能成为关系，也是因为某一特质与其发生关系的它质具有共性。因此，从更高的立意来说，某一特质只有在其自身包含有与它质的共性的前提下，才能与它质发生关系，才能在这种关系中确定自身。换句话说，特质的这种确定是以特殊与一般在自身存在中的内在关联为前提的。也就是说，特殊性总是联系着、包含着一般而存在的。

如上所说，特殊意味着对自身的限定，意味着有限性。相反，普遍性或共性则是意味着一物与它物的关系得以成立，意味着通过这种关系而与它之外的无限相关。所以，普遍性意味着对有限性的超越，意味着无限性。可见，具有有限性的特殊不是脱离具有无限性的普遍而孤立存在的。特殊中蕴藏了一般，有限中包含了无限。

所以，人们通过具体科学认识世界的有限、特殊，又可以通过对具体科学的反思，即黑格尔所说的“对于事物的思维着的考察”②，去认识特殊中的一般，认识有限中的无限。这种反思的意识，透过本质

① 《马克思恩格斯选集》第4卷，341页，北京：人民出版社，1995年。
② ［德］黑格尔：《小逻辑》，贺麟译，38页，北京：商务印书馆，1980年。

的经验内容而思考本质本身，透过具体的物质形态而思考物质本身，透过实证的因果性联系而思考因果性本身。这样就使人们的思维借助于具体科学又超越具体科学，从而形成对整个世界的普遍本性的认识。这也就是恩格斯所指出的，这个“认识的道路”就是“沿着实证科学和利用辩证思维对这些科学成果进行概括的途径去追求可以达到的相对真理”①。

这里所说的辩证思维就是通过逻辑规律和范畴形式把握世界的普遍本性，并通过逻辑综合，在思维中有条件地近似地再现世界的整体。

列宁指出：“逻辑学是关于认识的学说，是认识的理论。认识是人对自然界的反映。但是，这并不是简单的、直接的、完全的反映，而是一系列的抽象过程，即概念、规律等等的构成、形成过程，这些概念和规律等等（思维、科学＝‘逻辑观念’）有条件地近似地把握着永恒运动着的发展着的自然界的普遍规律性。”②“自然界中的普遍性的形式就是规律。”③ 而作为这种普遍性的形式在人类认识中的反映而表现出来的普遍性形式就是逻辑学。所以，哲学从一般内容来说，它是世界观，是以整个世界为对象的，而从思维形式来说，它又是逻辑学。

人们在思维中，逻辑地再现整个世界的过程是一个从抽象普遍不断走向综合具体的过程。黑格尔说过，逻辑理念的开展是由抽象进展到具体，是“把最初是抽象的普遍性变成整体性，因而它就成为完备的客观性”④。黑格尔在这里的意思是说，认识的目的，认识所要达到的结果，是把握“具体概念”，即把握许多规定性的统一整体。但是把握具体整体的过程的开始，都只能认识简单的抽象的规定性，即形成一些孤立的片面的普遍性原理。随着认识的前进，随着逻辑概念的发展，愈是在后的概念，其包含的内容愈丰富、愈全面，其片面性也就愈少，认识愈是成为一个具体整体，愈是具有真理性。黑格尔的这一思想是十分精彩的。列宁也指出：“真理只是在它们（指各方面的规定性——引者注）的总和……中以及在它们的关系……中才会实现。”⑤

---

① 《马克思恩格斯选集》第4卷，220页，北京：人民出版社，1995年。
② ［俄］列宁：《哲学笔记》，194页，北京：人民出版社，1974年。
③ 《马克思恩格斯选集》第4卷，341页，北京：人民出版社，1995年。
④ ［俄］列宁：《哲学笔记》，209页，北京：人民出版社，1974年。
⑤ ［俄］列宁：《哲学笔记》，209页，北京：人民出版社，1974年。

由此可见，关于对整个世界的认识，不仅是一个从特殊到普遍，从有限到无限的分析过程，而且也是一个从抽象到具体的综合过程，是分析与综合相统一的过程。

科普宁在书中曾经提出这样一个问题：“世界观力图反映发展的普遍规律，然而这个普遍的东西不知为什么有时被认为是整体的东西。”①提出这样一个问题，说明科普宁没有能区别两种不同性质的普遍性，即抽象的普遍性和具体的普遍性，他不懂得具体的普遍性就是认识的整体性。

对于整个世界的认识来说，只有把抽象的普遍性上升到具体的普遍性，才是世界观所追求的目标。比如，因果相互关系的原理，是辩证法的一个普遍原理，也可称之为辩证的因果观。但是因果观并不是世界观，它只是世界观的一个片断、一个方面的表现。因为因果联系只是世界普遍联系之网上的一个纽结，只是物质世界永恒发展的链条上的一个环节。因此，列宁说：“因果性只是片面地、断续地、不完全地表现世界联系的全面性和包罗万象的性质。”② 世界观不是停留在这种抽象普遍性阶段的认识，而是“对世界的认识的历史的总计、总和、结论”③。人虽然不能完全地把握直接的世界整体，但是人在逻辑的具体中，在创立和丰富科学世界观理论的过程中，却可以无限地接近这一点。正如恩格斯所说的，“对整个外部世界的有系统的认识是可以一代一代地得到巨大进展的”④。换句话说，通过哲学去把握整个世界的共同本质和一般规律不仅是可能的，而且在人类世代的发展中也是不断地实现着的。

五、坚持哲学的“世界”概念的重要意义

（一）有利于科学说明哲学的对象

长期以来，在哲学对象问题上，众说纷纭。一些论者对“哲学的

① ［俄］科普宁：《马克思主义认识论导论》，马迅等译，161页，北京：求实出版社，1982年。
② ［俄］列宁：《哲学笔记》，168页，北京：人民出版社，1974年。
③ ［俄］列宁：《哲学笔记》，90页，北京：人民出版社，1974年。
④ 《马克思恩格斯选集》第3卷，737页，北京：人民出版社，1995年。

一般对象是整个世界的共同本质和运动发展的一般规律”这一界说表示异议。他们提出了如下观点，认为哲学的对象是思维与存在的关系问题，是纯粹的思维领域，是具体科学，是人，是实践，等等。这些关于哲学对象的认识对不对呢？我认为，是对的，但从总体上说，又都是片面的。比如，思维与存在的关系问题是哲学的基本问题，它无疑是哲学的研究对象。但是它也只是世界观的一个方面的内容，只有相对于世界观的其他方面的内容，而且只有在对整个世界的认识的总和、总计、结论中，它才能成为哲学的基本问题，也才能获得应有的说明。因此，如果把思维与存在的关系问题说成是哲学的唯一对象，那么就会发生以偏概全之误。另外，如果离开了世界整体做背景，离开了从世界总体的角度看问题，那么，思维领域只能是思维科学的对象。同样，具体科学只能是科学学的对象，人以及实践也只能成为某些具体科学研究的对象，而不会成为哲学的对象，更谈不上哲学的一般对象。哲学的一般对象只能是整个世界的共同本质和运动发展的一般规律。

（二）有利于哲学本身的发展

哲学作为关于整个世界普遍本性的逻辑体系，如上所说，这个体系的形成是一个不断丰富、不断走向具体的过程。这一过程在历史中就表现为哲学研究侧重点的不断转移和在这种转移中所实现的哲学内容上的不断深化和综合。

比如，古代哲学研究的侧重点是世界的本质问题，亦即本体论问题。然而世界只有一个，为什么会产生唯物主义和唯心主义两种根本对立的本体论学说呢？这个问题的提出，推动人们去研究认识问题。历史进入近代，认识论就成为近代哲学研究的侧重点。然而如何看待认识的起源和人的认识能力的形成等问题，也就逻辑地涉及如何认识人的本质、人的实践性和社会性等问题。也就是说，要解决认识论问题，就必须进一步研究历史观。马克思主义唯物史观的创立，就是这种研究的巨大成果。由此，唯物主义从自然领域、认识领域进入历史领域，进入到人的实践创造活动的领域。正因为找到了实践这样一个物质的、又是能动的基础，才实现了人的认识的巨大飞跃，即实现了唯物论与辩证法的结合，实现了自然唯物主义与历史唯物主义的统一，才创立了彻底的、完备的唯物主义世界观。

由此，人们不仅把实践中人对世界的改造关系、认知关系，而且把人对世界的价值关系、审美关系等，作为世界总体联系的种种表现，提上了哲学研究的日程。哲学还将继续发展，人们还将从更多方面、更多角度去揭示整个世界的总体联系，去丰富和发展一般的世界观理论。这个过程是永远不会停止的。因此，任何把某种哲学体系封为终极真理，任何满足于已经熟知的哲学理论，而不去对社会实践和科学发展的最新成果从世界观高度上去加以概括和总结的做法，都是违背哲学本性的，也是与马克思主义哲学发展的要求格格不入的。

（三）有利于澄清现代哲学讨论中种种理论观点的是非

既然哲学所理解的“世界”是一个多样性统一的整体，所以，自然与人也是统一的，从人出现以后，自然史与人类史也是在相互联系中发展的。可见，在现代西方哲学中，那种把自然与人文绝对对立起来的观点是没有根据的。另外，人对外部世界的认识，总是以满足人类自身存在和发展的需要为目的的。而为了求得人自身的存在和发展，人类就必须从实际出发，按客观规律办事。由此可知，在现代西方哲学中，那种把人与其所面对的客观世界截然对立起来的观点，也是不对的。整个世界统一于永恒运动的物质，人类历史是物质世界辩证运动的产物和高级形式。因此，西方某些论者把辩证法仅仅说成是人学辩证法，而否认自然辩证法的存在，这也是一种片面的形而上学观点。人通过劳动把自在自然变成了人化自然。人化自然的创造，无疑是人的能动作用的表现，是人的本质力量的确证。可是在我国有些论者，把人化自然强调到不适当的地步，而否认自在自然的作用和优先地位。如果是这样，人化自然也就成了无源之水、无本之木。还有些论者企图用实践取代物质来作为世界的本质，主张实践本体论或实践一元论。这种观点也是不正确的。世界统一于物质，实践也不例外，只有以物质为基础，实践才能获得客观的根据和科学的说明。

科学地界说哲学对象*

哲学对象，是哲学这门学科存在的根据。它决定了哲学的性质，同时也规定了哲学的基本内容。

关于什么是哲学对象的争论由来已久。近几年来，在我国哲学界更是众说纷纭，莫衷一是。一些论者对“哲学的对象是世界的本质及其运动发展的一般规律”这一界说表示异议，提出了如下观点：（1）认为思维与存在的关系问题是哲学的基本问题，因而主张哲学是以思维与存在的矛盾为对象的；（2）认为哲学就是认识论，它是以纯粹的思维领域为对象的；（3）认为具体科学是“以表象所直接接受的客观事物为对象”，而哲学是对具体科学的概括和总结，因而主张“哲学是以具体科学为对象的”；（4）认为哲学无统一的对象，不同的哲学派别各有不同的对象；如此等等。

为了分清上述观点的是非，从而给哲学对象以科学的规定，笔者认为，有以下四个方面的问题必须讨论清楚。

一、哲学对象与具体科学对象的关系

知识门类的划分，其基本根据就是研究对象的不同。就哲学对象与具体科学的对象的区别来说，具体科学是以有限世界的本质和规律作为对象的；哲学则是以无限世界的普遍本性为对象的。这是从亚里士多德到黑格尔、马克思、恩格斯等众多哲学家的共识。亚里士多德认为：“所谓特殊科学……各自割取‘有’的一部分，研究这个部分的属性”；而哲学则是“专门研究‘有’本身”，“能够说出一切‘有’

---

* 原刊于《学术界》，1992（4）。

的最确定的原则"①。黑格尔也指出："特殊科学的对象只是有限对象和现象"，而哲学则是以"完全普遍的对象作为内容"② 的。亚氏和黑格尔关于哲学对象具有无限性和极大普遍性的思想，被马克思恩格斯所继承。关于这一点，后文将详细说明。

可见，以无限世界的普遍本性作为哲学的对象，这并不是一个新问题，它是在先哲们那里早已获得某种解决的一个问题。

然而有一些论者以人类实践和认识的局限性为理由，认为人类既然不能最终把握无限发展的世界，那么以世界的普遍本性作为哲学的对象，就只能是"人为的虚设"。在笔者看来，这一推论并不特别新鲜。在哲学史上，康德是立足于人类认识的局限性，而否认人类对"自在之物"认识的可能性，从而陷入了不可知论。对此黑格尔、费尔巴哈以及马克思恩格斯都进行了有力的驳斥。当今的一些论者主要是立足于实践的局限性，而否认人类对世界的普遍本性进行认识的可能性。尽管这些论者与康德的立足点有所不同，但其归宿点是一样的，都是不可知论。

这些论者不懂得，人的思维虽然不可能在具体的量上穷尽对世界的认识，但是却能在实践基础上，通过辩证思维进行概括，在质上得出对世界普遍本性的认识。世界的普遍本性并不是世界各部分特性之总和，而是存在于世界各部分的特性之中，因而揭示世界普遍本性无须在认识宇宙所有部分的特性之后。所以不能因为人类不能在纯粹外延意义上最终把握无限发展的世界，而否认人类在外延与内涵统一意义上认识世界普遍性的可能性。

事实上，从古代哲学家开始，人类就一直在对世界的普遍本性进行认识。这个认识的途径，就是古希腊哲学家所概括的从"多"中找"一"，即从众多"特殊"中找"一般"。随着人们的认识从特殊上升到一般，同时也就从有限进入了无限。这正如恩格斯所指出的："我们在思想中把个别的东西从个别性提高到特殊性，然后再从特殊性提高

---

① 北京大学哲学系外国哲学史教研室编译：《西方哲学原著选读》上卷，122、121 页，北京：商务印书馆，1984 年。

② ［德］黑格尔：《哲学史讲演录》第 1 卷，贺麟、王太庆译，58 页，北京：商务印书馆，1959 年。

到普遍性；我们从有限中收到无限，从暂时中找到永久，并且使之确立起来。”①

这个上升过程之所以可能，是因为世界的有限是具体科学的对象，但是这个有限是无限世界的有限部分，因而它分得无限的本性。所以，人们通过对具体科学的反思，即黑格尔所说的“对于事物的思维着的考察”②，去认识有限中的无限、特殊中的一般。即透过本质的经验内容而思考本质本身，透过具体的物质形态而思考物质本身，透过经验的因果性联系而思考因果性本身。经过这种反思，使人的思维从有限出发，又超越有限；借助于具体科学，又超越具体科学，从而形成对世界的普遍本性的认识，即达到哲学的认识。

正因为对世界普遍本性的认识，是在对一些有限对象认识的基础上，通过反思而形成的，所以，即使在人类文明发展的早期阶段，在生产力和知识水平都极端低下的情况下，当时的哲学家也形成了对世界普遍本性的朴素的认识，从而创造了光照后世的最初的哲学。又因为哲学是对世界普遍本性的认识，所以它对具体科学的发展才具有世界观和方法论的指导作用，以至在具体科学无比昌明的今天，许多科学巨人往往还要到人类哲学的童年记忆中去吸取营养。所以，只有从世界的普遍本性的意义上去界说哲学对象，才能从根本上划清哲学与具体科学的界限，才能为哲学对具体科学的指导作用提供科学的说明。

二、一般哲学对象与具体哲学对象的关系

这里先从哲学的层次说起。哲学作为一门知识体系是有其层次的。相对于具体科学，哲学是关于世界的普遍本性的学说，是关于世界观的理论。世界观就是哲学的最高层次，亦即通常所说的本体论层次。在这个层次下还包括自然观、历史观、思维观、价值观、方法论等。

在世界观层次上，哲学的对象是世界的普遍本性。在自然观、历史观、思维观、价值观、方法论等的层次上，它们各自研究的对象无疑有其特殊性。但是这些层次既然作为哲学学科体系的有机组成部分，

① 《马克思恩格斯选集》第4卷，341页，北京：人民出版社，1995年。
② ［德］黑格尔：《小逻辑》，贺麟译，38页，北京：商务印书馆，1980年。

在研究对象上必然有其共同性，亦即它们必然要研究世界的普遍本性。不然它们就不能作为哲学学科的有机组成部分而存在；也不能在研究对象上与具体科学划清界限。

比如，自然观无疑要研究自然现象，但这种研究并不同于自然科学的研究，它是把自然现象放在世界总体中，或者说，置于普遍方式下加以研究，是世界观意义上的研究，是世界观在自然领域的特殊表现形态的研究。

同样，历史观也是把社会历史现象放在世界总体中进行研究。历史观不是一般的关于历史的理论，而是关于历史的世界观理论，是世界观在历史领域的特殊表现形态的研究。

因此，那种认为自然观、历史观、思维观等是分别对自然、社会和思维进行研究的观点，是不妥的。而只能说，自然观、历史观、思维观等，分别从自然、社会和思维等不同角度或领域去揭示或表现世界的普遍本性。比如，马克思主义历史观关于人类社会是一个自然历史过程的理论，就是从人类社会这个环节出发，有特点地阐明了关于世界的总体发展过程的理论。又比如，关于社会存在决定社会意识的理论，也同样是一个从社会的视角所揭示的关于世界的总体性的理论，因为作为地理环境的自然就是构成社会存在的前提之一。

哲学史上不同的哲学派别和不同的哲学家，就研究对象来说，有的直接是对世界的总体问题进行研究，有的则是侧重从某一领域对世界的总体问题进行研究。而这种研究往往又是通过不同的透视点或出发点来进行的。比如，黑格尔哲学以思维为出发点，费尔巴哈哲学以自然基础上的人为出发点，马克思主义哲学以实践为出发点，尼采哲学以意志为出发点，如此等等。通过对不同领域和不同出发点进行这种研究，就是不同哲学派别和不同哲学家在研究对象上的特殊性；而从不同领域和不同出发点所研究的世界总体性问题，即关于世界的普遍本性问题，就是不同哲学派别和不同哲学家在研究对象上的共同性，或者叫一般哲学的对象。不管哲学家们研究的领域和出发点多么特殊，也不管近年来某些论者谈论较多的关于哲学研究坐标的如何转换，但任何哲学派别和任何哲学家都不能回避对一般哲学的对象的研究，这是确定无疑的。

正是对这个一般哲学的对象的研究所形成的世界观理论，决定和统摄了自然观、历史观、思维观、价值观和方法论等哲学的其他层次。而这些哲学层次也只有把个别对象的有限、特殊上升到无限、普遍的高度加以研究，它们自身才能作为哲学学科的有机组成部分，这种研究也才能丰富和充实一般的世界观理论。

诚如黑格尔所言："什么地方普遍者被认作无所不包的存在，或什么地方存在者在普遍的方式下被把握或思想之思想出现时，则哲学便从那里开始。"[①] 黑格尔的这段论述说了两层意思：其一是，哲学研究的是世界的普遍存在；其二是，只有把有限事物置于无限中，或者说置于普遍方式下加以把握，这才是哲学的研究。

可是有些论者在对哲学对象问题的研究中，不做这种一般与特殊的辩证关系的分析。有的论者只看到哲学史上不同哲学派别的不同哲学家之间在研究对象上的变易性和特殊性，而看不到其中所包含的稳定性和一般性，因而作出了哲学无共同对象的结论。殊不知，既然被称之为哲学派别，或被称之为哲学家，那总是以对共同对象的研究为前提的。

另有一些论者则是脱离哲学对象的一般性，或一般哲学的对象，而把纯粹有限的事物作为哲学的对象，这样做也是不对的。从哲学本性上说，它并不研究纯粹的有限，而只是把"有限"置于普遍方式下加以把握。

这里的"普遍方式"就是世界观理论。在一定的世界观理论指导下，哲学家可以研究多种多样的问题，比如，文化问题、环境问题、语言问题、伦理问题、经济问题等，因而有文化哲学、环境哲学、语言哲学、伦理哲学、经济哲学等。在这些门类哲学中，总有作为前提的世界观理论在起作用。当然，这个前提可以是显性的，也可以是隐性的，但是绝没有脱离这个前提的所谓哲学研究。

三、哲学规定与哲学对象规定的关系

在哲学对象问题上发生种种分歧，还有另一个重要原因，即人们

---

① ［德］黑格尔：《哲学史讲演录》第1卷，贺麟、王太庆译，93页，北京：商务印书馆，1959年。

往往从哲学家们关于对哲学进行规定的一些论述中，引申出对哲学对象的规定。特别是把马克思、恩格斯、列宁、毛泽东等人关于哲学的规定或有关论述，作为规定哲学对象的理论根据。然而这些马克思主义哲学大师对于哲学的规定并不相同，加之人们对这些规定的理解又各式各样，因而由这些不同规定和不同理解中所引申出来的“哲学对象”也就五花八门。

那么能否由马克思主义哲学大师关于哲学的一些规定中引申出关于哲学对象的规定呢？我认为，这里需要进行一些具体分析。

由于什么是哲学这个问题本身具有复杂性和多方面性，因而对哲学的规定也可以从不同角度或不同方面去进行。这也正是马克思主义哲学大师给予哲学以不同规定的原因所在。对于这些不同的规定，我们不能依据其中的一种提法去反对另一种提法，而必须对它们做统一的理解。

比如，恩格斯曾经从哲学的内容的角度给哲学以规定。他说：“辩证法不过是关于自然、人类社会和思维的运动和发展的普遍规律的科学。”[①]“辩证法就归结为关于外部世界和人类思维的运动的一般规律的科学。”[②] 恩格斯的这两段论述都是说明辩证法定义的。这里的自然、人类社会和思维，或所谓的外部世界和人类思维，所指谓的都是无限的世界。在一切辩证哲学看来，辩证性是无限世界的普遍本性之一。研究世界的辩证性，即世界的运动和发展的一般规律，就成为哲学研究的一个重要内容。

那么人们关于世界的普遍本性的认识是怎样获得的呢？恩格斯指出：这个“认识世界的道路”就是“沿着实证科学和利用辩证思维对这些科学成果进行概括的途径去追求可以达到的相对真理”[③]。正是从哲学认识产生的途径的角度，毛泽东同志指出：“哲学则是关于自然知识和社会知识的概括和总结。”[④]

由于具体科学和人的思维能力都是随着时代的前进而发展的。因

① 《马克思恩格斯选集》第3卷，484页，北京：人民出版社，1995年。

② 《马克思恩格斯选集》第4卷，243页，北京：人民出版社，1995年。

③ 《马克思恩格斯选集》第4卷，220页，北京：人民出版社，1995年。

④ 《毛泽东选集》第3卷，815—816页，北京：人民出版社，1991年。

此，哲学的发展归根到底取决于它所处的时代。但同时，真正的哲学对自己所处时代的把握，又不同于其他思维形式，而是最高理性的把握。正是从哲学思维形式与其他思维形式对自己所处时代的不同把握的意义上，马克思指出："任何真正的哲学都是自己时代的精神上的精华"，"哲学正变成文化的活的灵魂"①。

哲学如何在社会发展的一定水平上，借助于具体科学成果，而达到对世界的普遍本性的把握呢？它是通过逻辑规律和范畴形式把握世界的普遍本性的。正如列宁所指出的："逻辑学是关于认识的学说，是认识的理论。认识是人对自然界的反映。这并不是简单的、直接的、完全的反映，而是一系列的抽象过程，即概念、规律等等的构成、形成过程，这些概念和规律等等（思维、科学 = '逻辑观念'）的有条件地近似地把握着永恒运动和发展着的自然界的普遍规律性。"②"自然界中的普遍性的形式就是规律。"③ 作为这种普遍性形式在人类认识中的反映而表现出来的普遍性形式就是逻辑学。所以，哲学从一般内容来说，它是世界观，但从思维形式来说，它又是逻辑学、认识论。正是从哲学的思维形式的角度，恩格斯在概述旧哲学发展的终极时指出："在以往的全部哲学中仍然独立存在的，就只有关于思维及其规律的学说——形式逻辑和辩证法。其他一切都归到关于自然和历史的实证科学中去了。"④

世界的普遍本性，其中最基本的是世界的本质问题，亦即思维与存在的关系问题。所以恩格斯指出："全部哲学，特别是近代哲学的重大的基本问题，是思维和存在的关系问题。"⑤ 正是因为哲学基本问题是人们认识世界的普遍本性的一个基本着眼点，所以恩格斯从这个基本着眼点的意义上，把唯物主义和唯心主义称之为"对物质和精神关系的特定理解上的一般世界观"⑥。

由此可见，无产阶级革命导师有关哲学规定的论述是很丰富的，

① 《马克思恩格斯全集》第1卷，220页，北京：人民出版社，1995年。
② ［俄］列宁：《哲学笔记》，194页，北京：人民出版社，1974年。
③ 《马克思恩格斯选集》第4卷，341页，北京：人民出版社，1995年。
④ 《马克思恩格斯选集》第3卷，364页，北京：人民出版社，1995年。
⑤ 《马克思恩格斯选集》第4卷，223页，北京：人民出版社，1995年。
⑥ 《马克思恩格斯选集》第4卷，227页，北京：人民出版社，1995年。

但归纳起来大体有两类：一类是由哲学对象所决定的关于哲学内容的规定，其中包括哲学辩证法的一般内容和对哲学基本问题所做的规定；另一类是对哲学如何反映这个对象所做的规定，其中包括哲学的认识途径、哲学的思维形式、哲学对自己时代反映的特点等方面的规定。

在对哲学的上述两类规定中，第二类规定只是说明哲学是如何反映的，并没有说明反映什么对象。因此，不可能从上述第二类规定中引申出哲学对象是什么的说明。换句话说，不能对第二类规定断章取义，牵强附会，把它们作为对哲学对象进行规定的理论根据。比如，不能像有些论者那样，脱离哲学思维的内容，而抓住有关哲学思维形式的有关规定，断言哲学以纯粹的思维领域为对象。如果是那样岂不是把哲学与关于思维的普通心理学及思维学混为一谈了吗？

也不能像有些论者那样，抓住对哲学的认识途径的有关规定，而把哲学的认识途径认作哲学的认识对象，断言具体科学是哲学的对象。那样，岂不是又把哲学与科学学混为一谈了吗？当然，这不是说，哲学不要研究思维，不要研究具体科学，哲学不是一般地研究思维、研究具体科学。哲学对思维的研究，是研究作为世界普遍本性的反映和表现的思维的普遍性形式；同样，哲学对具体科学的研究，也是通过具体科学成果所反映的有限、特殊，去揭示其中的无限、一般。

至于关于哲学的第一类规定，既然它们都是由哲学对象所决定的关于哲学内容的规定，那么反过来也可以说，这些关于哲学内容的规定无疑是反映和表现了哲学的对象。当然这里有全面的或部分的反映和表现两种情形。因此，从哲学内容的规定中引申出对哲学对象的规定，必须顾及哲学内容的完整性，这样才能对哲学对象作出全面的规定。反之，如果抓住对哲学的部分内容的规定，那么从中引申出的关于哲学对象的规定就必然是片面的。

比如，对思维与存在的关系问题的研究，是哲学的一个基本内容，但是能否由此认为思维与存在的矛盾是哲学研究的唯一对象呢？不能这样断言。而只能说，它是哲学研究的部分对象。因为思维与存在的关系问题，即关于世界的本质性和可知性问题，只是部分的关于世界的总体性问题，除此以外，世界的普遍本性还包括世界的辩证性、价值性、审美性等方面。另外，也只有坚持以世界的普遍本性为哲学对象，才会出现思维与存在的关系问题。因此，从全面的科学的意义上界说哲学对象，它只能是世界的本质及其运动发展的一般规律。

四、以往哲学对象与马克思主义哲学对象的关系

把哲学对象规定为世界的本质及其运动发展的一般规律，这样会不会发生某些论者所担心的，在哲学对象问题上，否定了马克思主义哲学对于旧哲学的变革呢？不会的。

马克思主义哲学的诞生无疑是哲学史上的伟大变革。但马克思主义哲学绝不是离开世界文明大道的偏颇学说，而是对以往哲学的批判继承。在哲学对象问题上，马克思主义哲学相对于以往哲学，有共性，也有个性。所谓共性，就是马克思主义哲学与以往一切哲学一样，都是以世界的共同本质和一般规律为对象的，它们都是关于世界观的学问。然而相对于以往哲学，在哲学对象问题上，马克思主义哲学又有其特殊性。这表现在马克思主义哲学对哲学对象的规定更科学、更具体、更全面。

第一，马克思主义哲学排除了掺和在以往哲学对象中的非哲学对象的部分，从而第一次给哲学对象以完全科学的规定。

在欧洲哲学史上，从古希腊哲学家到黑格尔、费尔巴哈，他们不仅把世界观问题，而且把一些具体科学所研究的问题都视为哲学研究的对象。比如，亚里士多德把哲学看作是各种抽象理论知识的总汇。他把研究世界问题的理论称为“第一哲学”，还把研究数学问题和物理学问题的理论看作哲学的分支。又比如，在黑格尔那里，除了从逻辑学的角度研究了世界的总体问题以外，他的《自然哲学》《法哲学》等就涉及和包罗了不少具体科学研究的问题。因此在以往的哲学那里，并没有能真正划清哲学对象与具体科学对象的界限。

与这一点相联系，也就不能正确说明哲学与具体科学之间的关系。在古代，当具体科学还没有独立形成的时候，哲学被视为“一切知识的总汇”。而当各门具体科学逐渐从哲学中独立出来以后，旧哲学又力图从哲学自身推演出各门科学的原理，使哲学变成了凌驾于科学之上的“科学的科学”。

对此，恩格斯指出：“就哲学被看作是凌驾于其他一切科学之上的

特殊科学来说，黑格尔体系是哲学的最后的最完善的形式。”[①] 他又说：“现代唯物主义……不再需要任何凌驾于其他科学之上的哲学了。”[②] 这是因为马克思主义哲学既继承了以往哲学中，诸如哲学是研究“形而上学”问题，以“完全普遍的对象为内容”，总体地研究世界，等等。关于哲学对象问题上的真理性因素，同时又剔除了掺杂在以往哲学对象中的实证科学的对象，第一次科学地把世界的本质及其运动发展的一般规律规定为哲学研究的对象。与此相联系，也就正确说明了哲学与具体科学的关系。即哲学不是“知识的总汇”，而是对具体科学的概括和总结；哲学也不是“科学的科学”，而是对具体科学发挥着世界观和方法论的指导作用。顺便指出的是，一些哲学教科书不是从哲学与具体科学相互关系的角度去理解“知识的总汇”和“科学的科学”这两个用语，而是把它们当作以往哲学在哲学对象问题上所经历的前后相继的两个认识阶段，这一理解是不正确的。

第二，马克思主义哲学克服了以往哲学在对哲学对象规定上的抽象性，而给予了现实具体的规定。

如上所说，马克思主义哲学与以往哲学一样，都要研究世界的普遍本性。但由于以往哲学都产生于社会实践和具体科学都不甚发达的阶段上。这时的具体科学尚未揭示出自己所研究领域的内部联系，至于这些具体领域在整个世界的一般联系中所处的地位，更是不甚了了。因此，在这种科学基础上所形成的哲学，往往借助于思辨和猜测来构造世界的一般联系。表现在哲学对象上，它们都以某种特殊的“实物”或抽象的“实体”来作为世界的终极基础，并从这个基础出发，衍生出万事万物，以此来说明世界的统一性。但是这样一来，也就牺牲了世界的无限多样性。比如，旧唯物主义所研究的世界及其本性，就被归结为某些自然实物及其属性；唯心主义所研究的世界及其本性，就被归结为抽象的精神实体及其属性。因此，在以往哲学中，作为哲学对象的世界的普遍本性，不是现实世界的多样性的统一性，而是从世界中抽取出来的某个片断及其属性的泛化，是一个抽象的存在。

与旧哲学不同，马克思主义哲学产生于人类实践和科学发展的崭

① 《马克思恩格斯选集》第3卷，362页，北京：人民出版社，1995年。
② 《马克思恩格斯选集》第3卷，364页，北京：人民出版社，1995年。

新阶段上。它已经可以借助于具体科学的成果，用世界本身的现实的具体的联系去取代以往哲学所附加给世界的种种人为的幻想的联系。这里的关键在于，马克思主义哲学把科学的实践观引入了哲学。它通过实践这个透视点，或者说以实践为基础去认识世界的总体联系和普遍本性。通过实践证明了世界的物质性、可知性及其他本性，在实践基础上，实现了对自然、社会和思维的辩证统一的理解。因此，呈现在马克思主义哲学中的对象并不是单纯的实物，也不是抽象的纯粹实体，而是一个通过实践不断获得展现的客观的和辩证发展的现实具体的存在。

第三，马克思主义哲学对象相对于以往哲学对象有无比全面和丰富的特点。

哲学本身的发展犹如一条不断的流水，其流经的时间愈长，含量愈巨大、愈充沛。哲学的这种发展表现在研究对象上也是一个不断丰富、不断拓展的过程。从哲学史上来说，古代哲学其侧重点是研究世界的本原问题，亦即本体论问题。大体说来，主要有两种关于本体的学说：一是唯物主义本体论，二是唯心主义本体论。世界只有一个，为什么在世界本原问题上会产生两种不同的认识呢？如果仅从逻辑发展的角度说，这就促使人们去研究认识问题。历史进入近代，认识论就成为近代哲学研究的侧重点。这样，哲学的对象就从世界的本原问题发展到思维与存在、主体和客体的关系问题，进到人类对世界的认识过程和主体的认识能力等问题。然而如何看待人的认识能力，这已经是超出了认识论范围的问题，实际涉及如何认识人的本质，即人的实践性和社会性的问题。也就是说，要解决认识论问题必须进一步研究历史观。

费尔巴哈从思维与存在的矛盾中已经意识到了研究人的问题的重要性。然而他一直停留在历史的门槛外面，他在关键时刻从来不谈人的世界，每次都逃到外部自然界。另外，要科学说明自然界向社会的辩证发展以及社会本身的辩证发展，也必须研究人的实践和人的社会。在这一点上，黑格尔有所贡献，他初步揭示了劳动的辩证本性。然而黑格尔所理解的劳动是抽象的精神的劳动。因此，历史观问题是以往哲学的一个最薄弱的环节，而对旧唯物主义来说，则几乎是一个空白的领域。

马克思主义哲学在这个领域中实现了一场革命，创立了历史唯物主义。历史观问题从此才获得了科学的说明。不仅如此，唯物史观的创立，也为从根本上解决认识论和本体论的一些问题提供了理论基础。所以，唯物史观也就成为马克思恩格斯“所主张的观点的一个核心”①。由此，历史观问题才成为唯物主义哲学研究的对象。

此外，马克思主义哲学作为无产阶级的世界观，它不仅主张要在实践基础上认识世界，而且还主张要在实践中改造世界，为实现人类最美好的社会——共产主义而奋斗。因此，在马克思主义哲学那里，不仅人对世界的认知关系，而且人对世界的改造关系、价值关系、审美关系等，都作为人与世界总体联系的种种表现和方面而成为哲学研究的对象。

由此可见，在研究对象上，马克思主义哲学相对于以往哲学无比地丰富和全面了。换句话说，世界的普遍本性在马克思主义哲学中获得了更多角度、更多方面的揭示。当然，马克思主义哲学还要继续发展，其研究的对象也将会不断丰富。

总之，马克思主义哲学的诞生是哲学史上的深刻变革，其中首要的是在哲学对象问题上的变革。这一变革，一方面表现在马克思主义哲学科学地规定了一般哲学的对象是世界的本质及其运动发展的一般规律；另一方面，它以实践为基础，又给这一共同对象以现实具体的、全面丰富的规定。这是人类认识发展至今所获得的关于哲学对象问题上的最高成就。马克思主义哲学的对象决定了马克思主义哲学的基本框架是关于世界的本质和运动发展的一般规律的具体的、丰富的逻辑展开。因此，科学地规定哲学对象以及马克思主义哲学的对象，对于从根本上维护哲学的根基和马克思主义哲学体系，都是至关重要的。

① 《马克思恩格斯选集》第3卷，348页，北京：人民出版社，1995年。

哲学与时代发展*

一、哲学的“猫头鹰”与“高卢雄鸡”论

哲学与时代发展的关系问题，在黑格尔和马克思那里，有“猫头鹰”和“高卢雄鸡”两种见解。

在黑格尔看来，哲学受到时代发展的制约，哲学的成熟只有等到时代发展到成熟阶段以后才有可能。他说：“无论如何哲学总是来得太迟。哲学作为有关世界的思想，要直到现实结束其形成过程并完成其自身之后，才会出现。……密纳发的猫头鹰要等黄昏到来，才会起飞。”①换句话说，哲学作为对时代的认识，只能滞后于时代发展。黑格尔看到时代发展对哲学发展的制约作用，这是他的高明之处。但是，他拘泥于这一点，而忽视了在这个问题上去体现辩证法所要求的能动原则。这对辩证法大师黑格尔来说，无疑也是一个不小的缺憾。

马克思并不满足于黑格尔的上述见解。在他看来，哲学家们只是用不同的方式解释世界，而问题在于改变世界。因而他十分强调哲学在改造环境和人自身，引发时代发展过程中的主动精神、超前意识和创造功能。马克思把自己创立的新哲学比喻成为人类解放报晓的“高卢雄鸡”。他说：“一切内在条件一旦成熟，德国的复活日就会由高卢雄鸡的高鸣来宣布。”②马克思的这一论述生动体现了马克思主义哲学的本质特征，同时也是对黑格尔上述见解的一种超越。

但黑格尔和马克思有一点是共同的，即他们都是时代感极强的哲

---

* 原刊于《哲学大视野》，1995（3）。

① ［德］黑格尔：《法哲学原理》，范扬等译，13、14 页，北京：商务印书馆，1979 年。

② 《马克思恩格斯选集》第 1 卷，16 页，北京：人民出版社，1995 年。

学家，都十分强调哲学与时代发展的紧密联系，并以此作为一个基本切入点来说明哲学的本质涵义。比如，黑格尔就曾把哲学称之为“是被把握在思想中的它的时代”①，把哲学研究视为“时代的使命和工作”②。马克思也把“真正的哲学”称之为“自己时代的精神上的精华”，“文化的活的灵魂”③。由此可见，黑格尔和马克思不仅把哲学与时代发展的关系视为一个极为重要的问题，并且按各自的理解作出了极富启迪性的说明。

今天，我们正处在一个历史转折的关键时期，此乃是人所共知的。在这国际国内的大变动之中，种种因素引发了关于哲学在当代的位置和功能的诸多议论。在其中，有人主张哲学的出路在于哲学的“商品化”“市场化”。相反，又有人抱怨哲学“太俗”，主张哲学的出路在于走向“纯学术”，即关注哲学观念自身的更新和改造。透过这两种观点的对立，可以看出在如何认识和处理哲学与时代发展的关系问题上，还存在种种盲点，需要站在时代的高度来加以澄清和说明。

二、哲学对时代的反映与引领

哲学与时代发展的关系如何呢？完整地说，这里包含两点：

首先，任何哲学都是时代的产物。尽管创立哲学体系的是哲学家个人，在哲学史上也往往是以哲学家个人的名字来命名他所创立的哲学体系，比如，康德哲学、黑格尔哲学、老子哲学、朱熹哲学，等等。但哲学体系不仅仅属于个人，更重要的属于产生它的时代。换句话说，任何哲学都可以从它产生的时代中找到赖以存在的根据。每个哲学体系都是以同时代的经济、政治、文化等的发展水平为基础的。哲学家始终是站在具体的时代环境中去把握人与世界的总体联系的。因而一定时代的哲学以什么样的内容和形式去调整人们的思维，从而引导人们去接近客观真理，主要并不取决于哲学家的主观构想，而必须从时

---

① ［德］黑格尔：《法哲学原理》，范扬等译，12页，北京：商务印书馆，1979年。

② 北京大学哲学系外国哲学史教研室编译：《十八世纪末—十九世纪初德国哲学》，350页，北京：商务印书馆，1960年。

③ 《马克思恩格斯全集》第1卷，220页，北京：人民出版社，1995年。

代的本质和社会运动的主导趋势上去加以说明。

哲学体系是在一定条件下对时代进行反映。它反映的不是纷繁复杂的时代现象，也不是时代发展的某一方面或多个方面的成果的综合，而是反映贯穿于时代的实践活动和认识活动中的思维的最普遍性原则，即思维的最一般形式和规律。用恩格斯的话说，就是“关于思维过程本身的规律”①。由于时代条件不同，不同时代的人们的思维方式，以及所达到的关于思维规律的认识程度也不同。一定哲学思想的基本精神和基本意向，总是凝结为一定的思维方式，或是通过一定的思维方式来获得表现的。从古代人把握对象的直观思维方式，到中世纪把对象“目的化”的神秘主义思维方式；从近代撕碎对象的整体联系孤立考察事物的形而上学思维方式，到黑格尔、马克思及现代人注重对对象的整体系统考察的辩证思维方式，都生动地体现了人类思维方式的不断变化，体现了人类关于思维规律认识的不断深化，体现了不同哲学的时代特点。

其次，哲学应是时代的号角。哲学要依赖时代，时代也需要哲学。哲学研究并不是亚里士多德所说的只是不愁吃、不愁穿，闲来无事才从事的一种贵族风度的活动。哲学在古希腊被规定为“爱智慧”。的确，自有哲学以来，在这个领域中产生了许多人类第一流的智慧巨星，追求真理的无畏猛士，不少人甚至为此付出了生命的代价，真可谓“无量才情无量血”。然而，这种对哲学的规定毕竟太宽泛了。应该说，哲学所追求的智慧不是小聪明，而是个人和人类安身立命的大聪明，是叫人善于从总体上去把握人与世界的关系的学问。哲学的功能就在于它用其思维的成果构成人类思维的新坐标，开拓世界的新视野，促进人的思想解放，从而提高人的自觉意识和能动作用，以推动时代发展。

从世界近代以来的历史来看，每当一个民族面临一场重大的社会变革之时，哲学的变革往往成为社会变革的先驱。例如，培根、霍布斯、密尔顿、洛克的新哲学，从思想上哺育了英国的近代改革；而卢梭、伏尔泰、狄德罗等人的新哲学，则为法国革命铺平了思想之路。“正像在18世纪的法国一样，在19世纪的德国，哲学革命也作了政治

① 《马克思恩格斯文集》第4卷，267页，北京：人民出版社，2009年。

变革的前导”①。在“文革”结束后不久的中国，谁曾会想象到，关于“实践是检验真理的唯一标准”这样一条基本的、温和的哲学原理的讨论，竟然在华夏大地上变成了十亿多中国人民思想大解放的号角，并从此迈开了震惊中外的中国改革开放和社会主义现代化建设的历史性步伐。

当然，并不是任何哲学对自己的时代都有正面的巨大推动作用。这里的区别取决于哲学体系进入它的时代问题有多深，对这些问题的理解和解决提供了怎样的哲学思路，由此就会产生不同的社会功能。但有一点是肯定的，任何哲学只要它根植于自己的时代，倾听了人类实践和科学发展的声音，并作了严肃认真的思索，不管它最后怎样回答了时代提出的问题，它都是时代精神的反映，都必然有或多或少的合理之处和或大或小的积极社会作用。

哲学作为时代的反映和时代的号角，所分别说明的是哲学存在的客观根据和价值根据。这两种根据是相互联系，不可分割的。如果只讲前一点，不讲后一点，那就不仅否认了哲学存在的价值根据，而且哲学存在的客观根据也难以得到科学说明。因为如果哲学对时代发展漠不关心，毫无用处，那么人们又何必要去苦苦思索那些时代所提出来的艰深的哲学问题呢？同样，如果只讲后一点，不讲前一点，那么也就不仅否定了哲学存在的客观根据，而且哲学存在的价值根据也丧失了自己存在的前提和基础。因为只有反映时代，跟随时代脉搏一起跳动的哲学，才能具有促进时代发展的功能。

综上所述，哲学的本质就是对时代发展所达到的关于思维规律的认识成果的逻辑表现，哲学的功能就在于运用哲学思考的成果为时代问题的解决提供哲学思路，即提供新的认识方法、思维角度、图式和框架。因此，哲学是大有用处的。

三、哲学生命力的表现

哲学的生命力就在于要不断地跟随时代的步伐，要不断地去符合时代的进步要求，并且发挥着促进时代发展的功能。那么，马克思主

---

① 《马克思恩格斯选集》第4卷，214页，北京：人民出版社，1995年。

义哲学如何不断去适应时代的需要，去反映当今的时代精神呢？

第一，把现有的马克思主义哲学原理、结论摆到时代的变化面前来检验，肯定或否定，纠正或丰富，从而发展马克思主义哲学，以适应时代的需要。

比如，以往的观点比较强调科学对实践的依赖关系，强调实践出科学，科学推动实践。现在从整体来说，当然还是这样。但值得注意的是，二战以来，科学技术对社会经济发展的决定作用日益突出出来。正是基于对现代科学技术巨大作用的科学概括，邓小平继承和发展了马克思关于科学技术是生产力的思想。他指出："马克思说过，科学技术是生产力，事实证明这话讲得很对。依我看，科学技术是第一生产力。"① 邓小平这一新的概括无疑是更深刻、更准确地揭示了现代生产力发展的规律，是对马克思主义历史唯物主义的丰富和发展。这一科学概括对指导我国发展科学技术，加速现代化建设事业的发展将发挥不可估量的巨大作用。

如果进一步往深处想，现代科学技术作用的突出，作为一个方面的表现，也就是现代人的素质的作用的突出，也就是现代人的主体地位和作用的日益重要。换言之，提高和发挥主体的能力，已成为社会发展的关键。因此，在现代，如何认识人的主体地位，如何发挥和调控主体的日益重要的作用，以及人类对自身主体性的自我认识、自我改造、自我把握，就成为马克思主义哲学需要深入研究的一个时代课题。应该说，这也是我国哲学界关于主体研究热掀起的一个根本原因。

第二，根据时代的需要，自觉转换马克思主义哲学研究的侧重点，即把马克思主义哲学的某个侧面、某个环节突出出来，并提到首位加以研究，使之深化，作为马克思主义哲学的新的生长点。

比如，实践唯物主义作为对马克思主义经典作家创立的新哲学的有关论述的一种合理引申，长期以来没有引起人们应有的重视。可是，随着中国特色社会主义建设的开展，实践的呼唤，使关于实践唯物主义的问题成为一个研究热点，引起了我国哲学界较长时期的讨论，从而极大地深化和丰富了我们对马克思主义哲学的理解，有助于克服以往那种重视唯物主义原则，忽视实践原则；重视客体原则，忽视主体

① 《邓小平文选》第3卷，274页，北京：人民出版社，1993年。

原则；重视真理原则，忽视价值原则的倾向。

又比如，马克思关于跨越资本主义卡夫丁峡谷的构想，也是近若干年来我国哲学界讨论的一个热点。这一构想是马克思晚年就俄国土地公共所有制能否成为共产主义发展的起点而言的。从历史实际来看，这一构想并没有能变成现实，但这一构想所展开的哲学思路有着极大的意义。这个思路的核心，是在吸取发达国家发展的肯定性成果的基础上，缩短落后国家向现代社会发展的苦难历程。它揭示了社会历史发展道路的统一性和多样性的辩证关系。认识这种辩证关系，对于克服以往的关于社会发展道路理解上的机械论观点有着重要意义；对像中国这样一个落后的国家何以能超越模式走上社会主义道路，何以又要通过开放吸收资本主义发展的肯定性成果等重大原则问题的理解也能获得重要启迪。

第三，抓住时代问题的研究，以带动马克思主义哲学理论的研究和发展，并促进这些问题的解决。

所谓时代问题，就是在时代发展中产生的，关系一个民族乃至整个人类的生存和发展的问题。这些问题对于马克思主义哲学来说可能是全新的问题，这无疑使马克思主义哲学面临挑战，但同时也为马克思主义哲学开拓新领域、达到新境界提供了发展的契机。

比如，十一届三中全会以来，我国进行的社会主义改革事业，就把社会主义改革的理论和方法的问题，提到了广大哲学工作者面前。在马克思主义经典作家那里没有也不可能提出这一问题，当然从他们那里也找不到现成的答案。然而正是通过对这一新问题的哲学探讨，才形成了如下一系列重要观点：

第一，社会制度包括社会根本制度和作为其表现形式的具体体制这样两个层次；

第二，社会基本矛盾，即生产力与生产关系的矛盾、经济基础与上层建筑的矛盾，也就表现为生产力与根本制度以及生产力与具体体制这样两个不同层次的两种矛盾；

第三，由此也就引出了解决矛盾的两种不同方式。前一个层次的矛盾通过社会革命来解决；后一个层次的矛盾通过社会改革来解决；

第四，由于社会主义根本制度是与生产力发展相适应的，而社会主义具体体制的某些方面与生产力发展还存在不相适应的情况，所以社会主义改革是解决社会主义社会基本矛盾的根本途径。

以上这些重要观点的形成，极大地提高了我国人民进行社会主义改革的自觉性，从而有力地促进了我国改革事业的顺利发展，同时也填补了马克思主义历史唯物主义在这一方面的空白。善于将一些重大现实问题提升到哲学的高度，或将现实问题转化为哲学问题，不仅有助于推动这些问题的解决，而且有助于马克思主义哲学的发展。与此同时，善于吸收和移植、总结和概括当代实践和具体科学所提供的新的认识成果，以及其他哲学派别的合理之处，以形成马克思主义哲学的新的概念、范畴、原理，就能使马克思主义哲学更充分地体现时代精神。

总之，生活之树长青，站在时代的高度，在坚持马克思主义哲学基本原理的前提下，不断纠正和完善已有的个别原理，并不断以新原理去丰富和发展马克思主义哲学，以适应时代的需要，这是马克思主义哲学的生命力所在，是它的巨大威力所在。

哲学应如何面向生活*

一、“哲学回归生活论”并不足取

近一些年来，在我国哲学界，“哲学回归生活世界”的呼声很高。追溯起来，这一观点并非是我国学者的首创，而是现代西方哲学家胡塞尔最先提出来的。改革开放以来，胡塞尔的这一观点传入我国，随之获得了一些论者的认同和发挥。他们发表了不少文章，不仅肯定哲学应回归生活世界，而且认为，回归生活世界正是现代哲学的基本精神。有人甚至提出，马克思主义哲学的伟大变革就在于使哲学由天国回到人的生活世界。

那么如何看待我国有些学者所提倡的“哲学回归生活世界”（以下简称“回归论”）这一观点呢？说心里话，我不甚赞同。这里的“不甚赞同”包括两层含义：一是回归论有积极意义；二是回归论并不足取。

所谓回归论有积极意义，是指它反对哲学脱离生活。我认为，这是对的。这也是马克思主义哲学的一贯立场。

就哲学与生活的本然关系来说，哲学源于生活，它的产生是为了回答和解决生活中的重大现实问题。哲学如果脱离生活，也就丧失了自己存在的根据和必要。然而在一些哲学家和哲学派别那里，无视或企图掩盖哲学的这个客观根源，而把哲学视为在哲学家头脑中进行的纯粹思辨的产物和表现，从而使其陷于从概念到概念的阴影王国之中。对这样一种哲学，学术界有一个指谓，名曰“思辨哲学”。

以黑格尔哲学为其集大成的德国古典哲学就是这样一种思辨哲学。对德国古典哲学的这种纯粹思辨性，马克思是持彻底的批判态度的。

---

* 原刊于《高校理论战线》，2008（6）。

马克思指出："哲学，尤其是德国哲学，喜好宁静孤寂，追求体系的完满，喜欢冷静的自我审视"；"它在自身内部进行的隐秘活动在普通人看来是一种超出常规的、不切实际的行为，就像一个巫师，煞有介事地念着咒语，谁也不懂得他在念叨什么。"①

在马克思看来，德国古典哲学这座思想殿堂，无疑藏有无数珍宝，因而它成为马克思创立自己哲学的一个重要理论来源，但是又不能像它那样面对概念、范畴，纯粹主观地构建自己的体系，而要面向现实生活。用马克思的话说，就是要"走出阿门塞斯冥国，面向那存在于理论精神之外的尘世的现实"②，要使哲学"进入同时代人的爱与憎的感情里"③。

那么如何才能使哲学做到这一点呢？在这方面，回归论不可能为我们提供有积极意义的启示。也就是说，回归论并不足取。理由有四：其一，我国一些论者所提倡的回归论关于生活世界的概念指代不明，在相当程度上模糊了马克思主义哲学与现代西方哲学在生活世界理解上的本质区别。其二，回归论的提出是现代西方哲学对近代哲学科学化倾向的一种过度反弹，在哲学史上是一种倒退的表现。其三，就是在马克思主义所理解的"现实生活"的意义上，也不能认为，哲学应回归生活世界。哲学的功能之一，就是通过批判，实现对现实生活的观念超越。其四，哲学对现实生活的超越是为了实现美好的未来生活。而对未来生活的实现来说，哲学也不是所谓回归现实生活，而是引导现实生活，走向未来生活。下面就以上各点分别来加以说明。

二、不能笼统谈论"生活世界"

我国一些论者所提倡的回归论主张，哲学应回归生活世界，然而它对生活世界这一概念并没有作出具体的科学的界定。实际上，生活世界是一个很笼统、很宽泛的概念。在不同的哲学家和哲学派别那里，其所理解的生活世界是各不相同的。就马克思主义哲学来说，它提出

---

① 《马克思恩格斯全集》第1卷，219页，北京：人民出版社，1995年。

② 《马克思恩格斯全集》第1卷，75页，北京：人民出版社，1995年。

③ 《马克思恩格斯全集》第1卷，220页，北京：人民出版社，1995年。

了“现实生活”[①] 的概念，并以此与以往哲学的生活概念相区别。

（一）马克思主义的“现实生活”观

那么什么是马克思所指谓的“现实生活”呢？概括马克思的有关论述，可以作以下几个层次的理解。

第一，人的现实生活是人的社会生活。在马克思看来，人的生活是人的生命表现，即人的各种活动。人的活动从来不是孤立个体的活动，而是社会的活动。人总是在一定社会关系中从事活动的。用马克思的话说：“人总是生活在社会中的。”[②] 因此，“个体是社会存在物”[③]。因而个体的生活，即“他们的生命表现，即使不采取共同的、同他人一起完成的生命表现这种直接形式，也是社会生活的表现和确证”[④]。

第二，人的现实生活是以物质生活为基础的社会生活。人的现实生活是丰富多彩的，大体上可以分为物质生活、政治生活和精神生活。其中物质生活是基础层次的，政治生活和精神生活是更高层次的。在社会发展与人生发展的不同时空中，人的物质生活、政治生活和精神生活的地位是不同的，而是存在着相对而言的优势地位。但是在任何情况下，物质生活总是社会生活的基础。用恩格斯的话说：“人们首先必须吃、喝、住、穿，然后才能从事政治、科学、艺术、宗教等等。”[⑤]

第三，人的现实生活是受物质生产方式制约的以物质生活为基础的社会生活。一个简单的事实是，人们必须先进行“生活生产”，然后才可能进行生活消费。由此，马克思认为，创造物质生活资料的“物质生产的发展”是“整个社会生活以及整个现实历史的基础”[⑥]。马克思又说：“物质生活的生产方式制约着整个社会生活、政治生活和精神生活的过程。”[⑦] 马克思还指出：“个人怎样表现自己的生活……这同他

① 《马克思恩格斯选集》第 1 卷，72 页，北京：人民出版社，1995 年。
② 《马克思恩格斯选集》第 1 卷，82 页，北京：人民出版社，1995 年。
③ 《马克思恩格斯文集》第 1 卷，188 页，北京：人民出版社，2009 年。
④ 《马克思恩格斯文集》第 1 卷，188 页，北京：人民出版社，2009 年。
⑤ 《马克思恩格斯选集》第 3 卷，776 页，北京：人民出版社，1995 年。
⑥ 《马克思恩格斯全集》第 23 卷，204 页，北京：人民出版社，1972 年。
⑦ 《马克思恩格斯选集》第 2 卷，38 页，北京：人民出版社，1995 年。

们的生产是一致的——既和他们生产什么一致，又和他们怎样生产一致。因而个人是什么样的，这取决于他们进行生产的物质条件。”①

不难看出，马克思关于人的现实生活的论述是十分深刻的。上述三个方面在内容上的依次递进，完整地表现了马克思关于人的现实生活的系统理解。从而也就把马克思主义哲学与其他哲学对生活世界的理解从根本上区别开来。

这里的根本之处在于，要以物质生产作为基本形式的社会实践为基础来理解人的生活世界。那些非马克思主义哲学，包括现代西方哲学虽然也在大谈人的生活世界，但由于他们脱离实践，特别是脱离物质生产实践，因而他们对生活世界的理解往往是片面的，在总体上是错误的。

（二）现代西方哲学对“生活世界”理解的片面性

这种片面性表现在：第一，离开人的社会实践，必然会用孤立个体的观点来理解生活世界，即把生活世界理解为纯粹个体的生活。当然，现代西方哲学相对于其哲学先辈，已经意识到孤立个体的困境，并力图加以超越。为此，他们提出了“主体间性”“他人”“他性”等理论，借以说明人不是自我封闭的莱布尼兹式单子，而是开着窗户的，即可以通过语言进行思想、意志、情感等方面的沟通。他们的这一认识，一般说来，也是对的。但是他们不懂得语言、思想、意志、情感等都是作为结果而存在的。其背后有着更为深刻的东西，这就是人所进行的社会实践活动。在马克思主义看来，离开了社会实践活动，不要说人的生活的社会性无法得到说明，就连人的语言、思维、意志、情感也无从发生，甚至人本身能思维的头脑，能“视”“听”“言说”的官能都将不复存在。因此，从根本上说，现代西方哲学对人的生活世界的理解并没有能突破孤立的个体主义，还没有真正进入人的社会生活的视域。

第二，离开人的社会实践，必然会用主观主义的观点来理解生活世界，即把生活世界理解为脱离物质生活条件、脱离物质生活基础的纯粹精神生活。这种片面性在现代西方哲学家那里也表现得相当明显。

① 《马克思恩格斯选集》第1卷，67—68页，北京：人民出版社，1995年。

他们把生活世界理解为主观感受的世界，或是指称为与个人相关涉的、被其赋予意义的世界，或是归结为从单纯的自我或本我出发所建构的一个主观世界，即相互主观意识中的世界。在这个主观的精神世界中，人的生活被说成是纯粹的心理体验、欲望冲动或随缘情态。我们只要稍微观察一下，从叔本华、尼采到胡塞尔、海德格尔这个发展过程，就能明显地看到这个特点。很显然，作这种理解的人的生活是非现实的生活，或者说，在现实中是根本不存在的。

由上可见，不能像我国一些论者所提倡的回归论那样笼统地、不加分析地谈论生活世界；不能在对生活世界的理解上，无视马克思主义哲学的理论成果；不能以所谓现代哲学的基本精神为标签，模糊和消解马克思主义哲学与其他哲学特别是现代西方哲学在对生活世界理解上的本质区别。如果是那样，对马克思主义哲学来说，绝不是一件幸事。

三、哲学不能回归未经思考的生活

在我看来，回归论并不足取，不仅在于其关于生活世界的概念指代不明，而且主要还在于，即使在马克思主义的“现实生活”的意义上，也不能提倡哲学回归生活世界。其原因之一是，从哲学史的角度看，这是一种倒退。

哲学起源于人类生存和发展的需要。在人类哲学的童年，哲学与生活是紧密地联系在一起的。当人类的思维跨越了对人类自身存在和它面对的自然力量的原始神话和原始宗教的解释时，就跨进了哲学的领域。哲学相对于神话、宗教、艺术、科学、道德和法律思想、政治思想等其他文化形态，它具有思辨性，即极高的抽象性。或如恩格斯所说，它是一门高高地悬在空中的学问。

但在古代最早的一些哲学家那里，这种思辨性与素朴性是密切地结合在一起的。这是因为最初的哲学总是同人类的生活经验，同人类对生活的体悟分不开的。古希腊哲学家泰勒斯曾经说，水是万物的本原，这个命题里的水也就是对人类日常生活用水的一种具有思辨性的提升。尽管古代哲学家的思想开后世各种哲学学说的先河，起了奠基的作用，在思想史上的地位极为重要，但是由于人的生活经验具有狭隘性和表面性，因而这种在生活经验基础上提升出来的哲学观点，也就必然具有主观随意性和片面性，即不科学性。

还拿水是万物的本原这个命题来说，它的提出是基于生命的存在需要水的滋养这个片面的生活体验，结果在上述命题中，生命被夸大为万物；生命存在的一种条件“水”，被夸大为万物存在的唯一条件；而这个所谓万物存在的唯一条件又被说成万物产生的唯一来源。于是，这种素朴性与思辨性紧密地结合在一起的哲学联想，也就距真理愈来愈远。

因此，随着近代自然科学的日益发展，古代那种仅仅依据生活经验而得出的哲学判断也就愈益暴露出自己的不足和缺陷。与这一点相联系，近代哲学的发展不再局限于直接源于生活的体验或体悟，而是从对科学规律和科学材料的概括中获得自己关于世界和认识规律的普遍性结论。于是，自然科学的发展促进哲学超越了自己的原初形态，超越了古代哲学的素朴性、猜测性，而获得了科学的支持、科学的论证。然而自然科学发展在给哲学带来进步的同时，也使哲学按照自然科学的方式变为实证哲学的倾向获得加强。这是因为自然科学的发展越来越依靠哲学对自己知识的正确性、可靠性以及衡量标准进行哲学的论证，愈来愈重视哲学作为认识工具的价值，从而使哲学导向科学，按照科学实在论和科学逻辑方法论来重建哲学。如果哲学完全从属于自然科学，其结果必然是使哲学作为科学理性获得彰显，而其人文价值则日趋弱化。这种趋向使哲学离人的生活越来越远。

现代西方哲学提倡回归生活世界，实际是从一个极端对上述极端的反弹。从上面的分析可知，哲学的科学化固不可取，但如果因此鄙视孕育近代哲学的自然科学传统，否认哲学的科学维度和认识价值，而主张哲学回归生活世界，回到所谓前反思、前判断的状态中去，那么这绝不是什么进步，而只能是一种历史的倒退。加之把生活世界偏执地理解为脱离社会物质实践的单纯精神生活，那么主张回归生活世界的现代西方哲学，走向唯心主义、非理性主义和抽象人本主义，也就是必然之事。

不仅如此，如果真的使哲学回归生活世界，那么也就使哲学从根本上丧失了自己干预现实生活的功能。

四、哲学对现实生活的审视与超越

回归是回到或归来之谓。比如香港回归祖国，人造卫星回归地球等。不难看出，这里所谓的回归意味着回归者向着回归地的单向的运动、单向的归属，而不是两者的相互依赖、相互作用。因此，如果主张哲学回归生活，也就是使哲学还原于现实生活，单纯从属于现实生活，这样也就否定了哲学对现实生活的关照，使哲学在解决人们现实生活矛盾和不良生活处境面前采取回避和退却的态度，这是对哲学功能的贬抑和抹杀。

哲学面向生活、关注生活是以哲学保持自己的相对独立性为前提的。只有这样才能使哲学以自己独特的视角审视生活，以批判的态度评价生活，并在这种批判中去追求和构想理想的未来生活。

哲学以现实生活作为自己产生的前提，作为自己的立足点，但它并不停滞于此，并不是陷于当下的世俗生活，也不是简单、刻板地描述现实生活，而是通过思辨超越现实生活，向理想敞开自身，即以其自由精神完成理想目标的设定，这是哲学能够批判现实，干预现实生活的内在动力，是哲学批判功能的前提性根据。哲学所追求的理想是什么？是真善美的统一。这是一个具有终极意味的理想主义设定。在现实性上，人们真善美统一的理想只能在一定范围内和一定程度上得以实现。但如果没有前者的完善的理想主义设定，那么就不可能有后者的不完美的现实主义实现。也就是说，离开了对“最好”的设定，那么在现实中“最不坏”的实现就是不可能的。这也就是中国古人所说的“取法其上，得乎其中”。如果不取法“其上”，那么“其中”不可得，最终也就只能落得“其下”了。

哲学家以其设立的理想目标观照现实，发现生活中潜在的缺失和危机，以敏锐的哲学思维提出问题。这些问题深深刺痛哲学家的心灵，撕裂着他的灵魂，由此折射出一个由忧虑、苦闷、力抗世俗等深层心理交织起来的，事关国家前途、民族命运乃至人类未来的主观忧患世界。

哲学对现实的批判，不是着眼于一时一事的是非得失，也不是为某种社会行为提供理论上的对应物，而是抓住时代的重大现实问题，催人警醒，使人发愤。所以马克思说：“问题……是公开的、无所顾忌的、支配一切个人的时代之声。问题就是时代的格言，是表现时代自己内心状态的最实际的呼声。”① 因此，那些关于时代发展的重大问题的提出，往往可以启发、影响一代人或几代人，引导人们为之努力、不惜牺牲，从而极大地推动社会向前发展。

哲学的批判也不同于一般的政治批判或学术批判，它是未来的召唤，是人类走向未来的要求和动力的表现。它根源于对缺失、限制、痛苦的突破，是对热情、力量和价值的追求，是从理想的立场、未来的立场、真善美统一的立场对现实生活的叛逆，从而不断构筑人类思维的新坐标，开拓世界的新视野，促进人的思想解放，提高人的自觉意识和能动作用，以推动人类创造美好的未来生活。

五、哲学对现实生活的引领

对创造美好的未来生活来说，哲学也不是对现实生活的回归，而是对现实生活的引导，即引导现实生活走向未来生活。由此，我们可以引出如下结论：就哲学源于生活而言，哲学从根本上从属于、依赖于生活；而就生活的改造和提升来说，生活又依赖于哲学，即依赖于哲学的引导。

哲学的这种引导作用，不是表现为关于未来生活的空洞承诺，也不是对未来生活的具体设计，而是提供总体性的思维方式和根本的价值指向，以此为工具来论证未来生活的美好性和可行性，为未来生活的创造提供思想指导和认识路线，借以动员群众，坚定其信仰，凝聚其人心，组织其力量，为实现美好的未来生活而奋斗。

发挥哲学对现实生活的引导功能，对于马克思主义哲学来说，是尤为重要的，因为它是马克思主义哲学革命本性的重要体现。

马克思的下面两段论述是大家熟知的。一段是：“哲学家们只是用不同的方式解释世界，而问题在于改变世界。”② 另一段是：“对实践的唯物主义者即共产主义者来说，全部问题都在于使现存世界革命化，

① 《马克思恩格斯全集》第1卷，203页，北京：人民出版社，1995年。

② 《马克思恩格斯选集》第1卷，61页，北京：人民出版社，1995年。

实际地反对并改变现存的事物。”① 这两段论述都说明同一个道理，即对马克思主义哲学来说，不能停留于对世界的认识，而必须把这种对世界的认识转化为对世界的改造。

马克思曾经预言：“必然会出现这样的时代：那时哲学不仅在内部通过自己的内容，而且在外部通过自己的表现，同自己时代的现实世界接触并相互作用。”② 他说：“哲学是被它的敌人的叫喊声引进世界的。”③ 对人类的解放来说，哲学是人类解放的“头脑”，无产阶级是人类解放的“心脏”，理论为群众所掌握，也会变成物质力量。

马克思把自己创立的新哲学比喻为给人类解放报晓的“高卢雄鸡”。他说：“一切内在条件一旦成熟，德国的复活日就会由高卢雄鸡的高鸣来宣布。”④ 马克思的这个比喻生动体现了马克思主义哲学的革命本质，即马克思主义哲学不仅反映生活，而且引导生活。哲学不仅要像黑格尔所说的用灰色描绘灰色，而且还用彩色描绘美好的未来图景。因此，马克思十分强调哲学在改造环境和引发时代发展过程中的主动精神、超前意识和引导功能。

马克思从参加哲学活动时起，就把理论研究的视线集中在工人阶级的生存境遇上，进而研究使工人阶级备受剥削压迫的现实社会条件和历史原因，主张应当以改造人类生存的客观条件为目标，必须通过以物质生产为基本形式的社会实践，使世界不断革命化，才能从根本上改变人们的物质生活、政治生活和精神生活，才能为人的自由而全面的发展开辟愈来愈广阔的道路。

总之，哲学与生活相互依赖，相互作用。哲学源于现实生活，从根本上从属于现实生活，但又在观念中超越现实生活，并引导现实生活走向美好的未来生活。

---

① 《马克思恩格斯选集》第1卷，75页，北京：人民出版社，1995年。
② 《马克思恩格斯全集》第1卷，220页，北京：人民出版社，1995年。
③ 《马克思恩格斯全集》第1卷，220页，北京：人民出版社，1995年。
④ 《马克思恩格斯选集》第1卷，16页，北京：人民出版社，1995年。

马克思主义哲学与现时代*

一、马克思主义哲学是不断发展的学说

马克思主义及其哲学是适应时代的需要而产生的，是时代精神的精华。它的产生，并不意味着哲学发展的结束，而是为哲学的发展开辟了广阔的道路。它随着科学技术的不断进步和无产阶级革命实践的深入发展，在同形形色色的唯心主义、形而上学的斗争中不断丰富和发展。

马克思、恩格斯在创立马克思主义哲学的同时，也在不断地丰富和发展自己的学说。他们一方面不断总结无产阶级斗争的新鲜经验，吸收和概括具体科学发展的新成果，修正、补充和发展自己的哲学思想；另一方面对资产阶级的哲学思想和各种非马克思主义的哲学思潮进行了坚决的斗争和彻底的批判。在这些批判和斗争中，马克思、恩格斯的许多著作和文章，丰富和发展了马克思主义哲学。

1844 年至 1848 年是马克思主义哲学的形成和成熟的时期。这个时期的主要著作有：《神圣家族》《关于费尔巴哈的提纲》《德意志意识形态》《哲学的贫困》和《共产党宣言》。其中，《共产党宣言》系统地阐述了辩证法思想和历史唯物主义观点，是马克思主义哲学成熟的一个标志。1848 年以后是马克思主义哲学的发展时期。马克思的《资本论》，恩格斯的《反杜林论》《自然辩证法》《路德维希·费尔巴哈和德国古典哲学的终结》等，就是这一发展过程中所产生的几个代表性的伟大成果。

列宁在帝国主义和无产阶级革命时代的新的历史条件下，总结和

---

* 原文来源于陶富源主编：《马克思主义哲学原理》，合肥：安徽大学出版社，2000 年。

概括了国际工人运动的新经验和自然科学的新成就，在同国际资产阶级和第二国际机会主义的斗争中，把马克思主义哲学推向了新的阶段——列宁主义阶段。集中反映列宁的哲学贡献的著作主要有《唯物主义和经验批判主义》《国家和革命》《帝国主义论》《哲学笔记》《论战斗的唯物主义的意义》等。列宁把对立统一规律规定为辩证法的实质和核心，把是否坚持反映论作为是否坚持唯物主义的重要标志。

列宁独创性地运用马克思主义的科学世界观、认识论和方法论，深刻地揭露了帝国主义的实质、矛盾和发展规律，进一步丰富和发展了马克思主义的无产阶级革命和无产阶级专政的理论，提出了无产阶级革命可以在一国胜利的理论，并把它付诸实践，取得了十月革命的伟大胜利，开创了人类历史的新纪元。

在中国的革命和建设中，以毛泽东为代表的中国共产党人，把马列主义普遍真理同中国革命的具体实践相结合，形成了毛泽东思想。毛泽东哲学思想作为毛泽东思想的一个组成部分，是毛泽东思想的理论基础。毛泽东的《实践论》《矛盾论》《关于正确处理人民内部矛盾的问题》《人的正确思想是从哪里来的》和其他许多包含着丰富哲学思想的著作，深刻地阐述和丰富了马克思主义认识论和辩证法。他着重阐明辩证唯物主义认识论是能动的革命的反映论，特别强调要充分发挥那种根据并符合实际的自觉能动性。毛泽东还阐述和发挥了唯物辩证法的核心——对立统一规律。他指出，不仅要研究客观事物矛盾的普遍性，尤其重要的是研究它的特殊性，对于不同性质的矛盾要用不同的方法去解决。毛泽东还特别注意马克思主义哲学的宣传、普及，把马克思主义哲学化为具体的工作方法和领导方法，使马克思主义哲学真正成为无产阶级和人民群众认识世界和改造世界的思想武器。

诚然，马克思主义哲学发展的道路也不是平坦的、笔直的。马克思主义哲学的命运同国际共产主义运动的命运是紧密地联系在一起的。由于国际共产主义运动取得的巨大成就，尤其是第二次世界大战中反法西斯战争的胜利，以及苏联和各国共产党人在战争中作出的巨大贡献，使马克思主义在世界亿万人民中赢得了很高的声誉并取得了广泛的传播。

可是，由于长期实行的高度集中的体制，其弊端逐渐显露，从而严重地损害了社会主义的形象。当这种情况再也不能继续下去的时候，一些国家的执政的共产党对非马克思主义和反马克思主义的思想采取了放任自流的态度，最终导致东欧的巨变和苏联的解体，使国际共产主义运动跌入低谷，马克思主义的发展受到了严重的挫折。

有人认为，苏联的解体和东欧的巨变，证明了马克思主义及其哲学“陈旧了”“过时了”。这种观点是极端错误的。因为，苏联的解体、东欧的巨变，正是那些国家的党背离了马克思主义及其哲学的基本原理所受到的惩罚。马克思主义哲学作为科学的认识工具，没有、也不会过时，因为它正确反映了客观世界，包括人类社会发展的普遍本质和规律。

马克思主义哲学发展的历史证明，它是和人类社会的进步、无产阶级与广大人民群众的解放事业同呼吸、共命运的。这也正是它的实践性的充分体现。因此，我们要在实践中，把发展马克思主义哲学与坚持马克思主义哲学辩证统一起来。因为只有坚持马克思主义哲学的基本立场、基本观点和基本方法，才能不断总结新经验、解决新问题，才能发展马克思主义哲学。也只有发展马克思主义哲学，使之同实践和科学的发展保持一致，不断丰富自己的内容，不断提出新的观点和理论，修改已经过时的个别结论，才能真正地坚持马克思主义哲学。

为此，就要解放思想，实事求是，反对经验主义、教条主义和形而上学等僵化观念，努力研究总结新的实践经验和吸收具体科学的新成果，去解决世界历史发展中的新的问题。

二、马克思主义哲学与现代科技革命

科学技术活动是社会实践的重要内容之一，科学技术的发展必然会对马克思主义哲学的发展起巨大的推动作用。

科学是指知识的理论体系，技术则表现为方法、工艺和能力。科学技术作为一个综合性范畴，表明了科学是与技术紧密相联、互相转化的。科技革命是科学革命和技术革命的合称，前者是指人类对自然认识的飞跃；后者是指生产工具和工艺流程方面的重大变革。现代科学革命的主要内容包括：控制论、信息论、系统论的创立，遗传学和分子生物学的建立，高分子物理学、空间科学、海洋科学、材料科学的产生等。现代技术主要指电子技术、原子技术、分子设计技术、材料合成技术、空间技术、生物工程、电子计算机技术、海洋工程、激光技术、信息技术等。现代科技革命，使人类社会在经济、政治、军事、思维方式、生产方式等方面发生了深刻而巨大的变化。

现代科技的迅猛发展，给予了马克思主义哲学以极大影响。

第一，现代科技革命在许多领域实现了重大突破，深化和拓展了马克思主义哲学的宇宙观。例如，射电望远镜的发明与使用，使人们对浩瀚宇宙的观察可达到200 亿光年以上。物质结构理论，特别是夸克禁闭理论，使人们对微观宇宙的认识达到了前所未有的水平。

第二，现代科技革命所取得的丰硕成果，证明、充实和丰富了马克思主义哲学的一系列基本原理。例如，爱因斯坦相对论以确凿的科学事实揭示了物质与运动、物质运动与时间空间的不可分割性，有力地证明了马克思主义哲学关于世界物质统一性的原理。再如电脑科学和现代人工智能技术，极大地充实了意识的本质和能动作用的原理。

第三，现代科技革命提出的许多新问题，推动着马克思主义哲学的进步和发展。如宇宙的起源和演化问题、生命科学和生物工程提出的伦理问题、计算机的广泛使用所引发的各种社会问题等，都需要以马克思主义哲学为指导，进行深入的研究和探索。在这种研究和探索过程中，推动和促进马克思主义哲学的进一步完善和发展。马克思主义哲学面对现代科技革命的挑战，它必须对现代科技革命发展所提出的问题作出新的哲学概括，否则就将落后于时代，失去作为时代精神精华的资格。

三、马克思主义哲学与现代西方哲学

在马克思主义哲学产生并迅速发展的同时，近代西方传统哲学也在新的历史条件下逐渐演化、发展，成为现代西方哲学。现代西方哲学学派林立，主义繁多，更迭频繁。但从内容上分析，它们所涉及的主要是人的存在问题和科学知识的性质问题，这样就造成了现代西方哲学的两大主要思潮——科学主义和人本主义。

相对于马克思主义哲学，现代西方哲学具有一些共同特征：其一，现代西方哲学总的说来是现代资产阶级世界观的理论体系，是为了维护开始失去历史必然性的资本主义制度服务的。其二，现代西方哲学从其主流来说都没有摆脱唯心主义和形而上学的阴影。其三，理论发展形态上缺乏统一性和稳定性，派别林立，形态多变，有的只是昙花一现，这从一个方面反映了现代西方哲学在理论上的脆弱和危机。

但是，如果因此而认为现代西方哲学无足轻重，可以无视它的存在，这是不对的。现代西方哲学毕竟是西方资本主义社会生活的反映，是西方社会意识形态的重要组成部分。它不仅在当代西方的资本主义世界中具有重要的地位和作用，而且随着改革开放和中西文化交流的开展，正不可避免地影响着我国人民的思想和生活。尽管现代西方哲学在基本方面是不科学的，但并没有妨碍它的各种派别在许多贴近自然科学和社会生活的层面上，以某种片面的微观建构向人类思想史提供有重要意义的理论贡献。因此，我们必须运用马克思主义的观点开展对现代西方哲学的研究，以促进马克思主义哲学的发展。

首先，研究现代西方哲学有助于我们坚持和捍卫马克思主义哲学。马克思主义哲学是在各种反马克思主义和非马克思主义哲学的斗争中产生和发展起来的。在现代西方哲学中，有的流派公然以反对马克思主义为荣，而当我们了解它的论据是如何荒谬时，我们对马克思主义的信念也就更加坚定了。有的流派出于某种考虑，或对马克思主义表示诸多赞赏，或表示希望将自己“注入”马克思主义的洪流。通过研究，加深对这些流派的了解，显然有助于我们提高识别真假马克思主义的能力。

其次，研究现代西方哲学，也有助于我们发展马克思主义哲学。这是因为，马克思主义哲学的发展虽然主要是靠实践的推动，但也离不开人类思想和文化发展所提供的营养。就批判吸收现代西方哲学的思想成果来说，这里有两种情况：一是它们提出了某些新的课题，并在这个课题的解答上，提出了尚属合理的观点和见解，但被它们夸大、绝对化了。我们的任务就是把这些观点、见解从其不合理的体系中解脱出来，重新整合进当代以马克思主义哲学为主体的中国哲学文化中。二是现代西方哲学提出了许多新问题，虽然没有给予合理的解答，但却可以拿来加以研究，以扩大马克思主义哲学的研究领域，作为马克思主义哲学的新的生长点。

总之，研究现代西方哲学是坚持、捍卫和发展马克思主义哲学的需要，是当今哲学研究不可缺少的新课题。

四、马克思主义哲学与中国特色社会主义

当代人类实践进入了一个有史以来最为伟大、最为壮阔、最为丰富的时代。马克思主义哲学无疑要立足当代人类实践不断发展自己。然而对于马克思主义哲学，特别是中国马克思主义哲学来说，最根本、最重要、最切近的实践，首先是中国人民进行的建设有中国特色社会主义的伟大实践，改革开放和现代化建设的伟大实践，探索社会主义市场经济新型体制的伟大实践，中华民族走向经济腾飞、文化复兴的伟大实践。

在现代化发展道路上，世界上原先有西方欧美模式、北方苏俄模式以及东亚周边模式等，但从70年代起，因生态危机、环境污染、人类困境等全球问题暴露了西方模式的根本弊端；苏俄东欧的解体也宣告了北方苏俄模式的破产；20世纪50—80年代，在世界上伴随着日本及亚洲四小龙经济起飞，开始出现了东亚周边模式；从本世纪80年代开始，中国的改革开放和经济起飞同步发展，开始走出一条社会主义现代化的中国道路。这条道路，既同西方资本主义现代化模式有重大区别，也同东方资本主义的东亚模式不同，也不同于北方苏俄模式，它为世界历史的发展和当代马克思主义的发展打开了一片别开生面的崭新天地。

中国特色社会主义现代化建设所面临的任务是十分艰巨的，从生产力角度说，要完成两个革命，一是工业革命，二是信息革命；从经济体制改革来说，也面临两个任务，一是要建立与现代市场经济相适应的现代企业制度，二是要建立与现代市场经济相适应的宏观调控体系；从经济发展的走向来说，既要发挥市场经济的优点，促进生产力和社会经济的快速发展，又要防止贫富两极分化的弊端，实现社会主义的共同富裕，必须把社会主义与市场经济有机结合起来；在社会发展与经济发展关系上，既要以经济发展为中心，但又要防止“没有发展的增长”“没有幸福的富裕”，把经济发展与政治民主、道德进步和环境质量的提高统一起来。我们应当努力实现具有中国特色的以人的全面发展为根本目的的社会主义现代化。

中国特色社会主义建设目标和道路的选择，始终是以马克思主义

哲学的立场、观点和方法为其灵魂的。这个灵魂就是实事求是原则，即把马克思主义的普遍真理同我国的具体实际结合起来，走自己的路，建设有中国特色的社会主义。所谓走自己的路，就是不以书本为教条，不照搬别国模式，而是以马克思主义为指导，从中国的国情出发，以实践作为检验真理的唯一标准，解放思想，实事求是，尊重群众的首创精神，形成一整套关于建设有中国特色社会主义的理论和策略。可以说，没有实事求是，就没有中国特色社会主义建设道路的开辟。因此，马克思主义哲学是建设有中国特色社会主义的理论基础。

同时，马克思主义哲学也在中国特色的社会主义建设中获得了繁荣和发展。这集中体现在中国改革开放的总设计师邓小平的哲学智慧中。其主要内容包括：解放思想与实事求是辩证统一的世界观和方法论；和平与发展是当今世界的两大主题论；实践标准、生产力标准、“三个有利于标准”相统一的科学认识论和价值论；以经济建设为中心，科学技术是第一生产力和科教兴国战略为主要内容的社会主义发展论；解决社会主义社会基本矛盾的改革动力论；关于“改革、发展、稳定”三者辩证联系的社会主义有机运动论；关于目标和手段具体统一的中国现代化现实过程的辩证发展论和“两手抓，两手都要硬”的科学方法论，等等。以上这些都为马克思主义哲学增添了新的财富。随着建设有中国特色社会主义事业和改革开放的发展，马克思主义哲学也必将得到发展。

哲学追求最高的人性智慧*

面对市场经济大潮的冲击，相当一个时期以来，不时听到一些人在谈论哲学如何走向市场的问题。对此，我深怀疑虑：哲学能作为商品走向市场吗？市场引导是给哲学开辟新路，还是把哲学引入迷途？

市场的本质是什么？有人说，市场的本质就是大众胃口，市场的逻辑就是服从和服务于大众胃口。

从市场的角度来说，人类的精神产品可以分为两类：一类是基础性精神产品，这类产品不具有直接的实用性，其文化价值不能以交换价值来加以衡量。比如，神话、宗教、科学和哲学的理论、原理，都是这类基础性精神产品。另一类精神产品是应用性精神产品，比如专利发明、临床技术、工程设计等，这类精神产品因其具有使用价值，因而可以用交换价值来衡量，可以用金钱的尺度来度量。

因为包括哲学在内的一切基础性精神产品不具有直接的实用性，因而也就不能给这种精神产品的拥有者带来直接的经济利益。古希腊有这样一个有名的故事：欧几里得在课堂上讲几何学。他的一位学生站起来发问："老师，你给我讲的这些，学了能得到什么利益吗?"欧老先生没有回答他，却回过头来对自己的跟班说："去拿两个钱来给他吧!"这个故事很耐人寻味。它说明用个人功利的观点来看待几何学是不妥的。同理，如果有人把包括哲学在内的一切基础性精神产品当成商品，企图用它来获利，那也是不现实的。

那么，为什么基础性精神产品不能作为商品呢？这是由作为基础性精神产品的本质所决定的。

基础性精神产品包括基础科学和文化。

---

* 原刊于《芜湖师专学报》，1994（3）。

基础科学相对于应用科学，它是探索世界奥秘的事业。用乔治·萨顿的话说，它是不问利益与用途的。当然，就宏观而言，科学发现丰富了人类的知识积累，从而最终提高了人类驾驭外物的能力。这也就是毛泽东所说的，认识世界是为了改造世界。但微观而言，科学发现能否走入应用不是都可预测的；即使走入了应用，发现和应用之间也往往有着巨大的时间跨度，有的长达几百年，甚至几千年。有人曾经举例说，若只为实用，爱因斯坦即使选择一千个课题，也不会选择相对论来进行研究。因此，用“实用”和“功利”来要求科学，就会剪断它无拘无束自由探索的触角，就是不要科学。具有实用性的，能进入市场的只是依赖科学的技术，而不是科学本身。

文化，我们这里所说的是指包括人的思维方式、行为方式，以至某种时尚、风格在内的狭义的文化。文化人类学告诉我们，文化是人与动物的分水岭。人类文化发展程度越高，就表明它离开动物界越远，人性就越加丰富和完善。

对人类来说，最古老的文化传统都离不开神话、宗教和哲学。古老的神话虽然至今还散发着迷人的光彩，但它毕竟是人类童年时代的想象和幻想的产物。受神话所哺育，继之而起的是宗教。宗教在现代生活中依然发挥着巨大的影响，但宗教作为占统治地位的意识形态，在历史的总体上已经成为过去。宗教产生以后，在宗教的怀抱中又催生了哲学。[①] 经过漫长的岁月，历史走入近代，哲学就逐渐成为人类精神世界的最高表现，成为人类文化的核心和灵魂。正如黑格尔所说：“一个有文化的民族竟没有形而上学——就像一座庙，其他各方面都装饰得富丽堂皇，却没有至圣的神那样。”[②]

那么，人类为什么要创造神话、宗教，特别是哲学呢？这里不能用市场逻辑来加以说明，而必须用人性逻辑来加以说明。当然，这里所说的人性不是抽象的人性，而是历史实践中形成和发展的具体人性。

人性就一般而言，是人区别于动物的属性。这种区别集中表现在：动物只是适应自然界，而人不仅要适应自然界，更要改造自然界以适

① 参见《马克思恩格斯全集》第26卷（Ⅰ），26页，北京：人民出版社，1972年。

② ［德］黑格尔：《逻辑学》上卷，杨一之译，2页，北京：商务印书馆，1981年。

应自己的需要。因此，劳动成为人区别于动物的根本特性。在这个意义上说，人是一种在劳动创造中求生存的存在物。因此，人也是一个追求理想目的的存在物。

作为一种理想追求，神话不过是人类在其实践能力极为低下的情况下，在想象中征服自然力的表现。宗教也是人类在其实践能力比较低下的情况下，用“信仰”去构筑一个应然的至善“天国”。不过，人类毕竟不能总是停留于想象和在想象中生活，也不能总是陶醉于天国的“信仰”和在此“信仰”中求得精神的某种解脱。随着人类现实能力的逐渐提高，作为关于现实世界和现实人生的最高的理性追求的哲学被呼唤出来，并逐渐主宰了人类精神的圣殿。我认为，正是在这个意义上，黑格尔才把哲学称为“是被把握在思想中的它的时代”①。马克思也把“真正的哲学”誉为“是自己时代的精神上的精华”，“文化的活的灵魂”②。

哲学最初被确认为“爱智慧”，即追求智慧。据说，这是苏格拉底，亦说是毕达哥拉斯的观点。这一观点至今仍闪烁着真理的光辉。但问题在于，这种对哲学的界说太宽泛了。在人世间，又有哪一门科学不是使人聪明，给人智慧呢？应该说，哲学所追求的智慧不是小聪明，而是个人和人类安身立命的大聪明。用亚里士多德的话说，哲学追求的是“头等智慧”。它是从最深层次上反思人从何处而来，它是在最终意义上寻求人的生命活动的根据和价值。换句话说，它是将宇宙人生呈于一个整体之中来加以考察的。因为人们对宇宙奥秘的探索说到底是为了人自身的生存和发展。因此，人对宇宙的看法总是反映了人对自身命运的关注和人对自身的认识。同样，因为人是世界的一部分，人为了求得生存和发展，就不能脱离人对外部世界的把握，不能脱离人对外部世界的本质和一般规律的认识。哲学的成果，构建着人类思维的新坐标，开拓着世界的新视野，从而达到解放思想的目的。

哲学对各个知识领域而言是普照的智慧之光。它启迪新的思想理论学说的诞生和创立。无论是古代的伦理学、近代的政治学和现代的

---

① ［德］黑格尔：《法哲学原理》，范扬等译，12 页，北京：商务印书馆，1961 年。

② 《马克思恩格斯全集》第 1 卷，220 页，北京：人民出版社，1995 年。

科学理论，许多伟大的思想家和科学理论的创立者，他们的成功，都渊源于一定的哲学启示，都是以某种哲学的洞察，凝聚起各种认识材料，才构成恢弘的思想体系和理论学说的大厦。

哲学引导人从世俗的、琐碎的事务中超脱出来，从有限中体悟无限，从渺小中领略伟大，使人站得高些，看得远些，想得开些，使人的生活变得更加充实、丰富，使人的灵魂得到升华和净化。黑格尔认为："哲学本身正是人的精神的故乡。"①

总之，哲学引导人们去思考关于人生、宇宙的大问题、大道理。归根到底，教人善于从总体上去把握人与外部世界的关系，教人善于超越人的现实世界去创造一个人的理想世界。哲学就是这样，在它那宁静的思维涟漪下奔突着时代的激流，在它那抽象的概念沉思中激荡着人类的心声。

由此可见，哲学虽然不具有直接的实用性，不能作为商品走向市场，但它的价值更普遍、更巨大，以至无从估计和无法估计它的价值，因而是真正的"无价之宝"。或如冯友兰关于哲学的功能所言的"是无用之大用"。因此，如果要求哲学走向市场，把它作为谋取利益的手段，这实在是对哲学的一种误解。相反，只有超越个人的狭隘功利，才可能谈得上严肃的哲学研究。事实也是这样，历史上的哲学家没有一位是靠研究哲学而发财致富的，相反，往往有不少人陷入贫困的境地。这样说，并不否认一个文明社会应该为哲学家提供必需的生活和工作条件。

诚然，哲学不能作为商品走入市场，这绝不等于说，我国哲学界，我们的哲学研究可以对我国的社会主义市场经济建设漠不关心，不是的。哲学的生命就在于要面向现实，要从哲学的高度回答人类所面临的种种现实问题，并对这些问题的解决提供世界观和方法论的指导。哲学要面向实际，对我国的哲学界来说，其中就包括要面向社会主义市场经济建设这一实际，就要研究社会主义市场经济建设中的种种问题。比如，市场经济在人类历史上的作用如何？中国这样一个经济文化比较落后的国家如何建设社会主义市场经济？怎样正确处理社会主

① ［德］黑格尔：《哲学史讲演录》第1卷，贺麟、王太庆译，159页，北京：商务印书馆，1959年。

义市场经济建设过程中的稳定与发展、速度与效益、效率与公平、市场经济机制与社会主义方向、市场经济建设与精神文明建设等的关系。研究这些问题，为解决这些问题提供哲学依据，这不仅是我国哲学工作者对促进我国社会主义市场经济建设的义不容辞的责任，而且也是促进哲学本身发展的需要。

马克思学说创立者述评*

马克思恩格斯是两位伟大的无产阶级革命家、理论家，是共同工作四十年的肝胆相照的战友，是对当今世界走向和人类命运仍在发挥重大影响的、极为罕见的历史伟人。为了使无产阶级和广大人民群众从资本主义制度下解放出来，马克思恩格斯进行了极为艰辛和富有成果的探索。这一成果就是他们共同创立的马克思学说。其中，马克思是主要创立者，恩格斯以独立者的身份参加了这一工作，作出了独特的理论贡献。早在19世纪80年代，马克思学说作为一个专有名词已被提出并获广泛使用。这意味着马克思恩格斯的观点和理论在那时人们的心目中已被视为具有独特性、系统性和广泛影响性的观点和理论。为了有助于解读马克思学说人本主题的科学基础，下面就“马克思学说”这一概念的使用情况作一些简要的历史考察。

一、“马克思学说”概念使用的历史考察

“马克思学说”这一概念不是马克思的发明。马克思在自己的大量著作中，从没有使用“马克思学说”来称谓自己的理论。严格地说，这也不是恩格斯的发明，因为恩格斯在自己的著作中也没有使用过这一概念。不过，他对人们用马克思的名字来命名他们共同创立的这个理论，是完全赞同的，用他的话说，这“是理所当然的”①。

1. “马克思学说”概念的使用概况

关于谁最先提出“马克思学说”这一概念，我们没有考证。但这

---

* 原文来源于陶富源、陶庭马：《马克思现实人本主题论》，芜湖：安徽师范大学出版社，2016年。

① 《马克思恩格斯文集》第4卷，297页，北京：人民出版社，2009年。

一概念较为广泛的使用，是从 19 世纪 80 年代开始的。

当时人们使用这一概念，归纳起来，大体有三种情形：一是有些人站在意识形态斗争的立场上，把论敌的观点和主张扣上马克思学说的帽子，以便加以抨击。[①] 二是那些涌入党内的资产阶级、小资产阶级分子，把自己的观点和主张装扮或标榜为马克思学说的观点加以兜售。针对这种情况，也才有了马克思所谓“我自己不是马克思主义者”[②] 的声明。三是，也是主要的，即马克思恩格斯的学生，或这一学说的第一代继承者，如威廉·李扑克内西、奥古斯特·倍倍尔、克拉拉·蔡特金、格·瓦·普列汉诺夫、弗兰茨·梅林、卡尔·考茨基、安东尼奥·拉布里奥拉以及保尔·拉法格等，他们是在肯定和赞扬的意义上使用“马克思学说”这一概念的。

需要指出的是，在马克思学说第一代继承者的著作中，马克思学说、马克思主义、马克思理论、马克思观点、马克思原理等概念往往是不加区别，即在同等意义上使用的。比如，普列汉诺夫在 1891 年写作的《黑格尔逝世六十周年》一文中，就是在同等意义上，在前后相联的总计不到 400 字的两段文字中，使用了“马克思原理”“马克思学说”“马克思主义”等三种表述。

如何看待以上这些马克思主义者在同等意义上使用马克思学说、马克思主义、马克思理论、马克思观点、马克思原理等概念这一理论现象呢？

这里可以从两个方面来说。一是，这些思想家使用“马克思学说”“马克思主义”这两个总体性概念来指谓马克思的思想和理论，这在马克思主义思想史和马克思主义诠释史上是很有意义的。二是，他们在使用这两个总体性概念时，并没有完全意识到这两个总体性概念提出的意义，因而也就没有把马克思学说、马克思主义与马克思思想、马克思理论、马克思原理等概念区别开来，从中提升出来。也就是说，他们对上述二者关系的理解还没有获得应有的自觉意识。这种状况直到列宁那里才从根本上得到了改变。

---

① 参见《哲学研究》编辑部编：《唯物主义历史观》第一分册，12 页，上海：上海人民出版社，1964 年。

② 《马克思恩格斯文集》第 10 卷，590 页，北京：人民出版社，2009 年。

2. “马克思学说”概念的列宁诠释

（1）“马克思学说”与“马克思主义”是总体性概念

在列宁的著作中，作为马克思的理论、观点、原理的总体性指谓的只有两个概念：一是马克思学说，二是马克思主义。列宁是在完全通用的意义上，使用这两个概念的。例如，在1908年写作的《马克思主义和修正主义》一文中，列宁是在同等意义上，9次使用了“马克思学说”和20多次使用了“马克思主义”。又比如，在1913年写作的《马克思学说的历史命运》中，列宁也是在互换的意义上，4次使用了“马克思学说”和4次使用了“马克思主义”。同样，在1913年写作的《马克思主义的三个来源和三个组成部分》中，列宁3次使用了“马克思学说”和5次使用了“马克思主义”。

（2）马克思学说是马克思的观点和各部分学说的体系

列宁把马克思学说或马克思主义看作是比马克思思想、马克思理论、马克思原理等更高、更综合的概念。在列宁看来，“马克思主义是马克思的观点和学说的体系”①。他在1914年写作的《卡尔·马克思》一文中，就是使用了“马克思的学说”这样一个总标题，在这个总标题下，论述了包括马克思的哲学学说、马克思的经济学说、社会主义理论、无产阶级阶级斗争的策略等各个部分。

（3）马克思学说是无产阶级取得胜利的科学理论

列宁对马克思学说或马克思主义的根本方面作出了概括性的科学说明。第一，列宁论述了马克思学说的无产阶级性质。他说：“马克思学说中的主要的一点，就是阐明了无产阶级作为社会主义社会创造者的世界历史作用。”② 第二，列宁论述了马克思学说的三个来源和三个组成部分。他说：“马克思学说是人类在19世纪所创造的优秀成果——德国的哲学、英国的政治经济学和法国的社会主义的当然继承者。”③ 马克思学说有三个组成部分，就是马克思主义哲学理论、马克思主义

① 中共中央马克思恩格斯列宁斯大林著作编译局编：《列宁专题文集·论马克思主义》，7页，北京：人民出版社，2009年。

② 中共中央马克思恩格斯列宁斯大林著作编译局编：《列宁专题文集·论马克思主义》，61页，北京：人民出版社，2009年。

③ 中共中央马克思恩格斯列宁斯大林著作编译局编：《列宁专题文集·论马克思主义》，67页，北京：人民出版社，2009年。

政治经济学理论、马克思主义科学社会主义理论。第三，列宁论述了马克思学说走过的“三个主要时期”。即从作为“无数社会主义派别或思潮中的一个”[①]，到在社会主义政党中的完全胜利，再到获得广泛传播等三个时期。列宁认为，在这三个时期中，它都“获得了新的证明和新的胜利”。列宁预言，在未来，“定会使马克思主义这个无产阶级的学说获得更大的胜利”[②]。

（4）“马克思学说”列宁式理解的时代特征

由上可见，列宁在确立“马克思学说”这一概念在马克思主义诠释史上的地位是起了独特的重要作用的。但同时必须指出，列宁把“马克思学说”和“马克思主义”作为两个等同的概念来理解和使用，相对于其所处的时代条件来说，是完全正确的。而在变化了的时代条件下，即马克思主义在发展中已形成了一系列新形态的时代条件下，再沿袭列宁当年的理解，已经不甚切当了。在这里，需要采取关于马克思主义的狭义和广义概念的理解。所谓狭义的马克思主义，即马克思恩格斯创立的马克思学说的基本观点、基本理论和基本方法的体系；所谓广义的马克思主义，是指马克思恩格斯创立及其后继者所发展的马克思主义基本观点、基本理论和基本方法的体系。因而相对于马克思主义的原生形态和多种发展形态，包括俄国马克思主义和中国马克思主义等的形态，马克思主义已经提升为一个一般的概念指谓。因此在当代视域中，只有在马克思主义基本观点、基本理论和基本方法的意义上，才可以说，马克思学说是狭义的马克思主义。这是因为马克思学说中还包括一些并非具有普遍性的具体观点、原理和方法。

二、“马克思学说”以马克思命名的缘由

1. 以马克思来命名他们共同创立的学说是恩格斯的一贯主张

如前所说，以马克思命名他们共同创立的学说，这是恩格斯的主

① 中共中央马克思恩格斯列宁斯大林著作编译局编：《列宁专题文集·论马克思主义》，61—62页，北京：人民出版社，2009年。

② 中共中央马克思恩格斯列宁斯大林著作编译局编：《列宁专题文集·论马克思主义》，65页，北京：人民出版社，2009年。

张。恩格斯为什么会有这一主张呢？是灵机一动，还是某些论者所认为的伟大谦虚？都不是。

恩格斯的这一主张是理性的，实事求是的；也是坦诚真挚的。

需要指明的是，恩格斯提出这一主张，不是在马克思生前，而是在马克思逝后。那时恩格斯实际已成为整个国际工人运动在理论上和实践上唯一的导师和顾问，从而获得了日渐崇高和广泛的赞誉。然而这一情况引起了恩格斯深深的不安。正是针对这一点，恩格斯感到自己有责任和义务去说明这个问题，从而表现了一种对亡友负责、对历史负责，同时也对自己负责的高尚情操和伟大人格。

恩格斯在马克思逝世后5年，即1888年写作的《路德维希·费尔巴哈和德国古典哲学的终结》中曾针对上述情况郑重声明："请允许我在这里作一点个人的说明。近来人们不止一次地提到我参加了制定这一理论的工作，因此，我在这里不得不说几句话，把这个问题澄清。"①澄清什么呢？他要告诉人们，创立他们学说的主要功绩应归于马克思。或者说，马克思是他们学说的主要创立者，至于他在其中所做的工作，不应作过分的肯定。

他说："我不能否认，我和马克思共同工作40年，在这以前和这个期间，我在一定程度上独立地参加了这一理论的创立，特别是对这一理论的阐发。但是，绝大部分基本指导思想（特别是在经济和历史领域内），尤其是对这些指导思想的最后的明确的表述，都是属于马克思的。我所提供的，马克思没有我也能够做到，至多有几个专门的领域除外。至于马克思所做到的，我却做不到。马克思比我们大家都站得高些，看得远些，观察得多些和快些。马克思是天才，我们至多是能手。没有马克思，我们的理论远不会是现在这个样子。所以，这个理论用他的名字命名是理所当然的。"②

恩格斯的这一声明，主要说明了以下三点：一是马克思学说是他和马克思共同创立的；二是他在一定程度上独立地参加了这一理论的创立，特别是对这一理论的阐发；三是马克思是马克思学说的主要创立者，因为它的绝大部分基本指导思想，及对其最后的明确的表述都

① 《马克思恩格斯文集》第4卷，296页，北京：人民出版社，2009年。

② 《马克思恩格斯文集》第4卷，296—297页，北京：人民出版社，2009年。

是属于马克思的。不难看出，恩格斯的这一声明观点明确，极为郑重，极有分寸。就是用今人的眼光来看，也是无可挑剔的。

实际上，恩格斯在不同场合先后多次表述过上述类似思想。如果对这些表述稍加梳理，那么就不难发现：恩格斯一贯认为马克思是马克思学说的主要创立者。

2. 马克思是“马克思学说”的主要创立者

（1）关于马克思学说的产生

恩格斯于1888年回忆说：“我们两人早在1845年前的几年中就已经逐渐接近了这个思想（即《共产党宣言》中所阐述的历史唯物主义思想——引者注）。当时我个人独自在这方面达到什么程度，我的《英国工人阶级状况》一书就是最好的说明。但是到1845年春我在布鲁塞尔再次见到马克思时，他已经把这个思想考虑成熟，并且用几乎像我在上面所用的那样明晰的语句向我说明了。”① 因此，早在1870年写作的《〈德国农民战争〉序言》中，恩格斯就直截了当地指出：“这个唯一唯物主义的历史观不是由我，而是由马克思发现的。”②

（2）关于马克思学说的问世和传播

恩格斯于1878年指出：“我们的这一世界观（指共产主义世界观——引者注），首先在马克思的《哲学的贫困》和《共产主义宣言》中问世，经过足足20年的潜伏阶段，到《资本论》出版以后，就越来越迅速地为日益广泛的各界人士所接受。”③

《共产党宣言》作为马克思学说问世的代表作，是科学社会主义的第一个伟大纲领。在马克思逝世后，恩格斯在独自为《共产党宣言》所写的序言，即1883年德文版和1888年英文版序言中曾先后重申：“虽然《宣言》是我们两人共同的作品，但我认为自己有责任指出，构成《宣言》核心的基本思想是属于马克思的。”④

《资本论》是马克思研究政治经济学毕生心血的结晶，是作为马克思主义重要组成部分的政治经济学的奠基之作。关于《资本论》，恩格

① 《马克思恩格斯文集》第2卷，14—15页，北京：人民出版社，2009年。
② 《马克思恩格斯文集》第2卷，204页，北京：人民出版社，2009年。
③ 《马克思恩格斯文集》第9卷，11页，北京：人民出版社，2009年。
④ 《马克思恩格斯文集》第2卷，14页，北京：人民出版社，2009年。

斯于1868年写道：“自从世界上有资本家和工人以来，没有一本书像我们面前这本书那样，对于工人具有如此重要的意义。资本和劳动的关系，是我们全部现代社会体系所围绕旋转的轴心，这种关系在这里第一次得到了科学的说明，而这种说明之透彻和精辟，只有一个德国人（指马克思——引者注）才能做得到。”① 只有马克思“才能攀登最高点，把现代社会关系的全部领域看得明白而清楚。就像一个观察者站在高山之巅俯视下面的山景一样”②。

（3）关于马克思一生的理论成就

恩格斯于1880年发表的《社会主义从空想到科学的发展》中指出：“这两个伟大的发现——唯物主义历史观和通过剩余价值揭开资本主义生产的秘密，都应当归功于马克思。”③ 他于1883年3月14日在《在马克思墓前的讲话》中进一步肯定了马克思在人类史上的这两大发现。他认为：“一生中能有这样两个发现，该是很够了。即使只能作出一个这样的发现，也已经是幸福的了。”④

（4）关于马克思主义世界观

恩格斯的《反杜林论》被誉为马克思主义的百科全书。恩格斯于1885年在写作的该书第二版序言中指出：本书是“对马克思和我所主张的辩证方法和共产主义世界观的比较连贯的阐述”⑤。但恩格斯仍然不忘指出：“本书所阐述的世界观，绝大部分是由马克思确立和阐发的，而只有极小的部分是属于我的。”⑥

从上面的引证不难看出，恩格斯关于马克思是马克思学说的主要创立者这一论断，是以客观事实为依据的；对恩格斯来说，也是他始终一贯的观点。因为事实就是如此，所以在这里不应过多地从恩格斯的谦虚品质去加以评论。恩格斯无疑是谦虚的，或者说是十分谦虚的。但这里主要不是谦虚与否的问题，而在于承认事实。

对此，列宁也曾评价说：“恩格斯总是把自己放在马克思之后，总的

① 《马克思恩格斯文集》第3卷，79页，北京：人民出版社，2009年。
② 《马克思恩格斯文集》第3卷，79页，北京：人民出版社，2009年。
③ 《马克思恩格斯文集》第3卷，545—546页，北京：人民出版社，2009年。
④ 《马克思恩格斯文集》第3卷，601页，北京：人民出版社，2009年。
⑤ 《马克思恩格斯文集》第9卷，11页，北京：人民出版社，2009年。
⑥ 《马克思恩格斯文集》第9卷，11页，北京：人民出版社，2009年。

说来这是十分公正的。他在写给一位老朋友的信中说：‘马克思在世的时候，我拉第二小提琴。’他对在世时的马克思无限热爱，对死后的马克思无限敬仰。这位严峻的战士和严正的思想家，具有一颗深情挚爱的心。”①

在谁是马克思学说的主要创立者这个问题上，国内外理论界绝大多数论者的观点是一致的，即都认为马克思是马克思学说的主要创立者。但在国外也有个别学者依据某些片段的材料，断言恩格斯是马克思学说特别是唯物史观的主要创立者。② 这一观点，尽管新颖独特，但并没有多少令人信服的证据，因而是不可取的。如果真如这位论者所言，恩格斯是唯物史观的主要创立者，可他又把这个主要创立者的桂冠戴在了马克思的头上，这倒真成了某些论者所谓的伟大谦虚了。这样做，实际上是对马克思的贬低，同时也是对恩格斯的不敬。

承认马克思是马克思学说的主要创立者，那么恩格斯在其中的工作如何评价？在以往的理解中，有这样几种观点：一是融合论，即认为恩格斯融合于马克思，两人合一体，如同一人；二是从属论，即认为恩格斯从属于马克思，或者说，恩格斯跟随马克思作了一些工作；三是阐释论，即认为马克思是马克思学说的创立者，恩格斯仅仅是这一学说的阐释者。不难看出，上述三种观点有一个共同之处，即都否认恩格斯以独立者的身份参与了这一理论的创立工作，或者说，都忽视了恩格斯在前述声明中所说的“他在一定程度上独立地参加了这一理论的创立”这样一个观点。因此，为了澄清是非，有必要对恩格斯在马克思学说创立中的贡献作出系统说明。

三、马克思学说创立中恩格斯的贡献

1. 恩格斯是与马克思并列的“马克思学说”创始人

对恩格斯在马克思学说创立中的贡献，不少人都做过评论。但其

---

① 中共中央马克思恩格斯列宁斯大林著作编译局编：《列宁专题文集·论马克思主义》，58—59页，北京：人民出版社，2009年。

② 日本马克思主义学者广松涉在《青年恩格斯的思想形成》一文中认为，不是马克思而是恩格斯“在确立历史唯物主义以及与之融为一体的共产主义之际，拉响第一小提琴”，发挥了主导作用。（[日]广松涉：《文献学语境中的〈德意志意识形态〉》，彭曦译，258—375页，南京：南京大学出版社，2005年。）

中，做得最到位的是列宁。

列宁说："把马克思和恩格斯两个人的名字作为现代社会主义奠基人的名字并列在一起是很公正的。"①

列宁又说："要正确评价马克思的观点，无疑必须熟悉他最亲密的同志和合作者弗里德里希·恩格斯的著作。不研读恩格斯的全部著作，就不可能理解马克思主义，也不可能完整地阐述马克思主义。"②

列宁这两段论述表达了如下两层涵义：一是他把马克思放在恩格斯之前，从而表明马克思是马克思学说的主要创立者；二是他把恩格斯称为与马克思并列的合作者，即不是一般的合作者，如参与者、助手之类。当然，更不仅是追随者、阐释者，而是并列的合作者。这里的并列是并驾齐驱之意。诚然，承认并驾齐驱，并不否认有主侧之别。

我们认为，列宁的上述评价是公允的、准确的。这是因为作为与马克思并列的合作者，一是恩格斯完全具备了这个资格；二是他确实作出了当之无愧的理论贡献。

这里的资格或条件主要有两点：一是他与马克思志同道合；二是他像马克思那样学识渊博。这两条少了其中一条都不行。

（1）恩格斯与马克思志同道合

这里的"志同道合"，是指他们以铸造无产阶级和全人类解放的思想武器——马克思学说为共同志向，以对这一理论进行长期艰难的创造为共同事业。恩格斯与马克思一起工作了40年。在这40年中两人风雨共担，心心相印，如果不是志同道合，不要说合作40年，就是合作4年恐怕都难以想象。正是这种共同的理想铸造了他们崇高的无与伦比的友谊。马克思于1866年2月20日在致恩格斯的信中高度评价了他们之间的友谊。他说："我们之间存在着这样的友谊是何等的幸福。"③ 马克思也曾对别的友人说过，恩格斯"是我的第二个'我'"④。他们两人的关系如同古希腊神话传说中的"德奥古利兄弟"（德奥古利兄弟是

① 中共中央马克思恩格斯列宁斯大林著作编译局编：《列宁专题文集·论马克思主义》，80页，北京：人民出版社，2009年。

② 中共中央马克思恩格斯列宁斯大林著作编译局编：《列宁专题文集·论马克思主义》，50页，北京：人民出版社，2009年。

③ 《马克思恩格斯文集》第10卷，236页，北京：人民出版社，2009年。

④ 《马克思恩格斯全集》第30卷，569页，北京：人民出版社，1974年。

古希腊神话中宙斯和丽达的儿子，孪生兄弟）。也正是这种共同的理想，使他们相互支撑，克服了许多常人难以想象的困难。50 年代，马克思全家曾在相当长一段时间陷于贫困，先后有 4 个儿女夭折。处于极度痛苦中的马克思，在 1855 年 4 月 12 日致恩格斯的信中，这样写道："在这些日子里，我之所以能忍受这一切可怕的痛苦，是因为时刻想念着你，想念着你的友谊，时刻希望我们两人还要在世间共同做一些有意义的事情。"①

如果没有这种崇高的理想和以这种崇高理想为基础所结成的肝胆相照的友谊，那么很难想象马克思能度过如此艰难的岁月。关于这一点，列宁曾指出："如果不是恩格斯牺牲自己而不断给予资助，马克思不但无法写成《资本论》，而且势必会死于贫困。"②

（2）恩格斯像马克思那样学识渊博

恩格斯和马克思一样也是一代科学巨匠，是空前伟大的思想家，具有极为精深的理论造诣。恩格斯虽没有上过大学，也没有读过高中，且只是一个初中肄业生，但通过刻苦学习，"他几近完美地掌握的语言有 8 种，还在一定程度上掌握了至少 10 种其他语言"③，并对其中多种语言加以了系统研究。由于恩格斯孜孜不倦的努力，他几乎接触和研究了当时所有的科学门类，终于成为一位伟大的哲学家、经济学家、军事学家、语言学家、文学家和史学家。

他对黑格尔和费尔巴哈的哲学进行了系统的研究和批判，写下了不少光辉的哲学著作。他用阶级分析的方法，精心研究和剖析了英、法、德等国的资本主义，写下了许多政治经济学巨著。他系统认真地研究军事科学，写下了一百多篇军事方面的论文，成为无产阶级的第一个军事理论家。由于他对当时发生的一些战事作出了较为准确的分析和预测，因而为世人称道。不仅如此，他在朋友中还获得了"将军"的雅号。恩格斯精通欧洲文学，也很熟悉东方文学，发表了不少新颖的文学见解。他于 19 世纪 50 年代末，便着手研究自然科学，细致地观

① 《马克思恩格斯全集》第 28 卷，442 页，北京：人民出版社，1973 年。

② 中共中央马克思恩格斯列宁斯大林著作编译局编：《列宁专题文集·论马克思主义》，5—6 页，北京：人民出版社，2009 年。

③ ［德］理查德·施佩尔：《马克思恩格斯著作的编辑与翻译》，金建译，《国外理论动态》，2011（7）。

察和研究物理学、化学、生物学等方面的一些最新发现，写下了光辉巨著《自然辩证法》。另外，他还对语言学作了系统的研究，并获得了惊人的成就。

从上述所论的两个方面的条件来说，恩格斯作为与马克思并列的合作者，是完全称职的。正因为具有这样两个方面的条件，所以恩格斯在马克思学说创立过程中才可能作出重要的独特的贡献。

2. 恩格斯独特的理论贡献

这种贡献归纳起来，主要有以下几个方面。

（1）马克思学说创立的前驱者

这里是指恩格斯1844年2月发表的《政治经济学批判大纲》，促使马克思下决心研究政治经济学，从而为其日后的“两大发现”提供了根本的前提。如前所说，马克思有两个最伟大的发现，即唯物史观和剩余价值理论。而这两大发现之所以得以成就，从理论上说，有一个根本的前提，那就是必须研究政治经济学。这是因为当时作为经济学最大成果的古典经济学或国民经济学提出了劳动价值论。这一理论认为，自然资源只有通过劳动创造才能变成社会财富。因此它承认劳动是自己的主要原则，劳动是社会财富的源泉。正是通过对这一观点的批判继承，马克思才形成了人是感性活动的存在，人类史是人的活动的历史，经济是社会发展的根本动力等一系列理论观点，从而推动了唯物史观的创立。同样，也是在批判继承古典经济学劳动价值论的基础上，马克思进一步思考这样一个问题：既然工人的劳动创造了社会财富，可他们却又陷于极度贫困的境地，正是为了解答这个历史之谜，推动马克思创立了剩余价值学说。

由此可见，马克思在理论上的这两大发现，离开了政治经济学的研究是不可想象的。而促使马克思下决心研究资本主义经济制度和对国民经济学进行批判的正是恩格斯。

1844年2月恩格斯在由马克思和卢格共同主编的《德法年鉴》上发表了两篇文章，其中一篇是《政治经济学批判大纲》（以下简称《大纲》）。这个《大纲》是恩格斯研究政治经济学的第一部重要著作。该文通过对市民社会的经济学解剖，由此形成了恩格斯的一系列重要观点：经济是社会发展的根本动力和现代社会阶级对立产生的基础；私有制是资本主义社会一切罪恶的根源；资本和劳动的矛盾孕育着革命的规律，产生了社会主义胜利的必然性。

当时的马克思通过对黑格尔法哲学的批判，提出了家庭和市民社会决定国家的观点，但主要还是在理论上探讨政治问题，还未能把经济问题放在研究的首位。看到恩格斯的《大纲》以后，他才决心对经济学问题进行重点研究。对此，列宁曾有过评述。他说："同恩格斯的交往显然促使马克思下决心去研究政治经济学，而马克思的著作使这门科学发生了真正的革命。"①

正因为《大纲》在马克思世界观转变过程中发挥了理论上的启动作用，所以在以后的几十年中，马克思对《大纲》曾多次加以赞扬，并借以表达他对恩格斯的敬意。当《大纲》刚刚发表时，他就视《大纲》为"内容丰富而有独创性的著作"②。1859年称它为"批判经济学范畴的天才大纲"③。马克思晚年，即1880年又指出："《大纲》中已经表述了科学社会主义的某些一般原则。"④

（2）唯物史观的发现者

这里是指恩格斯通过政治经济学研究，实现了历史观上的重大突破，从而使他成为唯物史观的发现者之一。恩格斯在《德法年鉴》上发表的另一篇文章是《英国状况·评托马斯·卡莱尔的〈过去与现在〉》。该文运用经济学研究的成果，从社会经济层面深入到人的活动层面，特别是生产劳动层面，以此为基础来说明人类历史的本质和工人阶级的历史作用。恩格斯批判了那种把人类史归结为天国史的观点，指出历史是人的活动的产物，而非上帝的创造。人的生产劳动和人类争取自由的斗争才是历史的真实内容。历史不是少数杰出人物的杰作，人民群众才是历史活动的主体。恩格斯指出："只有工人……才是真正值得尊敬的人。""他们……没有偏见，他们还有力量从事伟大的民族事业，他们还有前途。"⑤ 恩格斯满怀信心地指出，尽管社会主义者现在力量还很薄弱，但他们是英国唯一有前途的党。社会主义将是英国

---

① 中共中央马克思恩格斯列宁斯大林著作编译局编：《列宁专题文集·论马克思主义》，56页，北京：人民出版社，2009年。

② 《马克思恩格斯文集》第1卷，112页，北京：人民出版社，2009年。

③ 《马克思恩格斯文集》第2卷，592页，北京：人民出版社，2009年。

④ 《马克思恩格斯文集》第3卷，491页，北京：人民出版社，2009年。

⑤ 《马克思恩格斯全集》第3卷，497页，北京：人民出版社，2002年。

社会的唯一前途和出路。很显然，这时的恩格斯，站在唯物主义立场上已经初步揭示了历史的本质和基础，论证了无产阶级和人民群众在历史上的重要地位和作用，初步揭示了社会主义取代资本主义的历史走向。正是这些重大的理论发现，使他与马克思的思想达到了根本的一致，并一道成为唯物史观的创立者。

为了把他们的共同见解公之于世，1845 年 2 月出版了他们共同撰写的《神圣家族》。该书表述了他们正在形成中的唯物史观的一系列重要原则，包括物质生产是历史的发源地，历史的活动是群众的事业等观点，并接近了生产关系的观点。诚然，这一观点尚未从生产活动的矛盾分析及其历史发展来获得说明。后来马克思通过对李斯特的国民经济学的批判，初步掌握了生产力与生产关系的辩证关系，以及生产力和创造未来社会的无产阶级之间的联系等思想。与马克思同时，恩格斯则通过《英国工人阶级状况》的写作，说明了技术和生产的进步是整个社会变化发展的基础；说明了工人阶级的贫困根源于资产阶级的剥削，因而无产阶级是一个肩负推翻资产阶级这一历史使命的革命阶级，未来属于工人阶级。这样，马克思和恩格斯分别以不同的方式，大致完成了历史唯物主义的创立工作。不久他们共同撰写的《德意志意识形态》阐述了唯物史观的基本原理，标志着马克思恩格斯第一个伟大发现的基本完成。

（3）马克思政治经济学理论创立的参与和完成者

这首先表现在马克思在创作《资本论》第一卷的过程中，凡是遇到重大问题总是先征求恩格斯的意见，通过共同探讨以取得一致见解。不仅如此，恩格斯还充分发挥他实际从事商业工作的优势，为马克思提供了大量而充实的实际材料。比如，关于“地租”① “土地耕种的历史序列”② “货币流通”③ 等问题，马克思都一再征求过恩格斯的意见。据不完全统计，马克思恩格斯关于《资本论》的书信，就有 400 多封。1867 年，《资本论》第一卷出版，鉴于恩格斯所做贡献，马克思曾邀请恩格斯以《资本论》合著者的身份共同署名，但恩格斯婉拒了马克思

① 庄福龄主编：《马克思主义史（第一卷）》，273 页，北京：人民出版社，1996 年。

② 《马克思恩格斯文集》第 7 卷，870 页，北京：人民出版社，2009 年。

③ 《马克思恩格斯文集》第 3 卷，40 页，北京：人民出版社，2009 年。

的盛情。

1883年，马克思因病没有来得及把《资本论》其他几卷整理完毕就逝世了，这无疑是一个巨大的遗憾。于是恩格斯毅然放下自己的科学研究，从事整理和出版《资本论》第二卷和第三卷的艰巨工作。其实，不仅是整理，而且有的地方还要进行许多补充；也不仅是在原有基础上加以补充，而且还需要通过科学研究，加以创作，因为原稿中有的部分只有一个大纲或只有一个标题；另外，还须根据历史条件的变化，特别是新近出现的动态，对马克思的基本思想加以丰富和发展。

恩格斯经过多年努力，克服了种种困难，终于出版了《资本论》第二卷、第三卷。这是他为自己的亡友所建立的一座最宏伟的纪念碑。正如恩格斯在致马克思的次女劳拉·拉法格的信中所说："不管怎样，我要把整理摩尔的书的工作坚持下去。这部书将成为他的一座纪念碑。"① 恩格斯的这一评价是完全正确的。

不过正如奥地利社会民主党领导人阿德勒所言："恩格斯……替他的天才朋友建立了一座庄严宏伟的纪念碑，无意中也把自己的名字不可磨灭地铭刻在上面了。"② 列宁写道："……这两卷《资本论》是马克思和恩格斯两人的著作。"③ 列宁的这一判断是立得住的，这是因为恩格斯不仅参加了这两卷巨著的创作，而且也是这两卷巨著的最终完成者。

（4）科学社会主义的奠基者

在从民主主义转向共产主义的过程中，恩格斯比马克思早一些开始了这种转变，因而也早一些提出了关于科学社会主义的一系列重要原理。恩格斯于1842年末来到曼彻斯特，通过对英国社会的深入了解和亲自参加工人运动，开始结识无产阶级。与此同时，他还阅读和研究了当时所能找到的论述英国工人阶级状况的著作和社会主义文献。在这一过程中，他实现了思想上的重大突破，形成了如下重要观点：

第一，英国发生的革命将不是政治革命，而是社会革命，即通过

① 《马克思恩格斯文集》第10卷，531页，北京：人民出版社，2009年。

② 中共中央马克思恩格斯列宁斯大林著作编译局编：《列宁专题文集·论马克思主义》，58页，北京：人民出版社，2009年。

③ 中共中央马克思恩格斯列宁斯大林著作编译局编：《列宁专题文集·论马克思主义》，58页，北京：人民出版社，2009年。

社会主义革命消灭阶级对立，建立一个理想的共产主义社会。

第二，无产阶级不仅是一个受苦的阶级，而且是一个革命的阶级，它是实现社会主义的最主要的革命力量。

第三，共产主义的实现具有历史必然性。早在1843年发表的《大陆上社会改革运动的进展》一文中，恩格斯就指出："共产主义不是英国或任何其他国家的特殊状况造成的结果，而是从现代文明社会的一般实际情况所具有的前提中不可避免地得出的必然结论。"①

第四，暴力革命是无产阶级革命的必要的、重要的形式。恩格斯通过总结1842年英国工人夏季罢工失败的教训指出："用和平方式进行革命是不可能的，只有通过暴力变革现有的反常关系，根本推翻门阀贵族和工业贵族，才能改善无产者的物质状况。"② 提出无产阶级暴力革命的理论，这在马克思主义发展史上，还是首次。这些理论成果在恩格斯撰写的《共产主义信条》《共产主义原理》中得到阐述、丰富和发展，并最终体现在马克思恩格斯共同创作的《共产党宣言》中。由上可见，恩格斯作为科学社会主义的一个奠基人，是毫无疑义的。

上面我们从四个方面论述了恩格斯是以独立者的身份与马克思合作共同创立了马克思学说。这从而也就与那种片面强调恩格斯的合作者身份而忽视其独立者的身份的种种观点划清了界限。但同时应该指出的是，在上世纪60至80年代曾流行着另外一种极为片面的观点，即否认恩格斯的合作者身份，而把恩格斯的"独立者"身份加以夸大化、绝对化，以至形成了所谓"马恩对立论"。下面对这一观点来进行一些考察和分析。

四、关于"马克思恩格斯对立论"批判

马克思恩格斯对立论，简称马恩对立论，这里的对立是本质意义上的对立，或曰根本对立，而非本质一致前提下的差异。然而这种所谓马恩对立论确实又是从这种非本质差异论中滋生、演化和扩张而来的。马恩对立论并非指一个逻辑一贯的理论观点，而是对具有共同理

① 《马克思恩格斯全集》第3卷，474页，北京：人民出版社，2002年。

② 《马克思恩格斯全集》第3卷，411页，北京：人民出版社，2002年。

论基调的各种观点的一个总体称谓。即这些观点的持有者都主张马恩对立论，但各自的见解互相矛盾，甚至自相矛盾。马恩对立论在西方曾盛行于上世纪60至80年代，到90年代受到批判，风光不再。然而这一观点借中国改革开放之机，于80年代流入中国，被某些论者视为新潮，于是充当弄潮儿，至今余波未尽。为了弄清马恩对立论的虚妄，下面先从马恩对立论的来龙去脉说起。

1. “马恩对立论”的流变

这里谈两点：一是“马恩对立论”的历史缘起；二是其流变过程。

（1）“马恩对立论”的历史缘起

西方学者的“马恩对立论”，是对那种关于马恩“完全一致论”从另一个极端的理论反拨。

长期以来，在国际共产主义运动内部流行着一种马恩在思想上完全一致的理论观点。这种观点始于第二国际的“正统马克思主义者”。考茨基在讲到马克思与恩格斯的关系时说：“他们二位是高度密切合作的，因而这一位的著作也就是那一位的著作。”① 普列汉诺夫在1908年写的《马克思逝世25周年》一文中也说：马克思和恩格斯“这两位唯物主义思想家在哲学和科学上是完全一致的”②。第二国际正统马克思主义者的这一观点并没有因其提出者的离世而消失，而是在以后许多年里成为人们关于马克思主义理论研究和思想宣传的当然前提。

怎样看待这种“完全一致论”呢？

应该说，这一观点反映了马克思与恩格斯关系的本质，即他们两人在思想本质上是完全一致的。也就是说，在立场、观点、方法上是根本一致的。但在肯定这一点的同时，它又把本质上的一致夸大成了全面的一致。这样一来，也就把复杂的问题简单化了，从而也就陷入了形而上学。

世界上本没有两片完全相同的树叶，又哪有在思想上完全一致的两个人呢？何况马克思和恩格斯又是这样两位研究领域极为广泛、思

① 《哲学研究》编辑部编：《唯物主义历史观》第一分册，1页，上海：上海人民出版社，1964年。

② 《普列汉诺夫机会主义文选》（下），虚容译，406页，北京：生活·读书·新知三联书店，1965年。

想极为丰富的思想伟人呢！事实上，马克思恩格斯确实是通过不同的道路、经过不同的思想历程才成为合作者的；成为合作者以后他们也有各自的特色、各自的风格，研究的领域也各有侧重，任务也有必要的分工；另外，在不同语境下，他们对同一理论内容的说明重点和文字表述也会经常有所变动。

因此，承认马克思恩格斯在思想上存在差别，这是再自然不过的事情。不要说马克思恩格斯两个人之间有差别，就是马克思本人的不同文本在思想上也会存在差别。不然其思想怎能发展，又怎么丰富？可见，承认上述差别，研究这些差别，对于更细致地了解马克思主义形成的思想历程是有意义的。

需要指出的是，如实揭示和说明马恩之间的差异是一回事，而把这种差异夸大为对立，然后做许多文章刻意加以渲染，则是另一回事。这也就是我们对马恩对立论不表赞同的原因所在。从历史角度来说，马恩对立论经历了一个流变的过程。

(2)“马恩对立论”的流变过程

这个过程包括萌发、滥觞、盛行和衰落四个阶段。

第一，“马恩对立论”的萌发。

这一阶段大体是从19世纪下半期到20世纪20年代前。把马克思和恩格斯对立起来的论调，早在马克思恩格斯生前即已出现。不过那时的所谓对立，既有人格上的，也有思想上的。对那种所谓人格上的对立，恩格斯曾以嘲讽的口气说道：“1844年以来，关于凶恶的恩格斯诱骗善良的马克思的小品文，多得不胜枚举，它们与另一类关于阿利曼①——马克思把奥尔穆兹德②——恩格斯诱离正路的小品文交替出现。”③

关于所谓思想上的对立，有1891年博尔吉乌斯提出的，在历史观上恩格斯的“极端理解”与马克思“比较温和的说法”的对立。

1897年德国资产阶级学者、莱比锡大学教授保尔·巴尔特所谓的马克思《资本论》代表的是社会静力学倾向和恩格斯《反杜林论》代

① 阿利曼是体现世上万恶之源的古波斯神安赫腊曼纽的希腊名字。

② 奥尔穆兹德是体现世上众善之源的古波斯神阿胡腊玛士达的希腊名字。

③《马克思恩格斯全集》第36卷，14页，北京：人民出版社，1975年。

表的是社会动力学倾向的对立。

1907年俄国的民粹派分子维克多·切尔诺夫提出所谓的恩格斯思想与马克思《关于费尔巴哈的提纲》的对立。在他看来，恩格斯的学说是“素朴的独断的唯物主义”，是“最粗陋的唯物的独断主义”①。对此，列宁在《唯物主义与经验批判主义》中进行了反驳。

1910年波兰哲学家布尔楚维斯基针对恩格斯的《反杜林论》，提出了所谓马克思“人本学”与恩格斯《反杜林论》“实证主义”观点的根本对立。

另外，同时期意大利的一些深受黑格尔主义影响的哲学家，比如拉布里奥拉的学生克罗齐、靳提莱、孟多夫等人，也把马克思与恩格斯的思想对立起来。例如克罗齐说：“恩格斯的思想形态与马克思不一致”，恩格斯把马克思哲学降低为一种实证科学。孟多夫也说，对马克思来说，原初问题是知识；对恩格斯来说，原初的问题是存在。结果，马克思从意识形态批判前进到一种实践哲学，而恩格斯基于自然哲学而得出唯物主义。恩格斯许多思想的教条主义和模糊不清都来自于缺少革命的实践概念。

总的来看，19世纪下半期到20世纪初的西方学者对马克思恩格斯思想关系的比较研究还是初步的，提出的所谓马克思恩格斯思想的对立也是不系统的，因而其影响也很有限。但他们寻找马克思恩格斯思想对立的研究思路和把马克思主义理解为一种批判哲学、关于人的活动的哲学、只适用于社会历史领域的理论观点，对后来西方马克思主义早期代表人物关于马克思恩格斯的比较研究产生了不小影响。

第二，“马恩对立论”的滥觞。

这一阶段大体是从20世纪20年代到60年代以前。早期西方马克思主义者卢卡奇、柯尔施等人继承了先前种种关于马克思哲学是社会历史哲学的观点，并以此为基点去揭示所谓马恩的对立。

1923年卢卡奇出版了《历史与阶级意识》一书。该书从辩证法问题入手，强调马克思主义辩证法是社会历史辩证法、实践辩证法、主客体关系辩证法。他认为，“具有头等重要的是，这种方法只适用于历

① 中共中央马克思恩格斯列宁斯大林著作编译局编：《列宁专题文集·论辩证唯物主义和历史唯物主义》，19页，北京：人民出版社，2009年。

史和社会领域”，“对于辩证法来说，中心问题却是改变实在”①。因而必须重视历史过程中主客体关系的辩证法这种最根本的相互作用。卢卡奇把自然界规定为社会范畴，认为只有人化自然才是有意义的自然，在人化自然之外，即社会范畴之外的那种离开人的自然，与人无直接关系，对人来说是毫无意义的；因而，他认定离开人的自然界不存在辩证法。由此，卢卡奇对恩格斯自然辩证法提出批评并加以责难。

不仅如此，他还把上述辩证法问题的批判延伸到实践观问题加以批判。在他看来，社会实践在马克思那里仅指无产阶级的革命斗争，所以他认为，恩格斯在《路德维希·费尔巴哈和德国古典哲学的终结》中将实践理解为“工业和实验”是错误的。他说：“恩格斯的最深的误解在于他把工业和实验的行为看做是——辩证的和哲学意义上的实践。”②

继而卢卡奇还把实践观问题的批判延伸到认识论问题，进一步加以批判。由于他根本否认恩格斯关于科学实验和生产实践是认识的基础的观点，而只承认无产阶级革命斗争是认识的基础，于是他就把恩格斯的唯物主义反映论说成是机械反映论去加以批判。

1923年柯尔施发表了一篇长文，题目是《马克思主义与哲学》。在这篇文章中，柯尔施注意到了马克思与恩格斯思想中的某些不一致之处，这从而促使他同关于马克思恩格斯思想完全一致的“正统的教条立场”保持距离。柯尔施责备恩格斯晚年在关于历史唯物主义的书信中轻率地承认上层建筑同经济基础之间，意识形态的发展同经济、政治的发展之间有所谓相互作用，认为这种承认给马克思主义这一新的革命原理的基础造成了完全不必要的混乱。其实，柯尔施的这一指责是完全没有道理的。恩格斯承认上层建筑对经济基础的反作用，承认社会意识对社会存在的反作用，正是批判了机械的经济决定论，而坚持了马克思主义历史唯物主义的历史辩证决定论。

需要指出的是，虽然早期西方马克思主义者在一些重要问题上对恩格斯提出了种种批评和责难，指出了恩格斯与马克思之间存在着思想差异，但他们在总体上仍然肯定恩格斯与马克思在思想上是一致的，

---

① ［匈］卢卡奇：《历史与阶级意识》，杜章智等译，50页，北京：商务印书馆，1995年。

② ［匈］卢卡奇：《历史与阶级意识》，杜章智等译，77页，北京：商务印书馆，1995年。

他们在批评恩格斯时也没有在整体上否认恩格斯的思想，而是认为恩格斯对马克思存在一些误读。也就是说，他们对恩格斯的批评，都还是在有限的和局部的范围内。

正如J.D.亨利所说，虽然卢卡奇的思想中包含有马克思恩格斯“对立论”的倾向，但他在著作的不少地方又提到马克思和恩格斯的一致与合作，甚至赞同性地引用恩格斯的话。很显然，他的目的不是要在整体上造成二人思想的分裂，而仅仅是指出有限领域的不一致。至于柯尔施，既反对那种“把马克思与恩格斯根本对立起来”的做法，也不赞同“他们思想完全一致的教条式的正统立场”。

总之，卢卡奇和柯尔施对恩格斯的批评，本意并非是想制造马克思和恩格斯的对立。尽管卢卡奇后来也认识到自己对恩格斯的批评是根本错误的，并进行了严肃的自我批评，但卢卡奇和柯尔施毕竟开了用他们所误读的马克思去反对他们所误读的恩格斯的先河，并且在世界观、历史观、实践观和认识论等多个方面进行了马恩之间对立的所谓论证，因而在客观上成为了后来公开断言马克思和恩格斯对立的西方马克思主义和西方马克思学的思想源头。

正如英国学者《新左派评论》主编佩里·安德森所说：“事实上，西方马克思主义是以对恩格斯的哲学遗产发生决定性的双重批驳而开始的——这种批驳是由科尔什（即柯尔施——引者注）和卢卡奇分别在《马克思主义与哲学》和《历史与阶级意识》两书中进行的。从那时以后，西方马克思主义内实际上所有的思潮——从萨特到科莱蒂，从阿尔都塞到马尔库塞—— 一般都反对恩格斯后来的著作。”①

第三，“马恩对立论”的盛行。

马恩对立论在西方盛行于上世纪60至80年代。按照J.D.亨利的说法，马克思恩格斯“对立论”流行的开端则是英国历史学家乔治·利希特海姆1961年出版的《马克思主义：一种历史的和批判的研究》一书。在利希特海姆看来，恩格斯主张辩证唯物主义，因而是一个头脑简单的决定论者和实证论者，而马克思是一个人道主义的辩证论者。

利希特海姆的著作出版后，西方学术界在马克思恩格斯关系问题

① ［英］佩里·安德森：《西方马克思主义探讨》，高铦等译，78页，北京：人民出版社，1981年。

上的观点开始由“完全一致论”占主导地位转向“全面对立论”占主导地位。与利希特海姆著作出版的同一年，罗伯特·塔克尔出版了《卡尔·马克思的哲学与神话》一书。塔克尔在书中指责恩格斯晚年著作提出了一种脱离人类历史的关于自然的“辩证唯物主义”概念。他指出，恩格斯的自然辩证法学说是“黑格尔的最坏方面与诸如海克尔的19世纪唯物主义的大杂烩”①。

1962年施密特出版了《马克思的自然概念》一书。该书认为，马克思的自然概念是一个社会范畴，而恩格斯则是把自然看作是脱离人而存在的独立领域，恩格斯使自然科学辩证化而重新落入独断的形而上学，并认为在恩格斯那里人似乎只是被动反映自然过程的演化产物，而非生产力的产物，而这是与马克思观点相背离的。

1970年5月，为了纪念恩格斯诞辰150周年，在联邦德国的乌培尔城主办了一个小型国际研讨会。法国“马克思学”学者吕贝尔向会议提交了一篇只有几页纸的发言提纲《关于“恩格斯作为马克思主义创始人”的论纲》。在这篇简短的发言提纲中，吕贝尔总结了西方“马克思学”的既有观点，并没有太多新意地提出：“马克思主义不是马克思思想方法的原初产物，而是由恩格斯构想出来的。因此，就‘马克思主义’这一包含了理论上非常明确的主题内容的术语而言，马克思不应当负责，需要负责的是恩格斯。”② 出乎吕贝尔本人及与会西方学者意料的是，这篇提纲遭到了苏联代表非常激烈的抵制，他们要求会议撤销这篇“反恩格斯提纲”，否则就集体退出会议。这个偶然事件一下子就使学术争论成为了一个引人注目的国际政治事件，从而对马克思恩格斯“对立论”在国际学术界的流行起到了推波助澜的作用。

在这之后，马克思恩格斯“对立论”经过伊林·费切尔、吕贝尔、本德尔、亨德森等人的大肆渲染，在美国学者诺曼·莱文的《可悲的骗局：马克思反对恩格斯》（1975）、《辩证法内部对话》（1985）等著作及《马克思和恩格斯思想中的人类学》（1973）、《马克思主义和恩格斯主义：两种不同的历史观》（1973）等论文中，系统化了恩格斯主义

---

① 转引自鲁克俭：《国外马克思学研究的热点问题》，48页，北京：中央编译出版社，2006年。

② 转引自张亮：《西方“马克思学”的恩格斯研究—— 一个批判的评价》，《教学与研究》，2005（8）。

与马克思主义的全面对立。到了20世纪80年代，英国布里斯托大学（University of Bristol）政治系教授、著名“马克思学”学者特瑞尔·卡弗则进一步把马克思与恩格斯的关系问题归结为解释学问题，用解释学的理论和方法对马克思与恩格斯的关系进行认识论和方法论的分析，从而“为关于恩格斯晚年著作系统化地歪曲了马克思思想的观点提供了最有说服力的保护”①。

如果说马恩关系上的“完全一致论”虽然片面，但基本反映了马恩之间的本质关系，那么作为对“完全一致论”极端反拨的“全面对立论”则不仅片面，而且与马恩之间实际存在的本质关系完全背离。因而这种全面对立论虽然盛极一时，但终究好景不长，迅速走向衰落。

第四，“马恩对立论”的衰落。

到上世纪80年代以后，“马恩对立论”开始受到冲击，进入衰落阶段，马恩基本一致论成为西方学术界的主流观点。其代表性论著有：阿尔温·古德纳尔的《两种马克思主义：理论发展中的矛盾和异例》（1991）、亨勒的《弗里德里希·恩格斯的生平和思想：一种再解释》（1991）、利诺格的《恩格斯与修正主义的起源：一种重新评价》（1991）、利格比的《黑格尔和马克思主义的形成》（1992）、《马克思以后的恩格斯：历史》（1999）。这些论著的共同之处在于都批判马恩全面对立论，而主张二人思想的基本一致论。这种基本一致论在西方学术界，其影响不断扩大，并逐渐上升到支配地位。

不过需要指出的是，90年代以来，西方理论界流行的马恩基本一致论不是在肯定意义上，而是在否定意义上的基本一致论。也就是说，在这种观点看来，恩格斯在根本观点上是错误的，马克思与恩格斯基本一致，在根本观点上也是错误的。如果说“马恩对立论”是树立一个误读的马克思去打倒一个误读的恩格斯，从而打倒马克思主义，那么这种否定意义上的马恩基本一致论则是把马克思与恩格斯一起打倒，从而更彻底地打倒马克思主义。

这一事实从反面说明，如果从根本上否定了恩格斯，那么也就从根本上否定了马克思。正如英国学者佩里·安德森所说：“一旦恩格斯

---

① Rigby. S. H. Engelsand the Formation of Marxism：History，Dialectics and Revolution，Manchester：Manchester University Press，1992。

的贡献被认为不值一顾，马克思本身遗产的局限性就显得比以前更加明显，对它加以补充也就便成为当务之急了。为此目的而在欧洲思潮范围内求助于更早的哲学权威，在某种意义上，这可以视为在理论上退到了马克思之前。”① 这一评说，可谓一针见血。

2. “马恩对立论”的主要观点

如上所说，上世纪60至80年代，“马恩对立论”是当代西方在马克思恩格斯关系问题上占支配地位的观点，其信奉者和阐释者颇多。由于它不是一个统一的理论派别，因而不能从总体上去加以分析，而只能就其代表人物及其主要观点去分别予以说明。马恩对立论的代表人物及其理论观点主要有“马克思学”创始人吕贝尔所提出的“马克思学”与恩格斯的马克思主义对立论，或“马克思与马克思主义对立论”、诺曼·莱文所提出的马克思的马克思主义与恩格斯的恩格斯主义的对立论，或“马克思主义与恩格斯主义对立论”，以及特瑞尔·卡弗所提出的解释学视域的马恩对立论，或马恩对立论的解释学论证理论。

这些观点的共同之处在于，都反对马恩一致论。吕贝尔认为，那是关于马克思主义的“神话”；诺曼·莱文认为，那是“可悲的骗局”；特瑞尔·卡弗认为，那是恩格斯的“伪造”。而他们的任务就是要打破这种神话，揭穿这个骗局，反驳这种伪造，从而证明马恩是根本对立的。

（1）吕贝尔的“马恩对立论”

吕贝尔声称“马克思主义之父”不是马克思，而是恩格斯。在他看来，马克思的许多著作，特别是经济学著作都是未完成的手稿，而恩格斯则根据自己的理解把它整理成完整的体系，从而为马克思主义体系的建立和合法化提供了根据；社会主义也不像恩格斯及其他马克思主义者所说的那样是从空想发展到科学，马克思的思想中有乌托邦空想。② 马克思始终反对把他自己和马克思主义概念联系起来，他反复声称，“我只知道我自己不是马克思主义者”③。当初恩格斯和马克思一

① ［英］佩里·安德森：《西方马克思主义探讨》，高铦等译，78页，北京：人民出版社，1981年。

② 参见杜章智：《一个反马克思主义的“马克思学家”》，《马列主义研究资料》，1982（5）。

③ 《马克思恩格斯选集》第4卷，695页，北京：人民出版社，1995年。

样拒绝这个名称，后来恩格斯才赋予这个概念在社会主义运动中的合法性。另外，吕贝尔指责恩格斯在整理、编辑和出版马克思著作的时候，忽视了马克思的大量早期著作，而这些早期著作比后期著作更有价值，并引起了那些不再满足于正统马克思主义模式的几代读者的更大的兴趣。吕贝尔的这些论述，虽然不能说毫无道理，但基本上是建立在武断和偏见上面的，因而在总体上是不可取的。

（2）诺曼·莱文的"马恩对立论"

诺曼·莱文通过提出和阐述所谓"马克思主义与恩格斯主义的对立"，从而对"马恩对立论"作了最为系统、详尽的阐述。

首先，在自然观上，莱文把自然的辩证运动与对自然的辩证改造对立起来，并以此为依据，论证马恩的所谓对立。莱文认为，恩格斯把自然界本身看作是辩证的，创立了自然辩证法；而马克思则主张对自然的改造，即用辩证改造的观点来看待自然界，同时又不认为自然界的运动法则本身是辩证的。其实，这是对马克思和恩格斯观点的曲解。实际上，正是自然界的辩证运动为对自然界的辩证改造提供了客观前提。

其次，在历史观上，莱文把人的作用与物的作用绝对对立起来，以此来制造马恩的所谓对立。莱文认为，马克思把社会发展中更重要的决定因素看作是依附于思想的力量，即人的能动力量，从而把历史看作是人类将自然和一切实体加以人化的过程。恩格斯则从他的辩证唯物主义归纳出历史唯物主义，是一个经济技术决定论者，往往把技术因素（工业生产机器）看作主要的因果力量。莱文在这里实际是把社会发展中物的要素与人的要素的作用片面对立了起来，实际上，物的要素与人的要素是通过生产方式的组织才得以成为社会发展的动力源泉的。因此，生产方式作为总体是社会发展的最终决定力量。

再次，在认识论上，莱文把实践论与反映论绝对对立起来。莱文认为，马克思的认识论是以实践为基础的认识论。恩格斯则是脱离实践的机械反映论。这里的指责是牵强的，没有根据的。

最后，在共产主义观上，莱文把人的发展与社会发展绝对对立起来。莱文认为，马克思恩格斯思想的对立在这个问题上表现得最为明显，以至形成了"尖锐的两极对立"。马克思把人的本质的实现及其自由、全面发展作为共产主义实现的目标，而恩格斯则把共产主义社会描述为生产力高度发达和社会财富极大丰富的历史阶段。莱文在这里实际是把作为终极目的的人的发展与作为人的发展手段的社会的发展对立了起来。

（3）特瑞尔·卡弗的“马恩对立论”

特瑞尔·卡弗对“马恩对立论”提供了解释学的论证和说明。卡弗认为，恩格斯马克思关系问题是一个解释学问题，因而只有借助解释学的理论和方法才能获得解决。他说，任何对文本的解释和评论都必然带有解释者的“前见”，恩格斯对马克思文本的解释也不例外。这种解释者“前见”的存在常常造成解释和评论具有“一种武断色彩”，使文本的真实意义变得模糊不清。卡弗认为，这就造成了在恩格斯马克思关系问题上难以解决的解释学困难。另外，参与对话的每一方都不可能准确知晓另一方的思想，这也是造成恩格斯马克思关系问题难以解决的一个客观原因。[①] 由此卡弗说：作为评论者的恩格斯对马克思思想的概括也必然存在问题，因为“评论者认为文章将要说什么，在很大程度上的确取决于他们作为评论者在建构自己的解释时对文章所提出的具体问题”，不存在“事实的确如此”的纯客观解释。[②] 卡弗认为，在这方面马克思的《资本论》第三卷问题最为严重。在他看来，由于恩格斯在编辑《资本论》第三卷时混淆了编者与作者，使二人的声音相互转换，结果，《资本论》第三卷“看得像马克思的，听得像马克思的，似乎也是马克思的，但事实上却不是”。

总之，卡弗认为，“马克思恩格斯伙伴关系”是恩格斯的建构，“恩格斯不仅赋予马克思以自己的声音，而且创造出一种似乎与马克思同一腔调的叙述方式，这样使马克思继续活在人间。”[③]

由此可见，不管卡弗在口头上如何宣称，在马恩关系问题上，他反对完全一致论和根本对立论而主张差异论，而实际上他又从解释学角度说明了马恩一致的不可能，反倒证明了马恩对立的可能性。因此

① 卡弗：《恩格斯—马克思问题：解释，身份，伙伴关系和政治学》，施泰格、卡弗主编：《马克思以后的恩格斯》，17—18页，宾夕法尼亚大学出版社，1999年。

② 卡弗：《恩格斯—马克思问题：解释，身份，伙伴关系和政治学》，施泰格、卡弗主编：《马克思以后的恩格斯》，19—21页，宾夕法尼亚大学出版社，1999年。

③ 卡弗：《恩格斯—马克思问题：解释，身份，伙伴关系和政治学》，施泰格、卡弗主编：《马克思以后的恩格斯》，24页，宾夕法尼亚大学出版社，1999年。

可以说，他实际是在“差异论”的掩盖下宣扬“马恩对立论”。比如他认为马克思注重内容，恩格斯注重方法；马克思坚持物质—意识统一论，恩格斯则坚持物质—意识二分论；马克思提到过黑格尔的辩证法，并没有类似黑格尔的哲学体系，恩格斯则沿袭了黑格尔的“客观历史概念”。另外，“马克思与恩格斯的政治经济学观点各异”①。然而这种关于马恩对立论的解释学证明，是建立在夸大主观解释的相对性和特殊性基础上的，因而是不能成立的。

总之，不管马恩对立论者如何说得天花乱坠，但其所提供的论据或是断章取义，或是牵强附会，或是误读歪曲，因而是经不住推敲，是立不住的。另外，他们都无法回避这样一个令他们头疼的问题，即马克思恩格斯在思想上如果像他们所说的那样对立，那么又何以解释二人能在一起共同工作40年。对此，他们辩解称，那是为了维持二人的友谊。这一辩解何其无力、何其荒唐！没有共同的思想基础，何来友谊？世界上有同床异梦的友谊吗？从来没有。这一辩解的无力和荒唐，恰恰说明他们所主张的“马恩对立论”的荒谬。为了揭露其荒谬性，下面对“马恩对立论”来进行较为系统的批驳。

3. **“马恩对立论”辨正**

如何认识恩格斯与马克思的关系？这个问题非同小可。因为他们是马克思学说的共同创立者。如果肢解了他们二人之间的战友关系，那么所谓马克思学说的共同创立也就成子虚乌有，最终马克思学说也就成子虚乌有。西方学者的“马恩对立论”，其着眼点也就在这里，即试图肢解他们所共同创立的马克思主义。然而这是徒劳的，是不能实现的。在恩格斯与马克思的关系问题上，我们既不赞同那种无视差别的“马恩完全一致论”，也反对西方学者制造的“马恩全面对立论”和否定意义上的“马恩基本一致论”，而主张肯定意义上的“马恩根本一致论”。这里从以下三个方面来加以说明。

（1）理论探索的殊途同归

这里的殊途同归是指马克思恩格斯因各自的家庭影响、学校教育及其他成长环境的不同，因而其世界观形成和发展的道路也不尽相同。

---

① 余京华、吴家华：《特瑞尔·卡弗的“恩格斯—马克思问题”研究述评》，《哲学动态》，2008（8）。

但这种不同，不能成为“马恩对立论”得以成立的一个理由。这是因为他们通过不同的道路，最终走到了一起，都成了马克思主义者，成了马克思学说的创始人。

就家庭影响来说，马克思出生于一个富裕、有教养的，比较开明的律师家庭；而恩格斯则生长在一个典型的普鲁士思想和宗教传统根深蒂固的家庭里，从小受着封建专制主义和宗教虔诚主义的教育。

马克思完成了当时只有极少数人才能完成的从小学到中学再到大学的学业，而且是毕业于赫赫有名的柏林大学。他受青年黑格尔派思想影响，并成为当时该派的一个引人注目的人物。毕业以后，他主编《莱茵报》，开始关注社会政治和下层民众的苦难。《莱茵报》遭查封后，他来到巴黎，创办《德法年鉴》，并开始接触工人阶级。恩格斯则是迫于父命，念完初中就去从事商业活动。但他通过刻苦自学，逐渐掌握了丰富的知识。从事商业活动，这对他较早接触和认识社会有很大帮助。特别是1842年来到英国工业中心曼彻斯特，使他结识无产阶级，从而对他产生了巨大影响。

在世界观的转变过程中，他们走过了不同的道路。马克思是通过对政治—哲学问题的批判，对国家与法的本质的分析和研究，进而考察社会的经济关系，即从对上层建筑的研究入手，去追溯它的经济基础。这具体表现在：马克思是通过对黑格尔哲学，特别是黑格尔法哲学的批判，形成了市民社会决定国家的唯物史观萌芽，从而实现了向新唯物主义和共产主义的转变。恩格斯则是通过对社会—经济问题的批判，分析研究物质利益和工业革命在社会中的作用，即从对经济基础的研究入手，进而揭示它对国家与法等上层建筑的决定作用，从而成为了新唯物主义者和共产主义者。

正如马克思在1859年写作的《〈政治经济学批判〉序言》中所说：“自从弗里德里希·恩格斯批判经济学范畴的天才大纲（在《德法年鉴》上）发表以后，我同他不断通信交换意见，他从另一条道路（参看他的《英国工人阶级状况》）得出同我一样的结果。”① 马克思对恩格斯于1844年写作的《英国工人阶级状况》一书，曾给以很高的评价，认为它写得“清新、热情和富于大胆的预料，没有学术上和科学

① 《马克思恩格斯文集》第2卷，592—593页，北京：人民出版社，2009年。

上的疑虑!"[①] 这本书的"主要论点，连细节都已经被1844年以后的发展所证实了"[②]。

当他们两人都已成为马克思主义者以后，盼望已久的一次会面终于到来了。1844年8月底，恩格斯从英国返回德国路过巴黎，这次会见，使马克思恩格斯都异常高兴，两人朝夕相聚，彻夜长谈。马克思还把自己在巴黎的战友介绍给恩格斯，和他一起参加工人集会。两人情真意切，视为知己，恩格斯流连巴黎长达10日，并从此开始了他们两人长达40年的合作。

总之，马克思恩格斯所经历的不同理论历程，不是"马恩对立论"者所认为的二水分流，而是殊途同归。

（2）理论研究的分工合作

这里的分工是指，在马克思恩格斯共同创立唯物史观以后，为了补充、丰富和完善他们所创立的这一历史观理论，马克思把主要精力和时间用于研究政治经济学和写作巨著《资本论》，恩格斯则花相当精力和时间去研究社会历史的自然基础，即对自然界的辩证发展进行考察，从而给唯物史观进行哲学世界观的论证，并在整体上完成辩证唯物主义理论体系的创立工作。

因此，马克思恩格斯在理论研究上的分工，不是分家，更不是"马恩对立论"者所谓的"对立"，而是分工合作。即恩格斯所从事的关于辩证唯物主义自然观，即自然辩证法的创立，是马克思和恩格斯所创立的唯物史观的内在要求和必然延伸，也是他们创立辩证唯物主义世界观的理论行程的必经阶段。另外，就自然辩证法的创立本身来说，也是以马克思恩格斯的共同思想为理论前提的，是得到马克思支持的。

第一，恩格斯自然辩证法的创立是以马克思学说关于历史与自然相统一的理论为前提的。

马克思学说关于历史与自然相统一的思想，在马克思恩格斯共同撰写的《德意志意识形态》一书中有明确的论述。书中指出："历史可以从两方面来考察，可以把它划分为自然史和人类史。但这两方面是

① 《马克思恩格斯文集》第10卷，203页，北京：人民出版社，2009年。

② 《马克思恩格斯文集》第10卷，203页，北京：人民出版社，2009年。

不可分割的；只要有人存在，自然史和人类史就彼此相互制约。"① 并且该书还指出，唯心史观的一个根本缺陷是"把人对自然界的关系从历史中排除出去了，因而造成了自然界和历史之间的对立"②。也就是说，唯心史观排除了人类历史的自然前提，排除了人类社会的自然物质基础，那它也就只能从抽象的人类精神来说明历史的存在和发展。因而这也从反面证明：在唯物主义基础上掌握历史观和自然观的统一，对于建立完整的唯物主义理论是至关重要的。对自然和人对自然改造的考察，是马克思主义历史观的必要前提。所以马克思恩格斯主张应当"深入研究人们所处的各种自然条件"，"应当从这些自然基础以及它们在历史进程中由于人们的活动而发生的变更出发"③。然而在1846年底前后他们创立唯物史观时，又特别声明，当时还不可能深入研究人类历史的自然基础，因而这是一个有待日后创造条件才能完成的任务。

正是为了实现当时的这个宿愿，恩格斯从19世纪70年代起开始了对自然辩证法的研究工作，这个工作曾一度由于写作《反杜林论》而中断。恩格斯在完成了《反杜林论》的写作后又继续从事自然辩证法的研究，时辍时作，没有最终完成，后来以《自然辩证法》书名出版的是后人将恩格斯所写有关自然辩证法的文章、提纲和笔记编纂而成的。

在《自然辩证法》中，恩格斯在概括当时自然科学成就的基础上描绘了自然界的真实图景，阐明了自然辩证法的主要规律和范畴，同时揭示了自然界辩证发展过程怎样有规律地超出自然领域而过渡到历史领域，从而说明辩证规律不仅在自然界而且在人类社会也是同样起作用的。这是恩格斯对马克思主义哲学所作的独特贡献。

具体说来有三个方面：一是填补了马克思主义哲学在自然观上几乎是空白的一个领域；二是为他们先前创立的唯物史观提出了自然观的理论根据；三是为创立马克思主义辩证唯物主义世界观的理论体系提供了自然观方面的支撑。可是，一个多世纪以来，恩格斯的自然辩证法的理论和方法却遭到了一些西方学者的歪曲和攻击，从而成为他

① 《马克思恩格斯文集》第1卷，516页注释，北京：人民出版社，2009年。
② 《马克思恩格斯文集》第1卷，545页，北京：人民出版社，2009年。
③ 《马克思恩格斯文集》第1卷，519页，北京：人民出版社，2009年。

们制造“马恩对立论”的所谓论据。

第二，恩格斯自然辩证法的立论是以马克思学说关于“自在自然”与“人化自然”相统一的理论为基础的。

“马恩对立论”者在自然辩证法问题上的失足在于，把自然的辩证运动与对自然的辩证改造对立了起来，即把“自在自然”与“人化自然”对立了起来。在他们看来，马克思主张“人化自然”，强调不与人相联系的自然是“无”，恩格斯则主张自然辩证法，强调的是自在自然；马克思主张的是“人的哲学”，恩格斯所鼓吹的则是“无人”的“机械唯物主义”。然而，这是双重的曲解。

一是对马克思的曲解。众所周知，马克思在强调人通过劳动创造“人化自然”时，并不否认自在自然，而是以自在自然为前提的。例如，马克思在《1844年经济学哲学手稿》中在谈到劳动、实践时就指出：“没有自然界，没有感性的外部世界，工人什么也不能创造。自然界是工人的劳动得以实现、工人的劳动在其中活动、工人的劳动从中生产出和借以生产出自己的产品的材料。”① 在《神圣家族》中，马克思恩格斯也指出，劳动“只创造了物质的新的生产能力……人并没有创造物质本身。甚至人创造物质的这种或那种生产能力，也只是在物质本身预先存在的条件下才能进行”②。即使在《德意志意识形态》中批判费尔巴哈不懂得人的生产实践对自然界改造作用的时候，马克思恩格斯也没有忘记要人们记住：“在这种情况下，外部自然界的优先地位仍然会保持着。”③ 在《资本论》《哥达纲领批判》等著作中，对那种片面强调劳动实践而否认外部自然界对劳动实践的基础作用和制约作用的观点，马克思一再进行了批判，指出在劳动实践之外，“总还剩有一种不借人力而天然存在的物质基质”④，只有将劳动实践与自然界结合起来才能成为财富的源泉。至于所谓马克思强调不与人相联系的自然是“无”，并非指作为人的存在的环境和条件的现实的自然界是“无”，而是批判黑格尔那种作为思想物的自然界是“无”。⑤ 在这里不

① 《马克思恩格斯文集》第1卷，158页，北京：人民出版社，2009年。

② 《马克思恩格斯全集》第2卷，58页，北京：人民出版社，1957年。

③ 《马克思恩格斯文集》第1卷，529页，北京：人民出版社，2009年。

④ 《马克思恩格斯文集》第5卷，58页，北京：人民出版社，2009年。

⑤ 参见《马克思恩格斯文集》第1卷，221页，北京：人民出版社，2009年。

能搞张冠李戴。

二是对恩格斯的曲解。如实地说，恩格斯在阐述自然辩证法时，并没有否认人对自然的辩证改造，恰恰相反，他主张，掌握自然规律才能合理地改造自然，创造人化自然，不然就要受到规律的惩罚。正是在“马恩对立论”者攻击最多的《自然辩证法》中，恩格斯尖锐批判了“自然主义历史观”的片面性，认为自然界作用于人，人也反作用于自然界，改变自然界，为自己创造新的生存条件。他说：“地球的表面、气候、植物界、动物界以及人本身都发生了无限的变化，并且这一切都是由于人的活动”而引起的，自然界未经人的干预而发生的变化“简直微小得无法计算”①。恩格斯不仅对马克思的“人化自然”思想作了精彩的发挥，而且对人的主体作用在人类生活中的过度发挥提出警告：人类如果不按自然规律办事，而对自然界加以“统治”和掠夺，那么自然界也会对人类施以惩罚。因此，“我们不要过分陶醉于我们人类对自然界的胜利。对于每一次这样的胜利，自然界都对我们进行报复。”② 从上世纪初开始，学术界出现了一股否定自然辩证法的思潮，直到今天我们国内还有极少数人鼓吹这种观点。但是，现实是无情的。随着工业的发展，随着人类对自然界缺乏远见的“统治”日益加剧，人类陷入了环境污染、资源枯竭、耕地锐减、人口爆炸等困境，自然界正以无情的方式报复人类，人类生存的条件愈来愈恶劣。在这种情况下，一些明智的思想家和学者自然又想起恩格斯的警告，重新转向自然辩证法。

第三，马克思也有关于自然辩证法的思想。

“马恩对立论”者在自然辩证法问题上制造马克思恩格斯“对立论”，给人造成一种错觉，似乎恩格斯有自然辩证法思想，而马克思没有自然辩证法思想。其实不然。马克思为了集中精力和时间写作《资本论》，没有对自然辩证法进行系统的研究和阐述，这是事实，但不能由此认为马克思没有自然辩证法思想。事实上，马克思在著作中关于自然界的物质统一性和运动辩证性的论述是很多的。比如，1843 年在《黑格尔法哲学批判》中，马克思就论述了自然界中磁的南极和北极的

---

① 《马克思恩格斯文集》第9卷，484页，北京：人民出版社，2009年。

② 《马克思恩格斯文集》第9卷，559—560页，北京：人民出版社，2009年。

“两极相通”“相互吸引”，“本质是同一的”又是“对立的”观点。[①]在《1844年经济学哲学手稿》中，马克思论述了关于自然界的客观实在性，以及自然界物体之间的对立统一关系。他说：“像月亮和彗星这样的物体，是对立物的自然形式”，“地球”也“是作为对立物的否定性统一的逻辑根据的自然形式”[②]。1844年马克思（和恩格斯）在《神圣家族》中评述培根的现代实验科学时指出：“在物质固有的特性中，第一个特性而且是最重要的特性是运动”，并且认为运动是“物质内部所固有的、活生生的、本质的力量，这些力量使物质获得个性，并造成各种特殊的差异”[③]。1847年马克思在《哲学的贫困》中进一步发挥《神圣家族》中关于物质与运动关系的思想，指出运动是物质存在的根本属性：“一切存在物，一切生活在地上和水中的东西，只是由于某种运动才得以存在、生活。”[④] 1853年在《中国革命和欧洲革命》一文中，马克思非常赞同黑格尔关于两极相联规律是自然界基本奥秘之一的观点。他认为，黑格尔关于“‘两极相联’这个朴素的谚语是一个伟大而不可移易地适用于生活一切方面的真理”[⑤]。

马克思关于自然辩证法的思想是丰富的，这里只是举几个例子。当然，马克思在以上著作中的论述还是零星的、不系统的。但是，这也足以说明马克思在自然辩证法问题上的观点与恩格斯是一致的。

第四，恩格斯对自然辩证法的研究是在马克思肯定和支持下进行的。

马克思不仅有关于自然辩证法的思想，而且对恩格斯的有关研究及其成果是支持和肯定的。马克思对恩格斯研究自然辩证法和写作《反杜林论》是很支持、很欣赏的。批判杜林的任务是由马克思和恩格斯共同商定的，马克思当时正忙于研究政治经济学，写作《资本论》，于是就决定由恩格斯来执行这个任务。恩格斯当时正在研究自然辩证法，并经常把自己研究的进程和心得告诉马克思，因此，马克思是完全知道他正在进行的这项工作和他的基本思想的。1873年5月30日，

① 《马克思恩格斯全集》第3卷，110—111页，北京：人民出版社，2002年。
② 《马克思恩格斯文集》第1卷，221页，北京：人民出版社，2009年。
③ 《马克思恩格斯文集》第1卷，331页，北京：人民出版社，2009年。
④ 《马克思恩格斯文集》第1卷，600页，北京：人民出版社，2009年。
⑤ 《马克思恩格斯文集》第2卷，607页，北京：人民出版社，2009年。

恩格斯致信马克思告知他关于自然辩证法的研究提纲，马克思第二天就回信说："刚才接到你的信，对我很有启发。"① 恩格斯因接受批判杜林的任务而不得不中断自然辩证法的研究工作，马克思对此也表示了歉意，他在给李卜克内西的一封信中说："现在恩格斯正忙于写他的批判杜林的著作。这对他来说是一个巨大的牺牲，因为他不得不为此而停写更加重要得多的著作。"② 这里所说的"更加重要得多的著作"指的就是《自然辩证法》。

可见，一些西方学者在自然辩证法问题上所制造的"马恩对立论"，是毫无根据，是立不住的。

（3）哲学观点的根本一致

马克思恩格斯作为马克思学说的共同创立者，在其哲学世界观上是根本一致的。他们在自己的哲学行程中，超越了唯心主义，而走向了唯物主义，因而承认马克思主义哲学是唯物主义哲学，这是毫无疑义的。诚然，马克思主义哲学并不是一般的唯物主义，而是超越了以往形而上学唯物主义的辩证唯物主义。特别是超越了作为形而上学唯物主义一种表现形态的直观唯物主义，而表现为辩证唯物主义，特别是作为其一种表现形态的实践唯物主义。因此马克思主义哲学是辩证唯物主义，同时也是实践唯物主义。辩证唯物主义是由马克思恩格斯共同创立的，实践唯物主义也是他们共同创立的，其所体现的是他们二人共同的哲学思想。

可是，"马恩对立论"者却认为，辩证唯物主义只是体现了恩格斯的哲学思想，并不代表马克思的哲学思想，马克思的哲学思想是实践唯物主义，不同于恩格斯的哲学思想，从而将马克思恩格斯对立起来。这里的所谓对立是根本不存在的。

最早使用辩证唯物主义这一概念来称呼自己哲学的，是把马克思作为该派之首的工人哲学家约·狄慈根。最早把马克思主义哲学明确称之为辩证唯物主义的是俄国哲学家普列汉诺夫。他认为："'辩证唯物主义'这一术语，它是唯一能够正确说明马克思哲学的术语。"③ 但

---

① 《马克思恩格斯通信集》第4卷，158页，北京：生活·读书·新知三联书店，1958年。

② 《马克思恩格斯全集》第34卷，194页，北京：人民出版社，1972年。

③ 《普列汉诺夫哲学著作选集》第1卷，768页，北京：生活·读书·新知三联书店，1959年。

同时他又指出，马克思哲学是实践哲学，“全部他的实践哲学归结为行动。辩证唯物主义就是行动的哲学”①。可见，在普列汉诺夫那里，辩证唯物主义内含了实践唯物主义。

列宁也指出，“辩证唯物主义”是马克思的“世界观”②，“辩证法是具体的和革命的”③，不是消极无为的。他说：“人的意识不仅反映客观世界，并且创造客观世界。”“世界不会满足人，人决心以自己的行动来改变世界。”④“外部世界、自然规律，乃是人的有目的的活动的基础。”因此，“人在自己的实践活动中面向客观世界，以它为转移，以它来规定自己的活动。”⑤不难看出，在列宁那里，实践唯物主义也就是在实践基础上认识和改造世界的辩证唯物主义。

虽然马克思和恩格斯都没有提出“辩证唯物主义”和“实践唯物主义”概念，并用来称呼他们共同创立的哲学。但唯物性、辩证性、实践性及其统一，确实又是其哲学本质精神的体现。

马克思在批判黑格尔哲学时曾多次声称，“我是唯物主义者，而黑格尔是唯心主义者”⑥，“黑格尔辩证法”虽然“是整个哲学的最新成就”⑦，但他的辩证法是唯心的，和它截然相反，“我”的辩证法是唯物的，并指出，黑格尔的劳动辩证法有伟大之处，但他所说的劳动是抽象的精神劳动。他批评包括费尔巴哈在内的旧唯物主义者恰恰不懂得实践辩证法的意义，即“不了解‘革命的’、‘实践批判的’活动的意义”⑧。在马克思看来，“辩证法对每一种既成的形式都是从不断的运动中，因而也是从它的暂时性方面去理解；辩证法不崇拜任何东西，按其本质来说，它是批判的和革命的。”⑨因此，马克思公开声明，“哲学

① 《普列汉诺夫哲学著作选集》第1卷，769页，北京：生活·读书·新知三联书店，1959年。

② 中共中央马克思恩格斯列宁斯大林著作编译局编：《列宁专题文集·论辩证唯物主义和历史唯物主义》，334页，北京：人民出版社，2009年。

③ 中共中央马克思恩格斯列宁斯大林著作编译局编：《列宁专题文集·论辩证唯物主义和历史唯物主义》，278页，北京：人民出版社，2009年。

④ 中共中央马克思恩格斯列宁斯大林著作编译局编：《列宁专题文集·论辩证唯物主义和历史唯物主义》，138页，北京：人民出版社，2009年。

⑤ 《列宁全集》第55卷，157页，北京：人民出版社，1990年。

⑥ 《马克思恩格斯文集》第10卷，280页，北京：人民出版社，2009年。

⑦ 《马克思恩格斯全集》第29卷，540页，北京：人民出版社，1972年。

⑧ 《马克思恩格斯文集》第1卷，499页，北京：人民出版社，2009年。

⑨ 《马克思恩格斯文集》第5卷，22页，北京：人民出版社，2009年。

家们只是用不同的方式解释世界，问题在于改变世界。”①

与马克思的观点根本一致，恩格斯也曾公开声称，他和马克思共同创立的“现代唯物主义本质上都是辩证的”，是与“18世纪的纯粹形而上学的、完全机械的唯物主义”② 根本区别的。他说：“马克思和我，可以说是唯一把自觉的辩证法……运用于唯物主义的自然观和历史观的人”③，并指出“唯物主义辩证法”“多年来已成为我们最好的工具和最锐利的武器”④。运用这个武器改造世界，就是使现存世界革命化。马克思恩格斯共同指出：“对实践的唯物主义者即共产主义者来说，全部问题都在于使现存世界革命化，实际地反对并改变现存的事物。”⑤

因此，实践唯物论与辩证唯物论是内在统一的。在世界观意义上，旧唯物主义之旧，在于它是机械论、直观论形而上学唯物主义；马克思主义新唯物主义之新，在于它是以实践为基础来理解和改造世界的辩证唯物主义。这是马克思和恩格斯共同的世界观。

总之，马克思恩格斯是马克思学说的共同创立者。那种所谓的“马恩对立论”是人为的虚设，是不能成立的。

---

① 《马克思恩格斯文集》第1卷，502页，北京：人民出版社，2009年。

② 《马克思恩格斯文集》第3卷，545页，北京：人民出版社，2009年。

③ 《马克思恩格斯文集》第9卷，13页，北京：人民出版社，2009年。

④ 《马克思恩格斯文集》第4卷，298页，北京：人民出版社，2009年。

⑤ 《马克思恩格斯文集》第1卷，527页，北京：人民出版社，2009年。

马克思学说科学本质解析*

马克思学说及其现实人本主题是以科学性为根本特性的。科学性是马克思学说的根基所在、力量所在，也是马克思学说人本主题区别于一切人本主义的关键所在。马克思学说人本主题的科学性根植于作为一个成熟理论体系的、科学的共产主义世界观之中。

一、马克思学说是一个成熟的理论体系

体系性，不仅是作为一个成熟理论的马克思学说科学性的必然要求和体现，而且首要的，也是马克思学说实践性的必然要求和体现。

1. 体系性是马克思学说实践性的必然要求

（1）马克思学说是实践批判的理论

马克思恩格斯是思想家，但首先是革命家。这一特点决定了马克思学说的形成是理论与实践互动的产物，是理论批判与现实政治斗争相结合的成果。这里的理论批判，一是指对既有的哲学理论、经济学理论和空想社会主义理论以及其他理论的批判继承；二是指对现实社会的理论批判。除此以外，马克思恩格斯还进行实践批判，即积极参与社会的政治斗争，这可称为马克思恩格斯所进行的第三种批判。

传统思想家都会进行第一种批判，即从先驱者所提供的思想材料出发，或加以改变，或加以发展，以形成自己的理论。他们也可能会进行第二种批判，即对社会现实进行理论批判。进行这类批判的思想家，已不是一般的思想家，而是具有进步色彩的思想家。在一般的思想家那里，会把自己的学术研究看作纯粹个人的兴趣、个人的自由，即

* 原文来源于陶富源、陶庭马：《马克思学说现实人本主题论》，芜湖：安徽师范大学出版社，2016 年。

所谓“躲进小楼成一统，管他南北与西东”，因而这类思想家往往会标榜自己是超然于政治的，他所进行的对既有理论的批判也主要是与远离现实的那些历史上的思想家进行对话。只有进步的思想家才会把自己的理论批判看作是自己的社会使命、社会责任，才能把对既有理论的批判与对社会现实的理论批判结合起来，才会把前一种批判作为工具去服务后一种批判，才会把理论批判的矛头主要不是指向历史上的思想家，而是更多地指向与自己处于同一时代的思想家。

历史上，苏格拉底、伊壁鸠鲁以及文艺复兴时代和启蒙时代的思想家，包括现代西方马克思主义思想家都是这类对社会现实进行理论批判的具有进步色彩的思想家。苏格拉底说：“我就是神让我老叮着这个国家的牛虻，整天地、到处总是紧跟着你们，鼓励你们，说服你们并且责备你们。”① 苏格拉底的这个比喻生动说明了哲学对于社会现实的批判功能。伊壁鸠鲁也说过，“哲学家的逻各斯如果不治疗人的苦难，就毫无意义。因为正如医学如果不能驱逐身体的疾病，就毫无用处一样。”②

然而这些思想家对现实社会的批判和治疗，仅限于理论的批判和精神的治疗，并以此来代替对现实生活的改造和社会弊病的治疗，因而这种理论批判和精神治疗的作用是很有限的。因为现实生活的改造不能仅在理论范围内进行，更为重要的是要改变社会的现实存在；社会精神生活的弊病，根源于社会现实生活的弊病，因而是不能用对前者的治疗代替对后者的治疗的。要改变旧的社会现实，“只有一个解决办法：实践”③。对此，马克思曾明确指出：“批判的武器当然不能代替武器的批判，物质力量只能用物质力量来摧毁。”④ 对社会现实进行实践批判，并把实践批判作为自己思想形成过程的最重要因素，这是马克思恩格斯作为思想家与传统思想家的根本区别，甚至是唯一区别。

这里的传统思想家，是指那些只进行理论批判的思想家，包括现代西方马克思主义者。对此，吉登斯曾说，大部分西方思想家的社会

① 《古希腊罗马哲学》，150页，北京：生活·读书·新知三联书店，1951年。

② 转引自陶富源：《哲学的当代沉思》，217页，南京：南京大学出版社，1999年。

③ 《马克思恩格斯文集》第1卷，11页，北京：人民出版社，2009年。

④ 《马克思恩格斯文集》第1卷，11页，北京：人民出版社，2009年。

批判，虽然也借马克思的说法，但他们只不过是“体制内的批判”，批判的目的是补充完善而不是推翻资本主义制度。例如，当阿多尔诺得知德国学生用他的“否定辩证法”去反抗社会时，他非但不喜，反而愤怒，并马上发表声明：“当我建立我的理论模式时，万万没有想到人们会用燃烧弹来实现它。”①

但马克思恩格斯与上述思想家不同，他们不仅参与政治斗争，而且使自己进行的对既有理论的批判和对现实社会的理论批判服从于和服务于改造这个社会的政治斗争，而政治斗争反过来也要求理论批判的深入。因而不能把马克思学说的产生单纯看成是在头脑中逻辑操作的产物。关于这一点，西方经济学家熊彼特曾指出：马克思虽然精通哲学，“受过德国的训练，有思辨的头脑，他对哲学有充分的基础和热烈的兴趣”，但“他的一切命题的真正源泉，没有一个导源于哲学的领域。当然，从哲学这一边出发的诠释家和批评家是没有力量做到这一点的，因为它们对有关的社会科学所知有限，而且哲学体系的建立者的癖好使它们除了来自哲学原理的解释而外，不喜欢任何其他解释。它们认为哲学是有关经济经验的最实事求是的论述，因而使研究方向岔到错误的路线上”②。他指出：“马克思的‘辩证演绎法’是以激发群众”消除“贫困和压迫……为基础的。”③ 熊彼特的这段论述总体上是正确的，因为他抓住了马克思哲学创立的主导方面或主导原因。当然也不能像他那样，把主导原因夸大为唯一原因，如是，那也就有失偏颇了。

（2）马克思学说是改造世界的系统理论

由上可知，马克思学说所要解决的不是一个单独的理论问题，而是世界的改造问题。世界的改造是一个系统工程，因而能成功地用于改造世界的理论不可能是某个单一的理论，或哲学理论，或经济学理论，而是由包括哲学理论、经济学理论以及其他多种理论所构成的理论体系。也正是在这个意义上，马克思恩格斯一再讲，他们的思想已

---

① ［德］阿多尔诺：《否定的辩证法》，张峰译，2页，重庆：重庆出版社，1993年。

② ［美］熊彼特：《资本主义、社会主义和民主主义》，绛枫译，16—17页，北京：商务印书馆，1979年。

③ ［美］熊彼特：《资本主义、社会主义和民主主义》，绛枫译，57页，北京：商务印书馆，1979年。

经不再是哲学，而是世界观，即关于世界的本质是什么、为什么以及怎么办的系统理论。

不过马克思恩格斯作为革命家的特点，以及不以建构理论体系为他们活动的根本目的，而以创新理论服务于现实改造为目的的这一理论路向又往往被不少人所误读。比如，有人因此认为马克思重视实践，而看轻理论；也有人以为马克思不以建构理论体系为根本目的，因而马克思学说不可能是理论体系；还有人认为马克思学说既然以实践为旨归，因而马克思学说仅仅是解决“怎么办”的方法。以上这些观点看似在维护马克思，实际是在误解马克思。

在现代西方马克思主义那里，以及受其影响而产生的中国泛实践主义那里，存在着一种抬高和夸大实践在马克思主义理论体系中地位和作用的观点。在这种观点看来，实践是不受任何制约的，实践是始点，实践创造了属人世界的一切。因而在理论与实践的关系上，只强调实践对理论的制约性而忽视和消解了理论对实践的制约性。似乎实践从来不可能陷于盲目性，而是人生来就进行的自由自觉的活动。这本来是青年马克思在《1844年经济学哲学手稿》中具有人本主义色彩的观点，可是却被有些论者不加分析地拿来用以说明马克思重视实践甚于理论。马克思确实说过：批判的武器不能代替武器的批判，但不能由此认为马克思轻视理论批判的作用。马克思也曾宣称：哲学家们只是用不同的方式解释世界，而问题在于改变世界，但也不能由此认为解释世界不重要。实际上，马克思对先进理论给予革命实践的巨大指导作用是充分肯定的。

诚然，先进理论的作用也只表现在它被群众掌握以后，能够转化为一种物质力量。正如马克思所指出的：“理论一经掌握群众，也会变成物质力量。”[①] 这就是说，马克思十分重视思想批判的作用，是因为思想批判能为物质批判提供服务。不仅如此，马克思还进一步指出：理论要掌握群众，要能说服人，理论就要彻底。“所谓彻底，就是抓住事物的根本。”[②] 马克思这里的“根本”，是指人民群众为实现和维护自己利益所面临的根本问题及其解决的根本出路，包括目标、手段和条

① 《马克思恩格斯文集》第1卷，11页，北京：人民出版社，2009年。

② 《马克思恩格斯文集》第1卷，11页，北京：人民出版社，2009年。

件等。马克思学说之所以能动员群众、组织群众，变成亿万群众改造世界的强大物质力量，说到底是因为马克思学说是关于无产阶级和广大人民群众翻身求解放的理论和方法。

(3) 马克思学说是理论与方法的统一

在国内外理论界有那样一种把马克思学说归结为方法的观点。在这种观点看来，马克思学说不是理论体系，而是方法。其代表人物是匈牙利哲学家卢卡奇。他在《什么是正统的马克思主义?》一文中提出，马克思主义"仅仅是指方法"。他说，即使"放弃了马克思的所有全部观点"，只要仍然坚持马克思主义的方法，那也就是坚持了马克思主义。①

这一观点有其真理性的方面，但总体而言，它又是片面的，不可取的。马克思主义是认识世界和改造世界的方法，马克思恩格斯确实特别强调自己学说的方法功能。关于这一点，马克思在《哲学的贫困》中曾说道："在黑格尔看来，形而上学，整个哲学，是概括在方法里面的。"② 即整个哲学通过方法获得集中的概括和表现。恩格斯也曾指出："马克思的整个世界观不是教义，而是方法。它提供的不是现成的教条，而是进一步研究的出发点和供这种研究使用的方法。"③ 但决不能因重视方法，而认为理论无足轻重，可有可无，不能把方法与理论绝对对立起来。就二者的关系来说，理论要发挥作用，必须转化为方法，不然再好的理论也是束之高阁的、无用的东西；同样，方法要真正管用，那它就必须以科学理论为基础、为指导，不然就是随意的、偶然的东西。因此，那种离开了马克思主义理论的所谓马克思主义方法，是不可思议的，是不存在的。马克思主义是理论，也是方法，是二者的统一。如果仅就理论而言，那么可以说，马克思主义不仅是理论，而且是以体系形态表现的科学理论。

2. 体系性是马克思学说科学性的前提

马克思恩格斯在自己的著作中曾批评黑格尔和杜林把自己的理论

---

① 参见陈学明：《20 世纪哲学经典文本·西方马克思主义卷》，5 页，上海：复旦大学出版社，1999 年。

② 《马克思恩格斯文集》第 1 卷，598 页，北京：人民出版社，2009 年。

③ 《马克思恩格斯文集》第 10 卷，691 页，北京：人民出版社，2009 年。

体系说成是绝对真理体系的做法。但他们所批评的只是黑格尔体系和杜林体系的绝对性，而非其理论的体系性。在马克思恩格斯看来，人对真理的认识既是相对的，又是绝对的，是相对与绝对的统一。不存在那种排除相对性的所谓绝对性。因此，他们认为，黑格尔所标榜的其真理体系的绝对性，是与他的辩证法相矛盾的；杜林所声称的其真理体系的绝对性，也只是杜林的一种自我吹嘘。

有些论者对马克思恩格斯批评黑格尔和杜林的绝对真理体系缺少应有的分辨，把这种批评理解为是对理论的体系性的否定，并进而由此断言，马克思否认有系统的认识，不主张建立自己的理论体系，马克思主义没有体系。其理由是，体系本身就意味着封闭、僵化。其实这些观点都是建立在对马克思学说的误读基础上的。

就理论而言，理论的体系性，是理论的科学性的前提。在这个前提的意义上，康德说："那种成系统的知识总体正因为成系统体系，就已经可以叫科学了。"诚然，体系性只是科学的必要条件，而非充分条件，所以康德又补充说："只有那些其确定性是无可置辩的科学才能成为本义上的科学。"①

在这一点上，黑格尔比康德说得更为准确和深刻。他在谈哲学时曾说："哲学若没有体系，就不能成为科学。没有体系的哲学理论，只能表示个人主观的特殊心情，它的内容必然是带偶然性的。哲学的内容，只有作为全体中的有机环节才能得到正确的证明，否则便只能是无根据的假设或个人主观的确信而已。""因为真理作为具体的，它必定是在自身中展开其自身，而且必定是联系在一起和保持在一起的统一体。换言之，真理就是全体。"②

黑格尔的这些观点是有启发意义的。当然，这里的"具体"和"全体"不能如黑格尔所视之为的"自我综合、自我深化和自我运动的思维的结果"③，而是客观对象的整体性在思维中的具体再现，不过黑格尔关于科学性一定表现为系统性这一观点还是正确的，这对马克思

① ［德］康德：《自然科学的形而上学基础》，邓晓芒译，2—3页，北京：生活·读书·新知三联书店，1988年。

② ［德］黑格尔：《小逻辑》，贺麟译，56页，北京：商务印书馆，1980年。

③ 《马克思恩格斯文集》第8卷，25页，北京：人民出版社，2009年。

学说也是完全适用的。

马克思主义的根本理论观点，形成于19世纪40年代中期，它标志着马克思主义的开始创立，其后经过30年左右的丰富和深化，到70年代，其完整的理论体系已基本形成。这个标志是恩格斯于1876至1878年写作的《反杜林论》一书。该书虽然是一本论战性著作，但它确实又通过对杜林的批判从正面较为连贯地阐明了已经形成的马克思主义理论体系。正是为了从正面来阐明这个理论体系，从而作为一个原因，或一个主要原因，才促使恩格斯下决心对杜林进行批判的。对此，恩格斯有一个说明："无论如何，我的对手的包罗万象的体系，使我有机会在同他争论时用一种比以往更连贯的形式，阐明马克思和我对这些形形色色的问题的见解。这就是我承担这个通常是吃力不讨好的任务的主要原因。"①

为了防止这样一种可能，即人们偏重他对杜林绝对真理的批判，而忽视他通过这种批判所正面阐述的见解，恩格斯在1878年写的《反杜林论》第一版序言中，还曾特别作了一个声明，以提请读者注意："这本书的目的并不是以另一个体系去同杜林先生的'体系'相对立，可是希望读者不要忽略我所提出的各种见解之间的内在联系。"② 恩格斯在这里是说，他不是以一个自己杜撰的绝对真理体系去同杜林先生所宣称的绝对真理体系相抗衡，但他的各种观点不是孤立呈现的，而是有内在联系的，或者说，是以系统的形式表现的。对这个"内在联系"，恩格斯在1885年写的《反杜林论》第二版序言中作了一个十分明确的说明。所谓"内在联系"，也就是"马克思和我所主张的辩证方法和共产主义世界观的比较连贯的阐述，而这一阐述包括了相当多的领域"③。

由上可见，那种认为马克思恩格斯反对建立绝对真理体系，也就是反对理论有体系的观点，是对马克思恩格斯的一种误读，是必须加以纠正的。用恩格斯的话说：他们批评黑格尔"关于自然和历史的无所不包的、最终完成的认识体系"，"这样说决不排除，相反倒包含下

① 《马克思恩格斯文集》第3卷，500页，北京：人民出版社，2009年。
② 《马克思恩格斯文集》第9卷，8页，北京：人民出版社，2009年。
③ 《马克思恩格斯文集》第9卷，11页，北京：人民出版社，2009年。

面一点，即对整个外部世界的有系统的认识是可以一代一代地取得巨大进展的”①。

也就是说，任何真理的体系性都是相对的，不是绝对的，都是随着时代不断发展的。因此，体系与封闭并没有必然联系，体系与开放也并非必然对立。实际上，开放总是以一定体系的存在为前提的。因为开放本身就意味着“边界”的存在。由此，承认马克思学说是一个成熟的理论体系，并不妨碍它与时俱进、丰富发展。

那么马克思学说是一个什么样的理论体系呢？按照恩格斯的说法是“共产主义世界观”的理论体系。

二、马克思学说是共产主义世界观的理论体系

1. 马克思主义世界观的理论构成

这里的理论构成可以从理论体系的构成要素或组成部分及其统一，不同层次原理的时空交织这样两个角度来加以说明。下面先从第一个角度说起。

（1）马克思学说是由三个组成部分构成的共产主义世界观的理论体系

关于马克思主义世界观，在不同语境中，有时被称之为“无产阶级世界观”②，有时又被称之为辩证唯物主义世界观；还有上文所说的共产主义世界观。如果仔细加以辨析，可以发现：这三种称谓并非指三种世界观，而是对同一个马克思主义世界观从阶级属性、哲学基础和社会取向等不同侧面所作的规定。这些规定之间不是绝对对立，而是互补统一的。另外，这里的马克思主义世界观已不是单指哲学世界观，而是包括哲学世界观在内的多方面理论的总体。即不仅是关于人与世界总体关系的“是什么”和“为什么”的哲学理论，而且是关于“怎么办”的实践理论。具体说来，是关于以辩证唯物主义为理论基础，并作为其具体体现的科学的历史观、资本主义观和共产主义观及其统一的世界观理论。

① 《马克思恩格斯文集》第9卷，27页，北京：人民出版社，2009年。

② 《马克思恩格斯选集》第3卷，685页，北京：人民出版社，1995年。

大概也正是在这个意义上，相对于以往解释世界的哲学，恩格斯指出，作为整个马克思主义基础的现代唯物主义，“已经根本不再是哲学，而只是世界观，这种世界观不应当在某种特殊的科学的科学中，而应当在各种现实的科学中得到证实和表现出来。”[①] 基于马克思主义世界观的这样一种理解，恩格斯写道：“我们的这一世界观，首先在马克思的《哲学的贫困》和《共产主义宣言》中问世，经过足足20年的潜伏阶段，到《资本论》出版以后，就越来越迅速地为日益广泛的各界人士所接受。”[②]

恩格斯在《反杜林论》的“概论”中，基于对人类思想史的科学总结和马克思主义基本内容的理论说明，深刻揭示了马克思主义科学体系的内在逻辑。他在叙述了马克思在哲学和政治经济学领域的划时代的功绩以后说：“这两个伟大的发现——唯物主义历史观和通过剩余价值揭开资本主义生产的秘密，都应当归功于马克思。由于这两个发现，社会主义变成了科学。”[③] 正是根据恩格斯《反杜林论》这部马克思主义百科全书式著作的内容结构，列宁把马克思主义哲学、马克思主义政治经济学和科学社会主义看作是马克思主义理论体系的三个组成部分。

在马克思主义理论体系的三个组成部分中，哲学世界观是马克思主义的理论基础。对此，列宁曾指出：“马克思的学说……是用深刻的哲学世界观和丰富的历史知识阐明的经验总结。”[④] 毛泽东也曾指出：“马克思主义有几门学问：马克思主义的哲学，马克思主义的经济学，马克思主义的社会主义——阶级斗争学说，但基础的东西是马克思主义哲学。”[⑤] 作为马克思主义理论基础的哲学世界观是彻底、完备的哲学唯物主义。

关于这个问题，列宁在《卡尔·马克思》的词条中写道：马克思和恩格斯于1848年2月发表的著名的《共产党宣言》这部著作，“以

---

① 《马克思恩格斯文集》第9卷，146页，北京：人民出版社，2009年。

② 《马克思恩格斯文集》第9卷，11页，北京：人民出版社，2009年。

③ 《马克思恩格斯文集》第9卷，30页，北京：人民出版社，2009年。

④ 中共中央马克思恩格斯列宁斯大林著作编译局编：《列宁专题文集·论马克思主义》，201页，北京：人民出版社，2009年。

⑤ 《毛泽东文集》第6卷，396页，北京：人民出版社，1999年。

天才的透彻而鲜明的语言描述了新的世界观，即把社会生活领域也包括在内的彻底的唯物主义、作为最全面深刻的发展学说的辩证法以及关于阶级斗争和共产主义新社会创造者无产阶级肩负的世界历史性的革命使命的理论”①。以剩余价值学说为基础的政治经济学是运用哲学世界观对资本主义社会进行剖析的产物和成果，是马克思主义理论最深刻、最全面、最详尽的证明和运用。而关于无产阶级解放运动的性质、条件和使命的科学社会主义理论则是运用哲学世界观分析资本主义生产方式的内在矛盾及其发展所得出的结论，是马克思主义哲学、政治经济学研究的落脚点和归宿，因而它相对于马克思主义科学体系的其他两个部分，是处于更为重要的地位。在这个意义上也可以说，马克思主义就是科学社会主义。科学社会主义集中表现了马克思主义的目的、任务和使命。

马克思学说作为共产主义世界观的理论体系，除了表现为马克思主义哲学、马克思主义政治经济学和科学社会主义理论的有机统一以外，还表现为不同层次原理在时空交织中的统一。

（2）马克思学说是不同层次原理在时空交织中形成的共产主义世界观的理论体系

马克思学说作为共产主义世界观的理论体系，其中包含有极为丰富的原理。这些原理到底有多少，很难开一个清单，这些原理按其各自反映范围的广度，可分为不同的层次。对此，段若非先生发表过很好的见解，我们是很赞同的。如果循着从普遍到特殊的理路，那么这些层次原理的逻辑顺序可以依次表现为：最普遍原理、普遍原理、局部原理及个别原理。

所谓最普遍原理是马克思主义所揭示的关于人与世界总体关系的最普遍规律的原理。这类原理没有时空限制，放之四海而皆准。比如，世界是物质的，物质是运动的，物质运动是有规律的，以及关于对立统一、质量互变、否定之否定等规律的原理。

所谓普遍原理是马克思主义所揭示的关于人与部分世界（比如，人与自然、人与社会），或世界与人的某些方面（比如，世界与人的生

---

① 中共中央马克思恩格斯列宁斯大林著作编译局编：《列宁专题文集·论马克思主义》，5页，北京：人民出版社，2009年。

活、人的实践、人的认识、人的语言、人的情感、人的价值、人的审美等）的关系的普遍规律的原理。比如，环境改造与人的改造相统一的原理，自在自然向人化自然转化的原理，人的活动与自然之间代谢平衡的原理，自然环境制约与生产力发展的关系原理等；又比如，社会实践是社会生活本质的原理，物质生产力是社会发展的最根本动力的原理等；再比如，关于人的实践和认识中的主体与客体相互作用的原理等。

所谓局部原理是马克思主义所揭示的关于一定历史时代和局部范围的规律性的原理。如生产力与生产关系相互作用的原理、经济基础与上层建筑相互作用的原理、阶级社会中阶级和阶级斗争的原理、资本运行中的剩余价值原理、资本主义转变为社会主义的原理、社会主义改革开放原理、社会主义市场经济原理、社会主义文化建设原理、构建社会主义和谐社会的原理、共产主义社会是以每个人的自由而全面发展为基本原则的原理等。

所谓个别原理是马克思主义关于个别问题所作的判断。它的适用范围就更小一些。如马克思恩格斯在19世纪40年代的时代条件下，关于社会主义革命可以在一些先进国家同时发生和胜利的原理；列宁在19世纪90年代的时代条件下，关于社会主义革命可以首先在俄国一国内获得胜利的原理；马克思恩格斯关于革命的方式，随条件的变化或是暴力或是和平的原理等。

当然，这里的划分是相对的，有些原理究竟划入哪一个层次更为适合，这需要具体情况具体分析。

另外，还需要指出的是，不能因某个原理的重要，为了强调这种重要性，而人为提升某个原理的层次。比如暴力革命，对我国的民主革命非常重要。我们不能为突出其重要性，而把它从个别原理层次提升到局部原理层次，比如就不能把暴力革命说成是无产阶级革命的普遍规律。

因此，将马克思主义理论体系中的原理，区分为不同的层次，弄清楚不同层次原理的时空界限，是我们正确理解和运用马克思主义的首要前提。如同任何事物都有确定的时间和空间一样，作为这些事物和过程的正确反映的原理也都有其适用的时间和空间界限，超越这些界限，真理就会走向自己的反面。这对马克思主义原理也是完全适用的。总结以往的经验教训，我们对马克思主义一些原理的误读、误用，往往是与我们没有科学把握这些原理的时空界限相联系的。

例如，在1958年大跃进运动中，我们脱离物质归根到底决定精神这一前提，把精神对物质的反作用原理片面理解为精神是无坚不摧的所谓“精神原子弹”，盲干、瞎干，结果吃了大亏。又比如，在过去“左”的年代，我们曾把马克思主义所揭示的关于阶级社会中的阶级斗争原理，运用于基本消灭剥削阶级的社会主义社会，错误地提出了以阶级斗争为纲的口号，也给我国造成了极为严重的社会后果。这是应该认真汲取的。

任意扩大马克思主义原理适用的时空界限，对此，马克思主义创始人是坚决反对的。马克思曾批评俄国民粹派理论家米海洛夫斯基在《祖国纪事》上发表的一篇文章，指出该文不加分析把他关于西欧资本主义起源的理论变成了一般发展道路的历史哲学理论，是十分不妥的。他于1872年11月给《祖国纪事》编辑部写了一封信，坚决反对这种将他的理论作任意引申、泛化的做法。他说，任何事变都有它发展的历史环境，而“极为相似的事变发生在不同的历史环境中就引起了完全不同的结果”①。马克思说：“他（指米海洛夫斯基——引者注）这样做，会给我过多的荣誉，同时也会给我过多的侮辱。”②

我们应充分理解马克思主义创始人对他们自己的理论原理所持的慎重的、科学的态度，认真研究马克思主义理论体系中的各个原理的时空界限。但是在弄清这些不同层次原理时空界限的同时，又必须从总体上把握它们之间从抽象到具体，从一般到特殊，从潜在到显在的不断展开的关系。抽象、一般、潜在相对于具体、特殊、显在等具有整体的统摄性，而具体、特殊、显在相对于抽象、一般、潜在等也具有展开的丰富性。马克思学说的最普遍原理、普遍原理、局部原理、个别原理之间，依次前承的原理相对于后继的原理，越具有整体的统摄性、逻辑的根据性。依次后继的原理相对于前承的原理越具有逻辑的展开性和内容的丰富性。比如，对立统一是最普遍原理，生产力与生产关系的矛盾原理是对立统一原理在社会生活中的具体表现，是以

---

① 《马克思恩格斯文集》第3卷，466页，北京：人民出版社，2009年。

② 《马克思恩格斯文集》第3卷，466页，北京：人民出版社，2009年。

矛盾普遍性原理为逻辑根据的，同时又是对矛盾普遍性原理的展开和退后证明。又比如，生产力与生产关系的矛盾原理，在阶级社会中，也就集中表现为作为占主导地位的生产力的代表者的劳动阶级与作为占主导地位的生产关系的代表者的剥削阶级这两个基本阶级之间的矛盾斗争原理。这样，阶级斗争原理也就成为矛盾普遍性原理以及以此为前提的生产力与生产关系矛盾原理在阶级社会的进一步展开和丰富，也是对后者更为生动、具体的说明。

总之，马克思学说作为共产主义世界观的理论体系，就是由不同层次原理从抽象到具体不断展开、不断丰富的逻辑体系。这里的不断展开、不断丰富可以从两个角度去加以说明。一是基础理论，包括上述的最普遍原理和普遍原理，以至一些局部原理不断获得准确化、清晰化、严谨化的发展；二是关于基础理论的运用理论，包括上述的某些局部原理和个别原理在不同时空中获得多样化的丰富。比如通过革命夺取政权的理论是马克思学说的一个基础理论，但这一基础理论在不同时空的运用理论，就有多种表现形态，比如19世纪中期恩格斯的“多国同时胜利论”、列宁在上世纪20年代中期提出的“一国胜利论”、毛泽东创立的“新民主主义革命论”，都是马克思学说上述基础理论的运用理论。由此可见，马克思学说的理论体系是一个开放的充满生机和活力的理论体系。

那么，坚持马克思学说是共产主义世界观的理论体系有何理论意义呢？

2. 坚持马克思学说是共产主义世界观理论体系的理论意义

（1）有助于科学理解马克思主义的形成过程

承认马克思主义的形成是一个过程，这在国内理论界是没有分歧的。至于科学理解这一过程，应该说在一个很长的时期内，并没有达到这样的水平。这表现在，人们往往把马克思主义的形成理解为一个线性推进过程。即先是创立了马克思主义哲学，然后运用哲学理论研究社会的政治、经济，创立政治经济学，再以马克思主义哲学和政治经济学为指导去创立科学社会主义理论。

其实这一理解并不符合马克思主义形成的真实过程，理论上也是说不通的。因为马克思恩格斯不是单纯的学者，而是革命家兼学者。不是以学科为中心，而是立足于不断发展的实践，以人类解放的时代问题为中心，通过批判继承以往的哲学、政治经济学和社会主义理论，在此基础上，创立自己的理论体系的。

因此，这种对以往三种理论资源的批判继承和自己新理论体系的创立，都不是也不可能是孤立进行，而是相互借重、互为引导的。如果仅从理论上说，没有对古典政治经济学和空想社会主义的批判，那么也就不可能创立马克思主义哲学。反过来说，也是一样。因此，在他们那里，“三个组成部分”不是分别形成，然后结合在一起，而是相互渗透、浑然天成的。不然，对这一过程的理解，就会导致在理论形成过程中的整体性割裂。如果是那样，也就违背了“要在它们的历史的或逻辑的形成过程中来加以阐明”① 这一马克思主义的理解原则。

马克思主义科学体系的形成经历了初步确立、深化和科学化以及全面论证等几个阶段。它们分别以《1844年经济学哲学手稿》《德意志意识形态》和《资本论》为标志。

第一，《1844年经济学哲学手稿》是马克思主义科学体系的雏形。在创立马克思主义的过程中，马克思是从接受德国古典哲学开始自己的理论活动的。他利用德国古典哲学的理论资源，先是批判精神领域的宗教异化，接着深入政治学领域批判政治异化，再深入经济学领域批判经济异化，以求在经济中寻找社会变革的终极原因，即在经济中为自己找到经验的基础，也找到理论的基础。其研究成果体现在马克思写作的五本著名的“巴黎手稿”中。其中特别是《1844年经济学哲学手稿》（以下简称《手稿》）尤为重要。《手稿》试图把哲学、政治经济学、社会主义学说结合在一起，来说明资本主义社会的压迫剥削现象。尽管其说明的理论框架仍然是人本主义的，但所涉及的内容却是现实的。它通过分析私有财产的运动，试图从经济学角度来论证共产主义，由此迈出了社会主义从空想到科学的重要一步。因而它可以看作是马克思主义科学体系的雏形。

第二，《德意志意识形态》是马克思主义科学体系的深化和科学化。在1845年春移居布鲁塞尔以后，马克思阅读了大量的政治经济学著作，并与恩格斯一道去英国进行实地考察。马克思在这一时期的经济学研究成果凝结在他与恩格斯合著的《德意志意识形态》中。这部

---

① 《马克思恩格斯文集》第7卷，17页，北京：人民出版社，2009年。

重要著作，不仅彻底清算了费尔巴哈的人本史观，全面确立了唯物史观的基本理论，奠定了对资本主义研究的哲学基础，并且以生产力和生产关系的矛盾运动规律为依据考察了社会主义革命的必然性和必要性，从而把他们的社会主义理论建立在唯物史观和经济分析的基础之上，这使《手稿》中初步确立的马克思主义科学体系得到了进一步深化和科学化。

第三，《资本论》是对马克思主义科学体系深刻和全面的论证。欧洲 1848 年革命中断了马克思的经济学研究。革命失败后，马克思于 1849 年 8 月到达伦敦，再次开始了经济学的研究工作。自此以后，直到逝世，可以说，马克思的主要精力是从事《资本论》的准备和写作。马克思不仅留下了大量的《资本论》草稿，而且生前还出版了《资本论》第 1 卷。《资本论》是伟大的经济学著作，也是重要的哲学著作，特别重要的是，《资本论》逻辑地再现了资本主义产生、发展和灭亡的历史进程，揭示了资本运动的规律，或者说剩余价值的生产、实现和分配的规律。马克思正是以剩余价值的运动为中心，科学说明了资产阶级和工人阶级的关系，令人信服地证明了资本主义私有制被剥夺的历史必然性。《资本论》以对资本主义生产关系的经济分析为中心，把哲学、政治经济学和科学社会主义结合在一起，是对马克思主义科学体系的最深刻、最全面的论证。

由上可见，马克思主义的创立，是作为一个整体从雏形到不断深化、科学化和完善化，并通过全面论证获得确立的过程；而不是通常所理解的作为其中一个要素的马克思主义哲学的创立及其线性运用的推进过程。如果是那样，势必不能真正把握马克思主义的创立过程及其革命实质。

（2）有助于正确把握马克思主义的本质内涵

这里的本质内涵不是指作为其构成要素的马克思主义哲学，或马克思主义政治经济学，或科学社会主义的本质内涵，而是指这三个部分所构成的马克思主义理论体系的本质内涵。即通过其立场、观点、方法所承载的根本精神。在我们看来，这个根本精神，就是由马克思学说的科学性、人本性、实践性及其统一所体现的精神；或者说，是作为这种精神概括和凝练的实事求是、以人为本、实践改造及其统一所体现的精神。在这个统一中，以人为本作为马克思学说的主题，因而它是从更深层次上体现了马克思学说的根本精神。但在现实中不难发现，理解和回答这些问题的尝试都远未达到这个层次。原因在于，我们在很长一个时期中是把马克思主义哲学、马克思主义政治经济学、科学社会主义分列开来，去分别加以说明的。这样一来，也就在客观上肢解了马克思学说的整体性。于是作为这种整体性根本体现的，贯穿和统摄马克思学说各组成部分的人本主题，也就晦而不明或隐而不见了。

另外，从马克思主义的三个组成部分的角度说，科学社会主义理论一旦离开了马克思主义哲学和马克思主义政治经济学，那它就不再是科学社会主义，而会蜕变为平均共产主义或空想社会主义，或打着马克思主义旗号的假社会主义。比如伯恩施坦主义就是这样的假社会主义。他曾竭力割裂马克思科学社会主义同他的经济学说和哲学学说的内在联系，宣称："给社会主义提供纯粹唯物主义的论证，既是不可能的，也是不必要的。"[①] 这种没有通过哲学做必然性论证的社会主义也就必然堕落为怎么做都行的机会主义、改良主义。反之，如果离开了马克思主义哲学的指导，离开了社会主义革命和社会主义建设，那么马克思主义政治经济学也就不再是马克思主义政治经济学，而会跌入资产阶级政治经济学的怀抱。同样，如果无视无产阶级肩负的伟大历史使命、无视社会经济现象，特别是新出现的经济现象的分析，那么马克思主义哲学也就不再成其为马克思主义哲学，而会重新回到烦琐的、脱离生活的经院哲学。

总之，把马克思主义中的任何一个组成部分同整体割裂开来，都会使它失去原有的性质，也就必然会导致对整个马克思主义科学体系的曲解。比如，在西方马克思主义和一些现代西方学者那里，脱离马克思主义政治经济学和科学社会主义，把马克思主义归结为哲学，甚至进一步归结为所谓人本主义和异化理论。这样一来，马克思主义也就完全被肢解了。作为包括哲学、政治经济学和科学社会主义学说在内的完整科学体系的马克思主义，也就只剩下了哲学。这样的哲学，因失去了马克思主义政治经济学的支撑，以及与无产阶级革命运动的

---

① ［德］伯恩施坦：《社会主义的前提和社会民主党的任务》，殷叙彝译，255页，北京：生活·读书·新知三联书店，1923年。

内在联系，所以它也就沦为传布预言的无害的神圣偶像。

（3）有助于正确理解马克思主义的理论观点

这里用得上系统论的一个原理，即系统的任何一个要素只有在系统中才能作为其要素存在，才能获得系统质，一旦脱离该系统，那它就成为系统的异在。通俗地说，也就是，从人身体断开的手再也不是人的手，而只是一块尸骨。同样的道理，马克思主义的基本理论观点作为马克思主义理论体系的构成要素，也只有从理论体系的角度才能获得准确理解。如同一个命题，一个理论观点必须放到一篇理论文章的整体结构中，放到前后文中，才能获得准确理解一样。不能离开理论的整体去断章取义，或望文生义。这都是不可取的。比如，有论者把马克思的“人化自然”原理理解为实践是人化自然的唯一基础，并以此为据，鼓吹所谓实践本体论，这就背离了马克思主义的辩证唯物主义理论体系，这就很为不妥。又比如，有论者把马克思的“哲学家们只是用不同的方式解释世界，问题在于改变世界”① 这句话理解为以往的哲学家只想解释世界，不想改造世界。这种理解不仅与事实相距太远，而且也违背了马克思的原意。

马克思在这里是说以往的哲学家往往是用对世界的解释来代替对世界的改造。之所以如此，其根本原因在于，他们的理论是脱离实际的、空洞的理论，因而不能用于对世界的改造。这是其一。其二，他们的解释只是涉及世界是什么和为什么，并不涉及怎么办，因而他们的解释并没有多少实际价值。其三，他们不理解人的实践活动，不理解社会生活，不理解人民群众创造历史的作用，因而不能把对世界的解释转化为对世界的改造。而马克思恩格斯所创立的马克思主义是科学的世界观、历史观、资本主义观和共产主义观相统一的理论，因而它不仅可以解释世界而且可以用来指导对世界的改造。

由此可见，如果不把马克思学说看作共产主义世界观的理论体系，不从总体上去把握马克思学说，就不能科学理解马克思学说的形成过程、本质内涵和基本理论观点。

3. 马克思学说的定义

马克思学说是共产主义世界观的理论体系，但是要完整准确地理

---

① 《马克思恩格斯文集》第1卷，502页，北京：人民出版社，2009年。

解马克思学说，还须给这个理论体系下一个恰当的定义。这里首先要涉及马克思学说与马克思主义的关系问题。

在当今世界，以马克思主义相标榜的学派甚多，比如，有存在主义的马克思主义、现象学的马克思主义、弗洛伊德主义的马克思主义、基督教的马克思主义、新实证主义的马克思主义，以及结构主义的马克思主义等。它们不仅自称马克思主义，而且还把自己说成是唯一真正的马克思主义，于是各树旗帜，标新立异，以至彼此指责，争论不休。这就提出一个问题：马克思主义与人们所理解的马克思主义。

（1）马克思主义与人们所理解的马克思主义

在当代，有论者把马克思主义与“我”所理解的马克思主义混为一谈，认为马克思主义就是“我”所理解的马克思主义，就是“我”心中的马克思主义。由于每个人心中的马克思主义是不一样，甚至是迥异的，因而有多少个研究者，就有多少个马克思主义。既然如此，那么其自然的结论就是，马克思主义不可定义，也就是不能给马克思主义下一个公认的定义。例如美国社会学家赖特·米尔斯在《马克思主义者》中就曾说：“马克思并没有得到人们的统一认识。我们根据他在不同的发展阶段写出的书籍、小册子、论文和书信对他的著述作出什么样的说明，要取决于我们自己的利益观点。因此，这些说明中的任何一种都不能代表‘真正的马克思’。”① 他还特别强调，“人们对马克思的确没有一个统一的认识；每一个研究者都必须通过自己的努力去认识马克思。”②

怎样看待这一观点呢？我们认为，上述观点是似是而非的。它在理解问题上表现了一种主观主义和相对主义的倾向。理解的主体因素确实使理解具有相对性，但不能因此而导致主观主义和相对主义。理解是理解主体与理解客体相互作用的过程。不能单讲理解主体对理解客体的作用，还要讲理解客体对理解主体的作用。理解客体之作为客体，它是独立存在的。同样，文本作为一种客体也具有不依赖于理解

① ［美］赖特·米尔斯：《马克思主义者》，商务印书馆编辑部编译，39页，北京：商务印书馆，1965年。

② ［美］赖特·米尔斯：《马克思主义者》，商务印书馆编辑部编译，39页，北京：商务印书馆，1965年。

者的理解而客观存在的意义，文本一经产生，其意义便固定下来，理解的目的就是为了把握作者通过文本所表达的思想。对马克思主义的理解和解释存在多样性和差异性，这不可否认，而且这些差异性和多样性的存在也有多种多样的主体方面的原因，这也没有疑义。但问题在于，马克思主义的本质并不因主体理解的多样性和差异性而有所改变。俗话说，“情人眼里出西施”，并不是作为情人的对象真的变成了西施。如果作为情人的那个对象并不是那样美丽漂亮，那么这位情人也会在延续的交往中，在把这个对象与别的女孩子的比较中，逐渐使自己的认识得到校正，从而符合对象的实际情况。

对马克思主义来说也是这样，人们对其理解的多样性和差异性是必然存在的，这种多样性和差异性也只能从主体方面去找原因，不能从作为理解客体的马克思主义那里去找原因，这种理解的多样性和差异性也并不能对马克思主义的本质有任何影响。因为理解只是主体的理解，不是主体对客体的改造。或者说，马克思主义作为一个科学体系，它的内容并不决定于人们的主观理解，而是取决于它的科学本性。

因此，真实的马克思主义是为其科学性所规定的马克思主义，它与人们所理解的马克思主义是有区别的。

真实的马克思主义存在于马克思主义文本及其所在的历史和时代的影响之中，是马克思主义文本及其影响所表达的基本理论取向，即立场、观点、方法。

所谓“立场”是指由马克思主义的阶级基础和历史使命所决定的马克思主义的价值观、根本目的以及观察和分析问题的出发点和角度，它要解决的根本问题是“目的性”问题，即“为了谁”的问题。马克思学说的根本目的，就是实现人的全面自由发展。从根本价值方法论来说，就是以人为本。

所谓“观点”是指马克思主义对于对象的本质和规律及其未来发展趋势的科学判断，所以“观点”是马克思主义的科学依据，它要解决的根本问题是“合理性”问题。从科学方法论来说，就是实事求是。

所谓“方法”就是立足上述立场，运用上述观点去分析和解决各种实践问题的思维方式、根本原则和战略策略，它要解决的根本问题是“实效性”问题。从行动方法论来说，就是实践改造。

也就是说，要回答什么是马克思主义，就必须立足于马克思主义文本及其影响，立足于马克思主义的立场、观点和方法，立足于作为立场、观点、方法体现的马克思主义的精髓，即实事求是、以人为本、实践改造及其统一，来说明什么是马克思主义。如果过分强调说明者的主体视角，则可能曲解了马克思主义，肢解了马克思主义。

关于什么是马克思主义的回答，还涉及广义马克思主义和狭义马克思主义的理解。

（2）广义与狭义的马克思主义

这个问题在前文已有所论述。狭义马克思主义，是马克思主义创始人马克思恩格斯所创立的马克思学说的基本观点、基本理论和基本方法的体系。对此，列宁曾经说过："马克思主义是马克思的观点和学说的体系。"① 不过列宁这个关于狭义马克思主义的论述也有不确切之处。因为马克思并不是从出生的第一天起就是一个马克思主义者，在青年时期，马克思的思想深受黑格尔的影响，后来离开黑格尔，又受费尔巴哈的影响。众所周知，马克思通过对现实斗争的参与、对国民经济学的研究和对传统观念的批判，才创立了马克思学说。只有当这种新学说诞生时，马克思才成为马克思主义者。也就是说，要准确理解马克思学说，就必须把他的思想划分为"青年时期"与"成熟时期"这两个不同的发展阶段。所谓青年时期是指1846年《德意志意识形态》写作和1847年建立"共产主义同盟"之前的时期，从这时起，是成熟时期。换言之，只有当人们用"马克思学说"，或狭义的"马克思主义"这个概念去指称其成熟时期的思想时，这个概念才是正确的。特别是在西方一些学者已经提出青年马克思与老年马克思对立的理论背景下，更应该作如此理解。因此可以说，狭义马克思主义是指马克思成熟时期的思想。另外，狭义马克思主义也不是马克思成熟时期的全部思想，即狭义马克思主义并不等同于马克思学说，而是马克思学说中基本的观点、理论和方法的体系。

广义马克思主义，是指由马克思恩格斯共同创立并由许多后继者在实践检验基础上所继承、矫正和发展的马克思主义的基本观点、基

---

① 中共中央马克思恩格斯列宁斯大林著作编译局编：《列宁专题文集·论马克思主义》，7页，北京：人民出版社，2009年。

本理论和基本方法的体系。

所谓继承，是指广义马克思主义继承了狭义马克思主义那些经过实践证明的具有普遍意义的观点、理论和方法。因此，广义马克思主义与狭义马克思主义具有根本的一致性。近若干年来，有些论者用库恩“范式革命”的理论和方法来研究和指称马克思主义理论的发展形态，这是不妥的。范式革命是理论的根本质变。在马克思主义理论的发展中，不存在这种根本质变，只存在马克思主义同一理论范式在其各个发展阶段所表现的不同理论类型。发展的马克思主义仍然是马克思主义，仍然一脉相承地保持着马克思主义本质、灵魂的东西。

所谓矫正，不是就狭义马克思主义基本的观点、理论和方法言说的（在这个意义上不存在矫正的问题），而是指广义马克思主义要矫正狭义马克思主义关于其基本的观点、理论和方法在把握和运用中所难免的认识偏差和时代局限。比如，生产关系严重束缚生产力的发展就必然会引起生产关系的变革，这是马克思主义历史唯物主义的一个基本原理。对处于自由资本主义阶段的马克思恩格斯来说，如何运用这个原理来分析当时的资本主义社会，就难免会受到时代和认识的局限。因而在狭义马克思主义那里，也就产生了对资本主义生产力的发展潜力、资本主义的自我调节能力、资本主义世界的矛盾中心和革命中心转移的趋势，以及东方落后国家人民的历史主动性和创造性等估计不足的问题。这些不足和局限在广义马克思主义那里得到了克服。

所谓发展，是指广义马克思主义用新的观点、理论和方法丰富和发展了狭义马克思主义。这种丰富发展是多方面的。比如，广义马克思主义用苏俄十月革命理论、中国农村包围城市并最终夺取城市的理论，丰富和发展了马克思主义的无产阶级革命理论。又比如，当代中国马克思主义用中国特色社会主义的改革理论、市场经济理论、科学发展理论、和谐社会理论、协商民主理论以及服务型政府理论等发展了狭义马克思主义。

可见，狭义马克思主义和广义马克思主义概念的提出，这是马克思主义与时俱进，不断丰富、发展，不断获得生机和活力的表现。

与这个问题相关联，在这里有必要把“回到马克思”的口号提出来议一议。

有一些论者提出了“回到马克思”的主张，其主观愿望肯定是好的，但实际效果可能会事与愿违。这里的回到马克思，也就是回到狭义马克思主义。在这种回到的理解中，也就势必认为狭义马克思主义才是真正的马克思主义，别的都要以这个狭义马克思主义为标准来衡量。这样一来，也就把马克思主义变成了一种历史的既在，变成了一种僵化的教义，而这是有违马克思主义本质精神的。

另外，在回到马克思的理解问题上，也会导致不确定性。比如，有人把回到马克思理解为回到青年马克思，即人道主义的马克思；另有人理解回到马克思，是回到实践本体论的马克思；还有人主张回到所谓黑格尔主义的马克思，等等。因而这个口号并不可取。

（3）马克思学说的本质规定

马克思学说作为共产主义世界观的理论体系，它的定义只能从其研究对象来加以规定。

前文所论的列宁关于“马克思主义是马克思的观点和学说的体系”一说，还不是真正意义上的关于马克思主义的定义，因为它没有揭示马克思主义研究的对象是什么，没有说明被研究对象所规定的马克思主义的内容和本质是什么。

相对列宁的上述论述，斯大林于1950年在《马克思主义和语言学问题》中的一段话可以说是给马克思主义下了一个定义：“马克思主义是关于自然和社会的发展规律的科学，是关于被压迫和被剥削群众的革命的科学，是关于社会主义在一切国家中胜利的科学，是关于建设共产主义社会的科学。”①

斯大林关于马克思主义的这个定义，是从马克思主义的研究对象着眼的，这是其优点所在。不过它从世界观角度所指谓的对象，只讲自然和社会，排除了思维领域，这不妥，这是其一；其二，这个定义所下的几个判断是并列的，没有揭示出马克思主义理论体系的整体性及其重点所在，即没有突出以人为本是马克思主义的主题；其三，这些判断互有重复，因而概括性不够。

我国不少学者也给马克思主义下过一些定义。不过有的是从辩证唯物主义角度，有的是从历史唯物主义角度，有的是从科学社会主义角度来下定义，因而这些定义也不是完整意义上的马克思主义

① 《斯大林文集》，586页，北京：人民出版社，1985年。

的定义。

我们这里不是从广义马克思主义的意义上，而是从狭义马克思主义的意义上，来给马克思学说下这样一个定义：马克思学说是马克思恩格斯共同创立的，以辩证历史唯物主义为理论基础的，以人为本、反对资本主义、建设社会主义、实现共产主义的科学理论体系。

这个定义是一个狭义的马克思主义定义。这个定义指明了马克思主义的哲学基础，即辩证唯物主义和历史唯物主义。这个定义指明了马克思主义的人本主题，即从现实的人出发，以人为本，追求人的彻底解放，实现人的自由全面发展。这个定义指明了实现这一最终目标的根本途径或根本道路，是反对资本主义，建设社会主义，实现共产主义。

坚持了这三个方面的规定，就是坚持了马克思学说的根本精神，违背了这三个方面的规定，也就违背了马克思学说的根本精神。

如果对这三个方面规定从方法论的角度作进一步的概括，那么可以总结为三点基本精神：实事求是、以人为本、实践改造。或者说，马克思主义是以实事求是为基础、以人为本为目标、实践改造为核心的辩证统一的学说。

“实事求是”，是马克思主义的科学性原则，是马克思主义的世界观和方法论的凝结和体现。坚持实事求是就是坚持辩证唯物主义的世界观，坚持从实际出发、理论联系实际，在实践中发现真理和发展真理。

“以人为本”，是马克思主义的价值性原则，是马克思主义的社会立场和理想追求的集中体现。即消灭一切剥削阶级和剥削制度，人民当家作主，共创共享文明成果，实现人的自由和全面发展。

“实践改造”，是马克思主义的能动性原则。即通过实践改造世界，使世界革命化，在实践中求得实事求是，在实践中坚持以人为本。即在自觉改造环境的同时，改造和提升人自身。

这三条原则既反映了马克思主义一贯的思想内容，又体现了当代中国马克思主义者对马克思主义的坚持和发展。马克思主义的这三条原则体现了真理原则、价值原则和实践原则的辩证统一。这三条原则也是符合人类进步趋势的普遍原则。

三、马克思学说是共产主义世界观的科学体系

1. 马克思学说的高度科学性

马克思学说作为共产主义世界观的理论体系，不同于伦理社会主义、空想社会主义以及其他形形色色的社会主义。其根本之点在于，马克思学说是共产主义世界观的科学体系。正如列宁所说：“马克思和恩格斯对工人阶级的功绩，可以这样简单地来表达：他们教会了工人阶级自我认识和自我意识，用科学代替了幻想。”①

什么是科学？科学从其内容来说，是对事物的本质和规律的正确反映。也就是说，一切科学之为科学，其根本方面在于它的内容的客观性，或者说，在认识中包含了不以人的意志为转移的客观内容。

一切科学都具有科学性。这表现在：第一，一切科学都要以事实为根据，都要从实际出发，都是对人类实践成就的概括和总结。不然就是毫无根据的胡说八道、虚妄空谈。第二，一切科学都要以规律为对象。科学是揭示规律的，不揭示规律，就没有科学。不然就是主观想象、个人偏见、现象罗列。第三，一切科学都要以实践为标准。凡属科学范围的论断都可以通过实践加以证实或证伪。不能检验的只是宗教教义，它不属科学，只属信仰，当然是一种盲目信仰。

马克思学说和其他科学一样也具有科学性，而且是高度的科学性。也就是说，它高度符合了科学性的上述三条要求。

（1）马克思学说以现实为基础

对此，恩格斯曾经指出：“为了使社会主义变为科学，就必须首先把它置于现实的基础之上。”② 人所面对的现实有自然现实和社会现实。自然现实对于人而言具有“优先性”。这是其一。其二，社会现实是人在自然现实的基础上通过实践创造的人工现实。因而“社会生活在本质上是实践的”③。其三，社会生活是在矛盾中展开的，其根本的矛盾

---

① 中共中央马克思恩格斯列宁斯大林著作编译局编：《列宁专题文集·论马克思主义》，52—53页，北京：人民出版社，2009年。

② 《马克思恩格斯文集》第3卷，537页，北京：人民出版社，2009年。

③ 《马克思恩格斯文集》第1卷，505页，北京：人民出版社，2009年。

是生产力与生产关系的矛盾，所以“一切历史冲突都根源于生产力和交往形式（标示生产关系的早期用语——引者注）之间的矛盾”①。其四，“历史活动是群众的活动，随着历史活动的深入，必将是群众队伍的扩大”②。其五，“哲学家们只是用不同的方式解释世界，问题在于改变世界”③。其六，“新思潮的优点又恰恰在于我们不想教条地预期未来，而只是想通过批判旧世界发现新世界”④。

在理论上的上述六点发现和说明，充分体现了马克思学说所具有的唯物主义现实精神，即彻底的实践精神。这种精神从根本上消除了宇宙星空中，特别是历史星空中的唯心主义迷雾，把被颠倒的历史重新颠倒过来，恢复其本来的面目，从而要求立足于“生活世界”来说明“词语世界”，立足于现实的人类历史来说明人类的精神历史，立足于人民群众创造历史的作用去说明杰出人物的作用，立足于改造世界来解释世界，立足于改造旧世界来展示和实现理想的新世界。

（2）马克思学说以规律为对象

马克思学说所揭示的是宇宙的规律，特别是人类历史的规律，其中最主要的是社会主义取代资本主义的规律。

宇宙的规律，即一切事物存在和发展的普遍规律。通过对自然界、人类历史和人类精神生活的深思熟虑的考察，马克思学说的创始人发现：世界是由种种联系和相互作用无穷无尽地交织起来的集合体。所有一切事物都具有暂时性，“在它面前，除了生成和灭亡的不断过程、无止境地由低级上升到高级的不断过程，什么都不存在。”⑤“它们实质上可归结为下面三个规律：量转化为质和质转化为量的规律；对立的相互渗透的规律；否定的否定的规律。”⑥

通过对以往的全部历史的研究，马克思学说的创始人发现：“以往的全部历史，除原始状态外，都是阶级斗争的历史；这些互相斗争的社会阶级在任何时候都是生产关系和交换关系的产物，一句话，都是

① 《马克思恩格斯文集》第1卷，567—568页，北京：人民出版社，2009年。
② 《马克思恩格斯文集》第1卷，287页，北京：人民出版社，2009年。
③ 《马克思恩格斯文集》第1卷，502页，北京：人民出版社，2009年。
④ 《马克思恩格斯文集》第10卷，7页，北京：人民出版社，2009年。
⑤ 《马克思恩格斯文集》第4卷，270页，北京：人民出版社，2009年。
⑥ 《马克思恩格斯文集》第9卷，463页，北京：人民出版社，2009年。

自己时代的经济关系的产物；因而每一时代的社会经济结构形成现实基础，每一个历史时期的由法的设施和政治设施以及宗教的、哲学的和其他的观念形式所构成的全部上层建筑，归根到底都应由这个基础来说明。”①

由于唯物史观的创立，“社会主义现在已经不再被看做某个天才头脑的偶然发现，而被看做两个历史地产生的阶级即无产阶级和资产阶级之间斗争的必然产物。”② 无产阶级与资产阶级对立和斗争的根源又通过剩余价值的发现而获得深刻揭示。“已经证明，无偿劳动的占有是资本主义生产方式和通过这种生产方式对工人进行的剥削的基本形式。”③

恩格斯说：由于唯物史观和剩余价值学说“这两个伟大的发现，……社会主义变成了科学”④。也就是说，马克思主义的社会主义理论科学揭示了社会主义取代资本主义的规律。

（3）马克思学说以实践为标准

一切理论是否是真理，这在理论范围内是无法证明的，必须诉诸实践，以实践为标准。正如马克思所指出的：“人的思维是否具有客观的真理性，这不是一个理论的问题，而是一个实践的问题。”⑤ 马克思学说的科学性或真理性也只有通过实践才能获得检验。对马克思学说的真理性的实践检验包含着这样两个方面：一是总体的，二是部分的。所谓马克思学说的总体检验，是指无产阶级和广大人民群众，或无产阶级政党，或一个社会主义国家，把马克思学说当作自己的实践活动的世界观和方法论指导的时候，他们的活动达到了预期的目的，获得了理想的效果，那么马克思学说的科学性也就在总体上获得了一定的证明，否则就是受到了实践的反驳。所谓马克思学说真理性的部分检验，是指某一原理、结论或某些原理、结论的直接对应性检验。

可以说，马克思学说从创立到现在已有160多年，这160多年来，马克思学说的基本原理还没有一条被推翻。国际工人运动的前进与曲

① 《马克思恩格斯文集》第3卷，544页，北京：人民出版社，2009年。
② 《马克思恩格斯文集》第3卷，545页，北京：人民出版社，2009年。
③ 《马克思恩格斯文集》第3卷，545页，北京：人民出版社，2009年。
④ 《马克思恩格斯文集》第3卷，545—546页，北京：人民出版社，2009年。
⑤ 《马克思恩格斯文集》第1卷，500页，北京：人民出版社，2009年。

折，社会主义发展的高潮与低潮也从正反两方面证明，坚持和发展马克思学说就能从胜利走向胜利，反之，必然走向衰落和失败。邓小平曾针对苏东剧变后所盛行的马克思主义失败论指出："一些国家出现严重曲折，社会主义好像被削弱了，但人民经受锻炼，从中吸取教训，将促使社会主义向着更加健康的方向发展。因此，不要惊慌失措，不要认为马克思主义就消失了，没用了，失败了。哪有这回事！"① 他说："我坚信，世界上赞成马克思主义的人会多起来的，因为马克思主义是科学。"② 胡锦涛在《纪念真理标准讨论二十周年座谈会上的讲话》中也指出："马克思主义是科学。一百五十年来，马克思主义经历了各种风风雨雨的考验，始终有着强大的生命力。"③

马克思学说的科学性不仅为国际工人运动和社会主义实践所证明，而且在更为广阔的范围内日益为时代发展所证实，日益为广大群众所认同。

2. 马克思学说的科学性日益被时代发展所证实

这里首先要把马克思学说的创立时代与适用时代加以区别。

（1）马克思学说的创立时代与适用时代

马克思学说创立的时代是19世纪中叶，那时资本主义还处于自由竞争的阶段。马克思学说所要解决的时代课题是这个时代所引发的关于工人阶级和广大人民群众如何从资本主义制度下解放出来的问题。因此，解决这个时代课题的理论——马克思学说所涵盖的时空范围是从资本主义的产生、发展、灭亡到未来共产主义的建立这一整个历史时期。因而一个理论的创立时代与这个理论适用的时空范围是不同的两回事。如同牛顿力学创立于17世纪，至今已过去300多年，但这一基本理论在宏观低速领域并没有产生任何被取代的迹象。

在理论界有人把马克思学说的创立时代与马克思学说的适用时代混为一谈，奢谈时代变迁，而一再鼓吹所谓马克思主义过时论。比如社会学家福柯在《事物的秩序》一书中就公开宣称，马克思主义存在于19世纪的思想中，就像鱼生存在水中一样，在任何别的地方它都要

① 《邓小平文选》第3卷，383页，北京：人民出版社，1993年。
② 《邓小平文选》第3卷，382页，北京：人民出版社，1993年。
③ 《十五大以来重要文献选编》上，337页，北京：人民出版社，2000年。

窒息。

其实，这是一种主观臆断。马克思学说诞生于自由资本主义阶段，那时资本主义还局限于西欧和美国。但马克思学说对资本主义本质的深入分析，是涵盖整个资本主义发展的各个阶段的。资本主义从自由竞争走向私人垄断，从私人垄断走向国家垄断，以及资本主义从少数国家到遍布世界，这只是资本主义更充分、更成熟的发展，也是资本主义的本质在更高层次和更大范围的展示，资本主义这种在时空中的发展，不仅不会使马克思主义窒息，而且会使它的意义比以往更彰显、更伟大。关于这一点，当代西方具有广泛影响的文艺理论家詹姆逊在《论现实存在的马克思主义》一文中指出："今日的资本主义并没有发生根本的变化"，从而"庆贺马克思主义的死亡是不合逻辑的"①。不仅如此，詹姆逊还正确指出："在我看来，最令人发笑的没有条理的表述就是，同时声称资本主义取得胜利和马克思主义已经终结。马克思主义最早对资本主义及其特征与矛盾进行了研究，如果说资本主义现在已经遍布世界，那么，毫无疑问，马克思主义比以往的意义更大。"②

（2）马克思学说对认识当今全球化时代的意义

这个意义可以从以下几个方面来加以说明。

第一，马克思科学揭示了全球化的根本动力。马克思虽然没有提出"全球化"这一概念，也没有对全球化作出专门论述，但他的很多著作都或多或少涉及了这一问题。正因为如此，所以西方论述全球化的理论大家，如美国的丹尼尔·贝尔、伊曼纽尔·沃勒斯坦，英国的安东尼·吉登斯，以及法国的费尔南·布罗代尔等人，几乎无一例外地把马克思看作是全球化理论的先驱。因为马克思早在《德意志意识形态》和《共产党宣言》中已经指明了世界历史的走向，或曰全球化是机器大工业的建立和世界市场开发的必然结果。

马克思在19世纪中叶所揭示的这一全球化趋势，现在已被历史发展完全证实。它已经从一种富有洞见的理论变成了寻常百姓每天都可

① 转引自陈学明：《重读马克思：哲学大师的"转身"》，《新华文摘》，2002（7）。

② 转引自朱富强、王胜强：《全球化与马克思主义》，《学海》，2000（4）。

感受到的经验的事实。难怪英国的政治学教授格雷会感叹："长期以来《共产党宣言》中似乎与时代最不合拍的东西，现在看起来显示了预见性。"①

第二，马克思科学说明了资本主义的全球性矛盾。马克思恩格斯认为，资本主义的全球性扩张，是资本主义制度为了克服自身的危机，为了攫取更大利润所采取的一种手段，其根源于资产阶级的本性和资本主义基本矛盾。资产阶级的本性是资本的无限增殖和扩张。而这一欲望和要求，又遭到了资本主义基本矛盾所必然引发的资本主义相对过剩危机的干扰。于是，全球性扩张，也就成为它的必然选择。这样一来，也就把资本主义社会的基本矛盾转移到更广泛的世界市场上去，从而造成世界范围的两极分化和对立。这样一种世界格局从形成以来，至今没有根本改变。财富愈来愈多地向1%的人手中集中，而另外99%的人则陷于贫困的境地。主张"第三条道路"和民主社会主义模式的理论家吉登斯声称："虽然不再赶时髦，但我仍看重马克思。""惟有马克思对资本主义进行了最为深刻的分析。"② 美国学者约翰·卡西迪也说："他（指马克思——引者注）写下了关于全球化、不平等、政治腐败、垄断化、技术进步、高雅文化的衰落、现代生存的萎靡不振的性质等动人的段落，现代经济学家们又碰到了这些问题，他们有时并没有意识到自己在步马克思的后尘。"③

第三，马克思指明了全球化的历史走向。资产阶级推进了全球化的发展，但资产阶级所主导的全球化，并没有开辟使全人类共享文明成果的道路。相反，世界市场的激烈竞争，使人处于完全不稳定的状态。正如马克思所指出的，"人们越来越受到对他们来说是异己的力量的支配"④，也就是国际资本的支配。

但是资本主义所主导的全球化作为一种历史的产物，也不可能永远存在，它必将被社会主义所主导的全球化所取代。马克思认为："各个人的全面的依存关系、他们的这种自然形成的世界历史性的共同活

① 转引自朱富强、王胜强：《全球化与马克思主义》，《学海》，2000（4）。
② 转引自陈学明：《重读马克思：哲学大师的"转身"》，《新华文摘》，2002（7）。
③ 转引自俞可平：《全球化时代的马克思主义》，1页，北京：中央编译出版社，1998年。
④ 《马克思恩格斯文集》第1卷，541页，北京：人民出版社，2009年。

动的最初形式，由于这种共产主义革命而转化为对下述力量的控制和自觉的驾驭，这些力量本来是由人们的相互作用产生的，但是迄今为止对他们来说都作为完全异己的力量威慑和驾驭着他们。”① 可见，在马克思看来，资本主义的全球化必将被社会主义的全球化所取代，这是历史的必然。诚然，到目前为止，在全世界范围内，这一取代还没有实现，但是资本主义在全世界正在走向没落，人们对它已经丧失信心，甚至绝望，这是不争的事实。

3. 马克思学说的科学性日益被广大群众所认同

马克思学说在传播的过程中，除了被不断扩大的无产阶级群众所认同以外，还被日益扩大的包括知识分子、青年学生在内的各阶层群众所赞赏和认同。

在当代各个学科，包括哲学、历史学、经济学、自然科学、技术科学、未来学等多个学科领域的著名的思想家、科学家都对马克思学说的科学性、巨大社会作用，包括对多种学科发展的影响和对自己所从事的科研工作的启迪都给予了积极的肯定和真诚的赞扬。② 这说明马克思学说的基本原理是对各门学科都具有指导作用的普遍真理，谁想在科学上有所作为，谁就不能无视这种作用。“即使那些否定马克思主义”的学者，“也不得不用马克思主义的观点来重新考虑自己的观点”③。正是在这个意义上，蜚声世界哲坛的法国大思想家德里达认为：不去阅读而且反复阅读和讨论马克思，“将永远都是一个错误，一个理论的、哲学的和政治的责任方面的错误”④。

马克思学说不仅在西方引起了专业研究者的兴趣，而且在青年中发生着影响。2012 年 7 月 9 日《参考消息》报道了英国卫报的文章《为什么马克思主义再次掀起》。该文引用了英国教授艾伦·约翰逊在“新共产主义”一文中的论述。约翰逊写道：“新共产主义事关重要，

---

① 《马克思恩格斯文集》第1卷，542页，北京：人民出版社，2009年。

② 参见陶富源：《陶富源哲学论著集（1）：青年马克思与费尔巴哈》，174—179页，合肥：合肥工业大学出版社，2006年。

③ ［英］杰弗里·巴勒克拉夫：《当代史学主要趋势》，张文杰等编译，32页，上海：上海译文出版社，1987年。

④ 转引自徐崇温：《世纪之交的社会主义与资本主义》，117页，郑州：河南人民出版社，2002年。

不是因为它受到知识界欢迎，而是因为它可能在社会民主精疲力竭、财政紧缩和知识界自我厌恶的背景下影响到不同层次的欧洲青年。”约翰逊认为，这是他“担心的事情”。约翰逊的论述透露给我们一个重要信息：西方的年轻人已经愿意把社会主义作为一种出路去思考。

马克思学说的真理性和巨大影响力，在下面这样一个事实中也能得到证明。从上世纪的1999年到本世纪的2005年，英国剑桥大学文理学院、英国广播公司（BBC）、英国路透社等依次进行了如下四项调查：“谁是千年第一学人”、“谁是一千年来最伟大的思想家”、“谁是千年伟人”、“谁是现今全英国人心目中最伟大的哲学家”。这四项调查的结果是，其中第一、二、四项调查，马克思均荣登榜首，只有第三项调查，爱因斯坦第一，一票之差，马克思位列第二。

需要指出的是，这种评选所进行的是四次，而非一次，这就获得了印证性。这种评选在英国进行，上述第二项调查在全球互联网上公开征集，这就获得了广泛性。另外，这种评选不是在国际共产主义运动处于高潮，而是在其处于低潮时进行的，因而这就体现了本质性。或者说，这是具有社会良知的人们所作出的一种社会公决。评选结果出来以后，其中有一个举办方坦言，这个结果完全超出他们的意料。

如何解释这一结果呢？作为其中一项评选的组织者，英国广播公司“我们的时代”栏目主持人布拉格说：“马克思当选为最伟大的哲学家有诸多因素，但是能够解释一切的理论是他夺冠的最重要原因。”剑桥大学政治学教授加里斯特·琼斯也就此发表评论说：“如果你读《共产党宣言》，你不得不承认它是一个很有力、很了不起的文件。虽然出版于1848年，但我们现在经常谈到的全球化、裁员、跨国公司、世界经济朝这个或那个方向发展，所有这些内容书中都能找到，它有令人惊讶的现实意义，其他任何文件都没有这个力量。”① 英国工党全国执行委员会的成员之一赛登在《卫报》上也发表文章，来说明马克思为什么在评选时得票率最高的原因。他说：“马克思现在仍对世人有启迪作用。重温马克思有关历史和辩证唯物主义理论，我们能够看到马克

① 转引自靳辉明：《关于马克思主义理论学科建设的几点思考》，《思想理论教育导刊》，2006（11）。

思不愧是一位天才。他的理论可以‘解释一切’。”[①]

2008年由美国引发的给世界各国造成巨大危害的金融危机爆发，“许多国家的民众再度写到和谈到马克思。在英语国家，关于马克思思想的研讨会和大学课程重新流行起来。《资本论》又一次成为德国的畅销书。”[②] 据德国柏林专门出版马克思著作的卡尔迪次出版社总经理介绍，2009年《资本论》第一册的销量比2008年多5倍以上。2004年以前该社每年平均售出马克思全集100余套，但2009年的1天就销售马克思全集89套，而且征订数量直线上升。这位总经理说，马克思的《资本论》等著作重新热起来，反映了德国社会当前所面临的状况，社会遇到的问题越多，就会有更多的人试图从马克思的著作中寻找答案。

总之，马克思仍有魅力，仍然在场，仍然活在当代人心中。他的巨大影响不是来自权力的支持，或金钱的运作，而是来自马克思学说的真理的力量。当然，马克思学说的真理不是一般的真理，而是从现实的人出发，以人为本，追求人类彻底解放，实现人的全面自由发展的真理。

---

① 转引自易杰雄：《西方世界推崇马克思的原因探究》，《北京大学学报》（哲学社会科学版），2006（2）。

② 马尔切诺·穆斯托：《马克思——伟人回归》，《参考消息》，2012·7·24。

马克思主义哲学是“一块整钢”*

——评《马克思主义哲学的二重化》

陈志良、杨耕先生在1989年5月15日的《光明日报》上载文：《马克思主义哲学的二重化》（以下简称“陈文”）。该文认为：“马克思主义哲学是‘一块整钢’般的一体化哲学，……这是一个理论‘误区’。”“马克思主义哲学在马克思恩格斯时代已经内在地二重化了”，这就是以马克思为代表的“实践唯物主义”和以恩格斯为代表的“现代唯物主义”的二重化。

那么根据何在呢？陈文认为，第一，由于马克思恩格斯走的是不同的哲学道路，因而形成了不同的哲学导向，即马克思“以研究‘自我意识’为起点”，最终建立了“体现人文主义导向”的实践唯物主义；而恩格斯则是受到“重视自然科学的英国唯物主义”的“一定影响”，最终建立了“体现科学主义导向”的现代唯物主义。陈文认为，“现代唯物主义”就是由后人所概括的“辩证唯物主义”。第二，辩证唯物主义与实践唯物主义的坐标体系不同，前者“以客体为坐标”，后者“以主体为坐标”；出发点不同，前者“从物质出发”，后者“从实践出发”；建构原则不同，前者以物质为普照光，后者“以实践为‘普照光’”；侧重点不同，前者“关注的是人和自然都必须服从的‘普遍规律’”，后者关注的是“人类自身的发展”。故而陈文认为，辩证唯物主义与实践唯物主义是“两个系统，不能同构”。

对于陈文关于马克思主义哲学二重化的观点及其论证，笔者不敢苟同。下面谈一些粗浅的认识，与陈志良、杨耕先生商榷。

---

* 原刊于《高校理论战线》，1991（5）。

一、“二重化”与“一块整钢”的对立

马克思主义哲学是一块整钢般的一体化哲学，这是列宁对马克思主义哲学特点的一个概括。列宁是在《唯物主义和经验批判主义》一书中，针对波格丹诺夫修正马克思主义哲学，宣扬所谓“社会存在和社会意识是等同的”错误观点而提出这个命题的。列宁认为，马克思主义哲学是一个包括唯物史观在内的严整的彻底的科学世界观。“在这个由一整块钢铸成的马克思主义哲学中，决不可去掉任何一个基本前提、任何一个重要部分，不然就会离开客观真理，就会落入资产阶级反动谬误的怀抱。”①

近几十年来，列宁关于“马克思主义哲学是一块整钢般的一体化哲学”这一命题受到来自西方马克思主义的挑战。它们制造了马克思与恩格斯对立的神话，以求达到肢解马克思主义哲学的目的。这一“神话”也传入我国，一些人对此不加分析，盲目信从。

陈文就是打上了这种影响的明显印记，甚至在某些方面走得还要更远一些。比如，陈文为了论证所谓“二重化”的观点，竟然认为马克思恩格斯所走的哲学道路从来就是不同的。如此“彻底”的观点，在西方马克思主义那里也难见到。拿施密特来说，虽然他大谈马克思与恩格斯在思路上的分歧（当然，笔者并不赞同），但他还是承认：“直到《关于费尔巴哈的提纲》为止，要讲清马克思和恩格斯的理论观点的不同之处，几乎是不可能的。”② 陈文在这一点上显然有了突破。

如果按照陈文所言，马克思主义哲学的两位创始人一开始就是沿着两条不同的哲学道路分别前进的，那么也就是说，马克思主义哲学从来就没有作为一个完整体系存在过，它只是马克思和恩格斯的两个不能同构的哲学思想的凑合。既然如此，又何来陈文所谓的“二重化”，而且是“内在地二重化”？不难看出，陈文的上述论据含有不可克服的逻辑矛盾。

---

① 《列宁选集》第2卷，220、221页，北京：人民出版社，2012年。

② ［德］A.施密特：《马克思的自然概念》，欧力同、吴仲昉译，46页，北京：商务印书馆，1988年。

当然，笔者不赞成陈文的观点，不仅因为它在逻辑上不能成立，主要还在于这种观点有悖于历史的真实。

二、马恩的哲学道路是“殊途同归”

马克思恩格斯在成为马克思主义者以前，是走过不同的哲学道路。但是这不能成为所谓“二重化”立论的根据。因为：

第一，这种不同主要不是如陈文所说的，马克思在哲学思想的演变过程中，经过了“自我意识”哲学这一阶段，恩格斯则没有经过这一阶段，而是受到重视自然科学的英国唯物主义的影响，等等。这种不同主要表现在，马克思是通过对黑格尔哲学，特别是黑格尔法哲学的批判，形成了市民社会决定国家的唯物史观的思想萌芽。[①] 恩格斯则主要是在对资产阶级经济学的批判分析中，揭示了经济条件和经济利益对于人类社会发展的最终决定作用。[②]

第二，这种不同不是陈文所认为的二水分流，而是殊途同归。关于这一点，有马克思恩格斯的言论为证。马克思在1859年写作的《〈政治经济学批判〉序言》中回忆说：“自从弗里德里希·恩格斯批判经济学范畴的天才大纲（指《〈政治经济学批判大纲〉》——引者注）……发表以后，我同他不断通信交换意见，他从另一条道路（参见他的《英国工人阶级状况》）得出同我一样的结果。”[③] 恩格斯1885年在论述共产主义者同盟的历史时，也曾回忆说：“当我1844年夏天在巴黎拜访马克思时，我们在一切理论领域中都显出意见完全一致，从此就开始了我们共同的工作。”[④]

在以后的几十年中，这两位巨人携手合作，肝胆相照，共同锻造着无产阶级争取解放的哲学武器。陈文无视这一历史事实，任意剪裁历史，杜撰所谓“二重化”的论据，这样做是很不妥的。那么，马克思恩格斯共同锻造的哲学武器是什么呢？它就是近几年被某些论者大

① 参见《马克思恩格斯全集》第1卷，250、251页，北京：人民出版社，1956年。

② 参见《马克思恩格斯全集》第19卷，259页，北京：人民出版社，1963年。

③ 《马克思恩格斯选集》第2卷，33页，北京：人民出版社，1995年。

④ 《马克思恩格斯选集》第4卷，196页，北京：人民出版社，1995年。

加贬谪，也在陈文中受到不公对待的，作为马克思主义哲学世界观的辩证唯物主义。

三、马恩哲学导向的根本一致

陈文认为，“辩证唯物主义……只是恩格斯现代唯物主义的逻辑贯彻”，“抛弃的正是马克思的实践唯物主义”。这就是说，在陈文看来，辩证唯物主义只是体现了恩格斯的哲学思想，并不代表马克思的哲学思想；而马克思的哲学思想是实践唯物主义，不同于恩格斯的哲学思想。事情的真实情况如何呢？

“辩证唯物主义”这一概念，虽然不是由马克思，也不是由恩格斯提出来的，但在笔者看来，这一概念确实又是对他们的哲学世界观的一种简明而科学的概括。

首先用辩证唯物主义来称谓自己哲学的是把马克思作为该派之首的工人哲学家约·狄慈根。后来，普列汉诺夫在1891年发表的《黑格尔逝世六十周年》一文中，五次使用了辩证唯物主义来称谓马克思主义哲学。

对于狄慈根和普列汉诺夫的上述概括，恩格斯都给予了肯定。恩格斯在《路德维希·费尔巴哈和德国古典哲学的终结》中指出：“值得注意的是，不仅我们发现了这个多年来已成为我们最好的工具和最锐利的武器的唯物主义辩证法，而且德国工人约瑟夫·狄慈根不依靠我们，甚至不依靠黑格尔也发现了它。”① 对于普列汉诺夫的上述文章，恩格斯1891年12月3日在致考茨基的信中也赞扬说：“文章好极了。”② 应该承认，这也包括了对该文中使用辩证唯物主义这一重要概念的肯定。

现在的问题是，辩证唯物主义，是否如陈文所说，只是反映了恩格斯的哲学思想，而没有体现马克思的哲学思想。笔者认为，根本不是这样。

恩格斯曾明确说过：“马克思和我，可以说是把自觉的辩证法从德

① 《马克思恩格斯选集》第4卷，243页，北京：人民出版社，1995年。

② 《马克思恩格斯全集》第38卷，236页，北京：人民出版社，1972年。

国唯心主义哲学中拯救出来并用于唯物主义的自然观和历史观的唯一的人。”①

马克思也曾多次郑重声明：“黑格尔辩证法……无疑是整个哲学的最新成就。”②“德国的先生们认为，黑格尔的辩证法是条‘死狗’”③，而“恩格斯和我……严肃地对待死狗黑格尔”④，“公开承认我是这位大思想家的学生”。只不过，“辩证法在黑格尔手中神秘化了”，正是在这个意义上马克思指出：“我的辩证方法，从根本上来说，不仅和黑格尔的辩证方法不同，而且和它截然相反。”⑤“因为我是唯物主义者，黑格尔是唯心主义者”⑥。

由此可见，陈文把辩证唯物主义说成是对马克思哲学思想的背离，而仅仅是恩格斯哲学思想的逻辑贯彻，是没有丝毫根据的。

另外，陈文把实践的唯物主义说成仅仅是马克思的哲学思想，而不是对恩格斯哲学思想的体现，这也没有丝毫根据。如果尊重历史事实，那么就应该承认，无论是马克思还是恩格斯都没有把马克思主义哲学体系直接概括为“实践的唯物主义”。但是同时又应该承认，马克思和恩格斯又确实在自己的著作中运用了“把感性理解为实践活动的唯物主义”和“实践的唯物主义者”⑦这样两个概念。运用这两个概念，意在强调他们所主张的新唯物主义的实践本性。换句话说，马克思主义的唯物主义是一种通过实践来理解并改造世界的唯物主义。

因此，今人把马克思主义哲学概括为实践的唯物主义，可以视为是对马克思恩格斯上述思想的一种引申。如果不是像某些人那样，把实践唯物主义曲解为“实践本体论”或“超越论”，而是在强调马克思主义哲学的实践本性的意义上，那么把马克思主义哲学概括为实践唯物主义，我认为是可取的，这是符合马克思哲学思想同时也是符合恩格斯哲学思想的一种科学的引申。关于实践唯物主义也体现了恩格斯

---

① 《马克思恩格斯选集》第3卷，349页，北京：人民出版社，1995年。
② 《马克思恩格斯全集》第29卷，540页，北京：人民出版社，1972年。
③ 《马克思恩格斯全集》第32卷，18页，北京：人民出版社，1974年。
④ 《马克思恩格斯全集》第32卷，672页，北京：人民出版社，1974年。
⑤ 《马克思恩格斯选集》第2卷，111、112页，北京：人民出版社，1995年。
⑥ 《马克思恩格斯文集》第10卷，280页，北京：人民出版社，2009年。
⑦ 《马克思恩格斯选集》第1卷，60、75页，北京：人民出版社，1995年。

的哲学思想，陈文对此持否定态度，而在笔者看来，只要指出如下事实，就足以说明问题了。

在关于实践唯物主义的文本性的证明中，人们从马克思恩格斯的著作中引用得比较多的有两点理论根据。其中一点是在《关于费尔巴哈的提纲》（以下简称《提纲》）中。《提纲》指出："新唯物主义"是"把感性理解为实践活动的唯物主义"①。第二点是在《德意志意识形态》中。这一著作中提到："对实践的唯物主义者即共产主义者说来，全部问题都在于使现存世界革命化，实际地反对并改变现有的事物。"②

《提纲》的作者是马克思，它标志着马克思经过实践探索和理性批判的艰难历程以后，实现了与费尔巴哈人本主义以及一切旧哲学的彻底决裂，同时也标志着新世界观的萌生。

但是从马克思1844—1847年的旧笔记中发现这个提纲并给予高度评价的是恩格斯。恩格斯认为这是"非常宝贵的"、"包含着新世界观的天才萌芽的第一个文件"③。并且在1888年他把《提纲》收入他的《路德维希·费尔巴哈和德国古典哲学的终结》一书单行本中，作为附录第一次发表出来。以上事实说明，恩格斯对于贯穿于《提纲》中的科学的实践观，对于马克思关于"把感性理解为实践活动的唯物主义"思想是完全赞同的。

《德意志意识形态》是马克思主义哲学世界观的第一次系统的表述，是马克思恩格斯合写的一本极为重要的著作，其中的上述论述体现了马克思恩格斯的共同哲学思想，这也是毫无疑义的。

可见，陈文无视上述基本事实，把实践唯物主义说成是与恩格斯哲学思想相对立的另一种哲学体系，这是极不严肃的，其观点是不能令人赞同的。

四、实践唯物论与辩证唯物论的统一

笔者认为，马克思主义哲学是辩证唯物主义，同时马克思主义哲

① 《马克思恩格斯选集》第1卷，60页，北京：人民出版社，1995年。
② 《马克思恩格斯选集》第1卷，75页，北京：人民出版社，1995年。
③ 《马克思恩格斯选集》第4卷，213页，北京：人民出版社，1995年。

学也是实践唯物主义。“辩证唯物主义”准确地表达了马克思主义哲学是唯物主义和辩证法的有机统一，高度概括了它的最本质的特征。“实践唯物主义”这一概念则强调指出了马克思主义哲学唯物主义的实践本性。因而从一定意义上说，用辩证唯物主义或用实践唯物主义来称谓马克思主义哲学都是可以的。因此，决不能用实践唯物主义来推翻和取代辩证唯物主义，同时也不应否认用“实践唯物主义”概念来表达马克思主义哲学实践本性的科学性和价值。

实践唯物主义和辩证唯物主义这两个概念的前提和基础是共同的，都坚持唯物主义，即承认物质第一性，意识第二性，物质是世界的本质。承认这个前提，就与唯心主义以及“实践本体论”“超越论”等错误理论划清了界质。实践唯物主义坚持唯物主义，又强调实践的重要地位，既讲尊重客观实际，又讲充分发挥主体的能动作用。坚持实践唯物主义，就与直观唯物主义划清了界限。辩证唯物主义既坚持唯物主义，又强调要坚持辩证法，既讲万事万物的客观物质性，又讲万事万物的运动、变化和发展性。坚持辩证唯物主义，就与形而上学唯物主义划清了界限。

马克思主义哲学的辩证本性与实践本性不是相互排斥，而是密切联系、根本一致的。

辩证唯物主义是为了付诸实践的唯物主义。正如马克思所说：“哲学家们只是用不同的方式解释世界，而问题在于改变世界。”① 当然，这决不只是马克思主义哲学家的一种价值取向，而是取决于辩证唯物主义哲学的本质规定。马克思在谈到唯物辩证法的本质时指出：“辩证法，在其合理的形态上，引起统治阶级及其夸夸其谈的理论家们的恼怒和恐怖，因为辩证法在对现存事物的肯定的理解中同时包含对现存事物的必然的否定的理解，即对现存事物的必然灭亡的理解；辩证法把运动本身的一切既成形式都看作是过渡的形式，因此它不崇拜任何东西，按其本质来说，它是批判的和革命的。”② 只有革命实践才是人的真正的批判活动，才是人对现在事物实现否定的手段。所以，坚持辩证唯物主义，必然要肯定革命实践的辩证否定性及其重大意义。换

① 《马克思恩格斯选集》第1卷，61页，北京：人民出版社，1995年。

② ［德］马克思：《资本论》第1卷，846—847页，北京：中国社会科学出版社，1984年。

句话说，也就是，辩证唯物主义必然是实践唯物主义。

同样，实践唯物主义也就是主张通过实践推动主体和客体辩证发展的唯物主义。实践能动性既是物质世界辩证发展的最高产物，又是它的最高表现。因此，革命实践的本质在于它的辩证否定性。在这种辩证否定中，推动了世界和人自身的发展。所以承认实践唯物主义，就必然会承认通过实践所展示的以及所实现的物质世界的辩证发展。换句话说，实践唯物主义必然是辩证唯物主义。

总之，实践唯物主义与辩证唯物主义是统一的。它们都是从不同角度对马克思主义哲学所做的概括。

五、驳实践唯物论与辩证唯物论的对立论

既然实践唯物主义与辩证唯物主义是对同一个马克思主义哲学的不同称呼，因而也就不存在陈文所谓的实践唯物主义与辩证唯物主义不能同构的问题。陈文所列的关于上述两者在思维坐标、出发点、建构原则、侧重点等四个方面的不同。在笔者看来，其中有的是人为的虚设，有的可以合理地加以说明。陈文所谓的“二重化”，并不能从这里获得任何支持。

第一，所谓实践唯物主义以主体为坐标，辩证唯物主义以客体为坐标。我认为，这是纯粹的虚构。马克思在《关于费尔巴哈的提纲》第一条中，批评旧唯物主义“只是从客体……形式去理解”事物，没有从主体形式去理解事物。但是并没有说，可以不从客体，而只从主体去理解事物。马克思指出，黑格尔等唯心主义哲学家只是抽象地发挥了能动的方面，他们和旧唯物主义者一样，也不懂得真正的实践活动的含义。在马克思看来，应该从主体性原则和客体性原则两个方面及其统一——实践原则去理解事物。恩格斯在批评自然主义的观点时指出：“人的思维的最本质的和最切近的基础，正是人所引起的自然界的变化。”① 实践既是一种客观物质性活动，又是一种主体能动性活动。因此，从实践方面去理解事物，就包含了从客体和主体两个方面去理解事物。陈文所谓的实践唯物主义以主体为坐标，辩证唯物主义以客

① 《马克思恩格斯选集》第4卷，329页，北京：人民出版社，1995年。

体为坐标，在这里犯了双重错误。其一是把主体性原则完全等同于实践原则，这样就把客体性原则从实践范畴中排除了出去，作这种理解是片面的，是背离马克思主义的实践观点的。其二是把辩证唯物主义贬低为只从客体方面去理解事物的旧唯物主义，这样也就否定了辩证唯物主义对旧唯物主义的变革。

第二，陈文认为，实践唯物主义的出发点是实践，辩证唯物主义的出发点是物质。陈文这里的“出发点”指的是哲学的逻辑起点。关于如何确立马克思主义哲学的逻辑起点这个问题，留待后文再说。这里只是指出，陈文把从实践出发和从客观实际出发对立起来，是很不妥的，是与实践唯物主义的含义相悖的。如前所说，实践唯物主义这个概念本身已经表明，它是以承认唯物主义为前提的，是在这个前提之下承认实践的作用、主体的作用的。陈文脱离这个前提，在与物质相对立的意义上使用实践概念，作这种理解的实践并不是实践唯物主义所说的实践，而只能是唯心主义的实践观。物质自然界相对于实践具有无条件的先在性，实践中主体的机体以及环境、工具和劳动对象等都是物质的存在形式，参与实践的精神力量，也是物质的机能。因此，在归根到底的意义上，实践统一于物质，实践是物质的活动。所以，马克思恩格斯称实践是“物质实践”①，是“现实的、感性的活动”②。正是基于对实践的这一科学认识，马克思恩格斯认为，必须从物质实践出发来考察世界（注意，考察世界的出发点与在思维中再现世界的逻辑起点是两个不同的概念，见后文），指出这是“符合现实生活的……观察方法”③。因为实践活动，特别是它的基本形式——物质生产是在自然基础上进行的，所以马克思恩格斯又指出：“应当从这些自然基础以及它们在历史进程中由于人们的活动而发生的变更出发。”④由此可见，把实践与物质对立起来，从脱离物质前提的所谓实践出发，这并不是实践唯物主义的观点，而只能是陈文的一个杜撰。

第三，所谓辩证唯物主义与实践唯物主义的建构原则不同。陈文

① 《马克思恩格斯全集》第3卷，43页，北京：人民出版社，1960年。
② 《马克思恩格斯选集》第1卷，58页，北京：人民出版社，1995年。
③ 《马克思恩格斯选集》第1卷，72页，北京：人民出版社，1995年。
④ 《马克思恩格斯选集》第1卷，67页，北京：人民出版社，1995年。

认为，辩证唯物主义以物质为逻辑起点，以物质发展的原则来建构体系，而实践唯物主义的建构原则是从现时代的实践出发把握和建构世界观。陈文在这里把通过实践把握世界和在逻辑上再现世界这两个问题搞混淆了。在实践基础上把握世界，或者说从物质实践出发来考察世界，从思维行程来说，这是一个从对象的感性具体到达于对象的最基本的本质规定的抽象过程，通过这种抽象揭示事物发展的开端，或者说构成事物的“细胞”。而作为一门完整的学科体系来说，它的建构，它的逻辑的叙述，则是从最简单的最抽象的“细胞”开始，不断地从抽象达于具体，从而在思维中实现作为系统整体的学科对象的再现。不独哲学是这样，每门学科体系的建构都是这样。在马克思主义哲学看来，人们通过实践，特别是生产劳动实践揭示物质与意识的关系，把握了万事万物的共同本质，即物质性，从而确认了物质对于意识、对于人的活动的先在性，相对于万事万物的最广泛的普遍性，以及它以胚芽的形式包含了世界及其未来发展的一切可能性，因而物质也就成为马克思主义哲学展开其逻辑体系的起点。由此可见，通过实践把握世界和在逻辑上再现世界，这是两个前后相继的思维行程。因此，不能因为人们是通过实践把握世界，而推论认为，必须以实践为逻辑起点在思维中再现世界，来建构马克思主义哲学。尽管近年来有些人热衷于这样做，但可以预见，这是绝不可能成功的。

第四，所谓辩证唯物主义与实践唯物主义在研究侧重点上的不同，即前者“所关注的是人和自然都必须服从的普遍规律”，而后者“所关注的是人类自身的发展”。在笔者看来，陈文所说的这个不同，也是毫无根据的想象。陈文在这里完全背离了马克思主义哲学关于自由和必然的相互关系的原理，把“服从规律”和“人的发展”完全对立了起来。如果按照陈文的观点，马克思代表了实践唯物主义，恩格斯代表了辩证唯物主义，那么请问，马克思在哪本著作中讲过，人可以不重视按规律办事，而一味去追求所谓人的发展呢？恩格斯又在哪本著作中讲过，只要消极地服从规律，而不必重视认识和利用规律，去为人类谋利益呢？陈文对此没有进行丝毫的论证，就妄下结论，这种做法，是不可取的。

总之，陈文把实践唯物主义与辩证唯物主义对立起来的四个方面的理由都是不能成立的。

六、马恩的自然观与历史观的统一

马克思主义哲学是一块整钢般的一体化哲学，不仅表现为实践唯物主义与辩证唯物主义的统一，而且还表现为马克思主义哲学的自然观与历史观的统一。

在马克思主义哲学的创立过程中，马克思鉴于费尔巴哈唯物主义“过多地强调自然而过少地强调政治”，从而确立了自己的哲学研究方向，即建立自然与政治的“联盟”；实现唯物主义自然观到唯物主义历史观的向上发展。① 比如，对于人的认识，青年马克思就不是像费尔巴哈那样满足于对人的自然存在的认识，而是着眼于揭示人的存在的真实情景，指出人既是自然存在物，又是能动的社会存在物。在此基础上，马克思恩格斯对原本属于费尔巴哈人本主义的“人和自然的统一”② 这个命题，给予了历史唯物主义的解释，认为早在人类的农业、商业和工业的发展中，“人和自然界的统一”这个命题已经被人们的经验观察所证明。由此，马克思进一步提出了“人化自然”这一概念，认为自从有了人，自在自然就不断地转化为人化的自然。自此，自然史也就变成了与人类史相联系的“历史的自然”。同样，由于历史是人们在自然基础上能动的创造，所以，历史也就成了“自然的历史”。人类社会不过是通过人的活动而实现的自然历史过程。所以马克思说，社会生活在本质上是实践的。正是在对生产劳动的内在矛盾，即生产力与生产关系的矛盾进行科学分析的基础上，马克思恩格斯揭示了社会发展的根本动力和一般规律，从而实现了唯物主义自然观到唯物主义历史观的向上发展。正如列宁所说：“马克思和恩格斯在他们的著作中特别强调的是辩证唯物主义，而不是辩证唯物主义，特别坚持的是历史唯物主义，而不是历史唯物主义。”③ 可是陈文根本无视历史观上的这种变革，而仍然像费尔巴哈那样在“人文”与“自然”的纯粹抽象的对立中思维。殊不知，对于马克思主义哲学来说，离开了唯物主

① 参见《马克思恩格斯全集》第27卷，443页，北京：人民出版社，1972年。

② ［俄］列宁：《哲学笔记》，73页，北京：人民出版社，1974年。

③ 《列宁选集》第2卷，225页，北京：人民出版社，2012年。

义自然观，就不可能产生唯物主义历史观。同样，离开了唯物主义历史观，也不可能产生辩证唯物主义自然观。

在马克思恩格斯通过对社会领域的共同研究，创立了唯物史观以后，为了补充、丰富和完善他们创立的这一历史理论，马克思把主要精力用在研究政治经济学，写作巨著《资本论》上。恩格斯则花相当精力去研究社会历史的自然基础，研究自然辩证法，即用他们在历史研究中形成的唯物辩证方法，去说明自然的发展，以及这种发展如何产生了人和人类社会。

恩格斯《自然辩证法》中的《劳动在从猿到人转变过程中的作用》一文，正是说明了一个从自然界的辩证发展过渡到人类社会的重要理论问题。在创立自然辩证法理论的过程中，马克思给了恩格斯以帮助和支持。从他们留下来的书籍摘要和笔记以及通信中，可以看出这两位友人在自然科学的研究方面，是互相取长补短的。特别是马克思在数学和地质学方面，补充了恩格斯知识准备方面的不足。另外，恩格斯关于自然辩证法研究的一些看法，马克思不仅认为“完全正确”①，而且还给《自然辩证法》以极高评价，认为它是比《反杜林论》“更加重要得多的著作”②。

以上事实说明，根本不存在陈文所说的马克思的“人文主义导向”与恩格斯的“科学主义导向”的对立。在马克思主义哲学创立的过程中，尽管马克思和恩格斯在理论贡献的主要方面有所不同，但是他们的共同任务是借助辩证法这一工具，在唯物主义的基础上，揭示整个客观物质世界发展的一般规律，特别是社会历史发展的一般规律，进而科学地阐明资本主义转变为社会主义、共产主义的规律，从而创立了科学社会主义学说。换句话说，运用马克思主义的辩证唯物主义来研究现实世界，必然在我们面前展现出一个无产阶级革命时代的前景。这就是马克思主义哲学具有科学性和革命性高度统一的集中表现。马克思主义哲学之所以具有这样的特点，就是因为它完整而严谨，它是“一块整钢”。如果人为地把马克思主义哲学“二重化”，那就如列宁所

---

① 《马克思恩格斯全集》第31卷，321页，北京：人民出版社，1972年。

② 《马克思恩格斯全集》第34卷，194页，北京：人民出版社，1972年。

说的，“就会离开客观真理，就会落入资产阶级反动谬论的怀抱”①。

应该指出，近年来，有些文章在“实践唯物主义”的名义下论证和宣传同马克思主义相对立的另一种哲学体系，即所谓“实践本体论”“实践一元论”或“超越哲学”。如果说这种“实践唯物主义”与“辩证唯物主义”根本不同，那倒是完全合乎实际的。但是，把这种“实践唯物主义”强加于马克思，进而制造马克思和恩格斯哲学思想的对立，那是对马克思主义哲学的严重歪曲。

① 《列宁选集》第2卷，221—222页，北京：人民出版社，2012年。

马克思主义关于自然与人的辩证统一理论*

马克思恩格斯关于自然与人的辩证统一理论，是马克思主义哲学的一个最基本的理论，是马克思恩格斯所实现的哲学变革的一个重大成果。只有坚持这一理论，才能从根本上坚持马克思主义辩证唯物主义的一体化哲学，才能划清与旧唯物主义和唯心主义的界限，才能有助于澄清目前哲学讨论中一些理论观点的是非。

一、自然与人相统一的两个基础

哲学作为人们从世界观角度把握世界的一种方式，它必须要建立关于世界统一性的理论，即要建立关于自然与人（包括人的社会和人的精神）相统一的理论。所不同的是：旧唯物主义、唯心主义、马克思主义哲学对于自然与人相统一的基础，各有不同的说明，从而形成了它们之间的原则分歧。

旧唯物主义主张从自然本身来理解自然与人的统一。这有对的一面，但它又仅仅以自然为基础来理解这种统一，因而完全排除了人的能动活动在人与自然统一中的作用和意义。所以这种统一观导致了旧唯物主义的两个主要缺陷：一是自然观上的形而上学性；二是历史观上陷入了唯心主义。

与旧唯物主义相反，唯心主义则是以精神为基础来说明自然与人的统一性。从柏拉图到黑格尔都持有这种观点。所不同的是，黑格尔在其关于绝对精神异化与复归的论述中，贯穿了“作为推动原则和创造原则的否定性的辩证法”，并且把这种否定性理解为劳动活动，以此

* 原刊于《晋阳学刊》，1991（5）。

作为一个环节来说明自然与人的统一。但是黑格尔所理解的劳动乃是抽象的精神的劳动，由此，黑格尔关于自然与人相统一的合理思想罩上了神秘主义的色彩。

鉴于在自然与人的统一问题上，旧唯物主义和唯心主义各自的片面性和错误，马克思恩格斯提出了关于自然与人在自然基础和实践基础上辩证统一的理论。马克思认为："人直接地是自然存在物"，"是自然界的一部分"①。他又说："人的存在是有机生命所经历的前一个过程的结果。只有在这个过程的一定阶段上，人才成为人。"② 恩格斯也指出："人本身是自然界的产物，是在自己所处的环境中并且和这个环境一起发展起来的。"③"我们连同我们的肉、血和头脑都是属于自然界和存在于自然之中的"④。可见，在他们看来，自然与人首先是在自然基础上的统一。

但马克思恩格斯又认为，人不是一般的自然存在物，而"是能动的自然存在物"⑤。人是在自然基础上通过劳动改造自然同时也改造自身的存在物。因此，自从有了人，自然也就不断从自在的自然转化为人化的自然。自此，自然史也就变成了与人类史相联系的"历史的自然"。同样，由于历史是人们在自然基础上能动的创造，所以，"历史是人的真正的自然史"⑥。他说："在工业中向来就有那个很著名的'人和自然的统一'，而且这种统一在每一个时代都随着工业或快或慢的发展而不断改变。"⑦

由此可见，要坚持马克思主义关于自然与人的辩证统一理论，既要讲自然基础，同时也要讲实践基础，要坚持这两个基础的辩证统一。这样，在自然与人相统一的问题上，才能既坚持唯物主义，而又能与局限于自然主义的旧唯物主义划清界限，同时既能吸取唯心主义，特别是黑格尔哲学关于人的能动活动及其意义的思想成果，又排除了唯

① 《马克思恩格斯文集》第1卷，209、161页，北京：人民出版社，2009年。
② 《马克思恩格斯全集》第26卷（Ⅱ），545页，北京：人民出版社，1974年。
③ 《马克思恩格斯选集》第3卷，374、375页，北京：人民出版社，1995年。
④ 《马克思恩格斯选集》第4卷，384页，北京：人民出版社，1995年。
⑤ 《马克思恩格斯文集》第1卷，209页，北京：人民出版社，2009年。
⑥ 《马克思恩格斯文集》第1卷，211页，北京：人民出版社，2009年。
⑦ 《马克思恩格斯选集》第1卷，76—77页，北京：人民出版社，1995年。

心主义的糟粕，从而真正体现了马克思恩格斯所实现的哲学变革的实质。

二、“实践本体论”为何不能成立

肯定自然与人是在自然基础和实践基础上的辩证统一，会不会导致在马克思主义关于自然与人统一理论上的二元对立呢？应该承认，如果把这两个基础平列起来，这种担心不是多余的。然而在马克思主义创始人看来，自然与人相统一的自然基础和实践基础，是在不同层次上说的。自然与人相统一的自然基础是在一般世界观，即本体论意义上说的。自然与人相统一的实践基础，是从社会历史观意义上说的。因此，不能把上述不同层次上的两个基础平列起来，甚至颠倒过来。

从本体论的角度来说，物质自然界作为整体先于实践而存在，它是实践及进行实践的人的前提和基础。实践只是物质运动的一种形式，即物质自然界发展的高级形态——社会人与自然界进行物质变换的一种形式。

人通过劳动对自然的改造，只是“人自身作为一种自然力和自然物质相对立的”①。人的劳动能够得以进行，也是因为“整个自然界——首先作为人的直接的生活资料，其次作为人的生命活动的材料、对象（材料）、工具——变成人的无机的身体”②。

另外，人之所以能通过劳动改造自然界，归根到底也是因为人与自然是一致的，是根源于自然界的。正如马克思所指出的：人“所以能创造或设定对象，只是因为他是被对象所设定的，因为它本来就是自然界”③。很显然，在自然与人的辩证统一关系中，不是实践基础优先于自然基础，而是自然基础优先于实践基础。

那么在自然与人的统一中，承认自然基础相对于实践基础的先在性、根源性，即承认物质本体论，会不会贬低实践基础在自然与人统一中的地位和作用，以及实践在马克思主义哲学中的地位和作用呢？

① ［德］马克思：《资本论》第1卷，202页，北京：人民出版社，1975年。
② 《马克思恩格斯文集》第1卷，161页，北京：人民出版社，2009年。
③ 《马克思恩格斯文集》第1卷，209页，北京：人民出版社，2009年。

不仅不会贬低，而且恰恰为实践的客观地位和作用提供了物质性的根据和科学的说明。

事实上，马克思、恩格斯在创立自己哲学的过程中，正是从自然与人相统一的物质自然基础这个根本的前提出发，论证了劳动的客观物质性，进而论证了劳动所创造的人类社会及其运动规律的客观性，说明了自然向人类社会的转化和人类社会的发展是一个通过人的实践实现的自然历史过程。

实践本体论为什么错误，说到底就在于，在自然与人的统一中，它否定自然基础的第一位的作用，而把实践基础的作用说成是第一位的，从而对实践作了本体的理解。这一观点认为："离开人的实践活动，一切存在对人来说都无从谈起"，"实践之外是否有某物存在""是十足的形而上学的先验问题"。于是实践成了无条件的绝对，成了世界的本体。这一观点在现实生活中和科学发展中都是找不到任何证明的。

它唯一用来作为证据的是马克思的一句话："被抽象地理解的、自为的、被确定为与人分隔开来的自然界，对人来说也是无。"① 正如不少文章已经指出的，马克思这段话是批判黑格尔那种与真实的人相分离的抽象思维是"无"。因此，从这种抽象思维中派生出来的自然界当然"也是无"。因此，这段话并不能成为实践本体论立论的根据。

另外，实践本体论者把实践抬高到本体的地位，这也就逻辑地否定了实践的自然物质前提，否定了实践的客观物质性的根据。这样一来也就为唯心主义地理解实践开了方便之门。实践是一种客观物质活动，但又不是纯客观的本能活动，它终始是和人的意识相联系而存在的。当然，实践参与因素的客观性与参与因素的主观性不是平列的，而是实践参与因素的客观性决定了实践参与因素的主观性。但是，如果排除了实践的自然前提和物质根据，那么实践参与因素的客观物质性也就不见了，剩下的也就只有纯粹的主观性了。哲学史上，黑格尔主义的实践观、实用主义实践观以及西方马克思主义所宣扬的实践一元论哲学，实际上都是对实践作了纯主观的解释，即唯心主义的解释。

由此可见，只承认自然与人相统一的实践基础，进而把实践本体化，并主张用实践本体论取代物质本体论的观点，已经逻辑地包含了

① 《马克思恩格斯文集》第1卷，220页，北京：人民出版社，2009年。

走向唯心主义的可能。所以，吸取哲学史上一些哲学家在实践问题上失足于唯心主义的教训，不无借鉴意义。

三、实践唯物论与辩证唯物论的统一

自然与人在自然基础和实践基础上的统一，这种统一是如何实现的呢？是在辩证运动中实现的，所以这种统一是辩证的统一。具体说来就是，自然界的辩证发展形成了自然史。在自然发展的一定阶段上产生了人。人在自然基础上，通过劳动改造自然，改造自身，创造了人类的历史。由此，马克思认为："人类史是我们自己创造的，而自然史不是我们自己创造的。"① 恩格斯也说过："社会发展史却有一点是和自然发展史根本不同的。在自然界中（如果我们把人对自然界的反作用撇开不谈）全是没有意识的、盲目的动力，……相反，在社会历史领域内进行活动的，是具有意识的、经过思虑或凭激情行动的、追求某种目的的人。"②

在承认自然史与人类史相区别的同时，马克思恩格斯又认为，一旦有了人，自然史和人类史这两方面又是相互联系、相互制约的。他们说："历史可以从两方面来考察，可以把它划分为自然史和人类史，但这两方面是不可分割的；只要有人存在，自然史和人类史就彼此相互制约。"③

综合马克思恩格斯上述两个方面的论述，我们可以得出如下结论：即在人之前，自然界就有自己的辩证发展史，正是这种辩证发展形成了自然与人相统一的自然基础。人产生以后，通过劳动创造了社会的辩证发展，同时也就形成了人与自然相统一的人为基础，即实践基础。

那么能否用实践性来表征和取代马克思唯物主义的辩证本性呢？为了回答这个问题，就有必要来进一步考察辩证法与实践的关系。

物质世界的运动就其表现形式来说，表现为从低级到高级的不断递进的辩证过程，即机械的、物理的、化学的、生物的、社会的运动。

① 《马克思恩格斯文集》第5卷，429页脚注，北京：人民出版社，2009年。

② 《马克思恩格斯选集》第4卷，247页，北京，人民出版社，1995年。

③ 《马克思恩格斯选集》第1卷，66页脚注，北京：人民出版社，1995年。

在这个序列中，后一种运动形式都是以前一种运动形式为基础而发展起来的，但它又比前一种运动形式更深入、更充分地显示世界的辩证性质。社会运动是最高级的运动形式，它是通过发挥人的实践能动性而实现的运动。

因此可以说，实践是物质世界辩证发展的最高表现，因而把握和透过实践，就为从根本上认识世界的辩证性质提供了基础。这与马克思所说的人体解剖是猴体解剖的钥匙，其道理是一样的。但同时也应该看到，实践也只是物质世界辩证发展的一种表现、一个环节，被表现者相对于表现者具有更为根本性，这是不容置疑的。另外，人之前、人之外的自然的辩证发展并不通过实践来表现，这也是不证自明的。

因此，辩证唯物主义强调的是马克思主义唯物主义的辩证本性，是不能用它的实践本性来取代的。当然在强调马克思主义哲学的实践本性的意义上，使用实践唯物主义这一概念是完全可以的。马克思本人也正是在这个意义上使用实践唯物主义和实践的唯物主义者的概念的。

马克思在《关于费尔巴哈的提纲》中说，要“把感性理解为实践活动的唯物主义”[①]。这里的感性指的是感性世界，也就是指那些包括主体人及其活动在内的，经人改变的或由人创造的属人对象和人为系统。对感性世界做实践唯物主义的理解，这是因为“这种连续不断的感性劳动和创造、这种生产，正是整个现存感性世界的基础，……当然，在这种情况下，外部自然界的优先地位仍然保持着……”[②]。

马克思在这里把“感性世界”和“外部自然界”这两个概念是对应着使用的。很显然，对感性世界做实践唯物主义的理解，就是对属人世界做实践唯物主义的理解。运用实践唯物主义者概念的一处是在《德意志意识形态》中，原文是“对实践的唯物主义者即共产主义者来说，全部问题都在于使现存世界革命化，实际地反对和改变现存的事物”[③]。在这一论述接下来的文字中，马克思恩格斯还直截了当地把实践唯物主义者称之为“共产主义的唯物主义者”，认为“正是……共产

---

① 《马克思恩格斯选集》第1卷，56页，北京：人民出版社，1995年。

② 《马克思恩格斯选集》第1卷，77页，北京：人民出版社，1995年。

③ 《马克思恩格斯选集》第1卷，75页，北京：人民出版社，1995年。

主义的唯物主义者看到改造工业和社会制度的必要性和条件……”①。

综合以上两处对实践的唯物主义和实践的唯物主义者的概念的应用，可以看出，马克思恩格斯所理解的实践唯物主义，不是与物质本体论相对立的实践本体论，而是既坚持物质前提，又强调了实践的重要地位的唯物主义。这样就既与唯心主义，又与直观唯物主义划清了界限。

在我国哲学界有些人不同意这一认识。他们认为，实践唯物主义所讲的实践，不是对唯物主义属性的修饰、说明，不是唯物主义比实践更根本，反倒是实践比唯物主义更根本。他们认为，实践不仅是马克思主义历史观的基础，而且在马克思主义自然观中人化自然是以实践为基础的。不错，人化自然是人改造自然的产物，但是请不要忘记，人化自然已经不是一般意义上的自然，用马克思的话说，它本身已经是“历史的自然”，已经是人类社会的一部分了。何况，在归根到底的意义上，也并不存在那种脱离自然的、脱离人对自然的改造关系的纯粹的历史。不仅如此，马克思恩格斯还认为：“把人对自然的关系从历史中排除出去”②，就必然会走上历史唯心主义的老路。因此，不能因为实践是人化自然的基础，就以此作为证据来说明实践具有世界观意义上的普遍涵盖性，不能在实践本体论意义上来理解实践唯物主义。实践唯物主义和辩证唯物主义都是从不同的角度对马克思主义哲学的称谓。因此，把二者对立起来或用实践唯物主义取代辩证唯物主义都是不妥的。

四、所谓哲学导向上的对立是不存在的

坚持自然与人在自然基础和实践基础上的辩证统一，其必然的结论就是，马克思主义的自然观和历史观也是辩证统一的。在马克思主义哲学的形成过程中，马克思主义自然观和历史观是同时诞生的。当然，从理论体系的形成来说，马克思主义的历史唯物主义理论创立在先，马克思主义的自然观理论以及作为马克思主义哲学世界观理论的

① 《马克思恩格斯选集》第1卷，78页，北京：人民出版社，1995年。

② 《马克思恩格斯选集》第1卷，93页，北京：人民出版社，1995年。

辩证唯物主义形成于后，前者主要是马克思的功绩，后者主要是恩格斯的贡献。那么这种情况的存在，能否如某些论者所认为的，这是以马克思为代表的“人文主义导向”和以恩格斯为代表的“科学主义导向”的对立呢？我认为，这种所谓对立是不存在的。

首先，马克思恩格斯在创立唯物主义历史观的时候，虽然没有形成辩证唯物主义自然观理论，但又是从唯物主义自然观出发，才创立了唯物主义历史观。

从历史联系的角度看，费尔巴哈和马克思一开始都是师从于黑格尔唯心主义的。在黑格尔哲学解体的过程中，费尔巴哈所做的工作，就是抓住黑格尔的思维派生存在的唯心主义观点，实现了主宾词的颠倒，说明自然界和以自然界为基础的人才是第一性的，思维是第二性的、派生的。从而在黑格尔唯心主义体系上打开了一个缺口，创立了唯物主义自然观。费尔巴哈对黑格尔的批判，使青年马克思受到极大启发，他开始转到费尔巴哈的自然唯物主义的立场，并运用费尔巴哈的唯物主义的颠倒方法在费尔巴哈所没有涉足的一个全新的领域——社会历史领域开始了对黑格尔唯心主义的批判，从而创立了历史唯物主义。

马克思批评费尔巴哈“过多地强调自然而过少地强调政治，然而这一联盟是现代哲学能够成为真理的唯一联盟”①，建立自然和政治的联盟，用列宁的话说，实现唯物主义从自然观到历史观的向上发展，这就是马克思为自己确立的哲学研究方向。可是有些论者根本无视这种历史的联系，把历史唯物主义这门关于现实的人及其历史发展的科学混同于一般的人文主义，然后在人文与自然的对立中思维。殊不知，对于马克思主义哲学来说，脱离了唯物主义自然观做基础就不可能产生唯物主义历史观。因此，坚持自然与人的统一，坚持自然史与人类史的统一，对于唯物史观的创立来说，是不可或缺的理论前提。

另外，唯物史观的创立主要是马克思的贡献，但恩格斯也作了杰出的工作。为了证明这一点，无须多费笔墨，只要指出如下事实就足够了：在唯物史观创立过程中一系列具有里程碑意义的代表性著作，如《神圣家族》《德意志意识形态》《共产党宣言》《资本论》等，都

① 《马克思恩格斯全集》第27卷，443页，北京，人民出版社，1972年。

是他俩共同完成的。

其次，马克思和恩格斯通过对社会领域的共同研究，形成了辩证唯物主义历史观以后，为了补充、丰富和完善他们所创立的这一历史理论，马克思着力于研究政治经济学，特别是资本主义政治经济学，恩格斯则花费相当精力研究社会历史的自然基础，即对自然界的辩证发展进行考察，从而给历史唯物主义进行哲学世界观的论证，并在整体上完成辩证唯物主义理论的创立工作。因此，辩证唯物主义自然观理论的创立，这是他们创立的历史唯物主义理论的内在要求和必然的延伸，也是创立辩证唯物主义哲学的思维行程的必经阶段。

这一思维的发展轨迹，在他们系统表述历史唯物主义的第一部著作《德意志意识形态》中已经初见端倪。《德意志意识形态》指出："在思辨终止的地方，在现实生活面前，正是描述人们实践活动和实际发展过程的真正的实证科学开始的地方。"①

这个地方就是"一切人类生存的第一个前提，也就是一切历史的第一个前提：人们为了'创造历史'，必须能够生活。但是为了生活，首先就需要吃喝住穿以及其他东西"②，因为人"无疑是有生命的个人的存在。因此，第一个需要确认的事实就是这些个人的肉体组织以及由此产生的个人对其他自然的关系"。

所以，马克思、恩格斯认为："任何历史记载都应当从这些自然基础以及它们在历史进程中由于人们的活动而发生的变更出发。"③ 于是对社会历史的自然基础进行考察，作为一个新的研究课题被逻辑地提了出来。

另外，马克思恩格斯在创立历史唯物主义过程中所形成的"自然的历史"和"历史的自然"等辩证观点，也为他们去科学地认识自然，提供了借鉴和指导。因此，在这个意义上也可以说，不从辩证唯物主义历史观的高度去认识自然，也就不可能形成马克思主义自然观理论。这也是旧唯物主义在自然观上陷于形而上学的一个原因所在。正是基于对自然的辩证唯物主义考察，恩格斯创立了关于自然辩证法的理论。

---

① 《马克思恩格斯选集》第1卷，73页，北京：人民出版社，1995年。

② 《马克思恩格斯选集》第1卷，78—79页，北京：人民出版社，1995年。

③ 《马克思恩格斯选集》第1卷，67页，北京：人民出版社，1995年。

对于恩格斯的这一理论贡献，马克思不仅给予了高度评价，而且也部分地参与了这一理论的创立工作。

恩格斯在《反杜林论》第一编和《自然辩证法》等著作中比较集中地论述了马克思主义自然观。关于《反杜林论》，马克思不仅写了其中的第十章，而且这整部著作，直到个别词句也是符合马克思的观点的。因为在这本书付印以前，恩格斯按照两人之间形成的习惯，已把全部原稿念给马克思听了。所以恩格斯在序言中特别声明：“我的这部著作不可能在他不了解的情况下完成，这在我们相互之间是不言而喻的。”① 但是由于受到被批判对象的局限，恩格斯在《反杜林论》中还未能详尽地阐述自然科学问题，特别是自然科学与哲学的关系问题，而这正是恩格斯写作《自然辩证法》所要解决的问题。

人所共知，恩格斯《自然辩证法》的写作，同样是同马克思事先商讨并得到马克思支持的。后来恩格斯在回顾这一点时说：“马克思和我，可以说是把自觉的辩证法从德国唯心主义哲学中拯救出来并用于唯物主义的自然观和历史观的唯一的人。可是要创立辩证的同时又是唯物主义的自然观，需要具备数学和自然科学的知识。”② 因而这是一个巨大的工程，所以马克思只有和恩格斯分工合作才能胜任。

从他们遗留下来的书籍摘要和笔记以及通信中，可以看出这两位朋友在自然科学研究方面，是互相取长补短的。马克思除了写作经济学的巨著以外，主要是研究数学和地质学，恩格斯则集中精力研究物理、化学和生物学，特别是生物人类学。为了深入研究物理学和化学，恩格斯还拜马克思为师，学习数学，特别是微积分。

至于恩格斯关于自然辩证法研究的一些看法，马克思不仅认为“完全正确”③，而且还认为《自然辩证法》是比《反杜林论》“更加重要得多的著作”④。马克思对《自然辩证法》之所以给予如此崇高的评价，不仅表明了马克思对这本著作中基本观点的赞同，而且主要的是这部著作在马克思主义的世界观体系中，具有重大的意义。

---

① 《马克思恩格斯选集》第 3 卷，347 页，北京：人民出版社，1995 年。

② 《马克思恩格斯选集》第 3 卷，349 页，北京：人民出版社，1995 年。

③ 《马克思恩格斯全集》第 31 卷，321 页，北京：人民出版社，1972 年。

④ 《马克思恩格斯全集》第 34 卷，194 页，北京：人民出版社，1972 年。

这种意义可以概括为三点：第一，恩格斯在此著作中，以辩证唯物主义观点为指导，总结了自然科学的成果，揭示了自然界发展的普遍规律，第一次系统地阐明了他们对“自然史”的根本观点。第二，恩格斯在《自然辩证法》中应用大量的研究成果，充实和丰富了历史唯物主义，特别是《劳动在从猿到人转变过程中的作用》一文，说明了一个从自然过渡到社会的重要理论问题。第三，由于辩证唯物主义自然观以及自然科学观作为他们共同创立的哲学世界观的一个重要组成部分，从而填补了基本上是一个空白的理论领域，使他们的哲学体系更加完整。这样就实现了马克思早年预言的“自然科学往后将包括关于人的科学，正像关于人的科学包括自然科学一样：这将是一门科学”①。这门科学就是作为自然科学和关于人的科学的概括和总结的辩证唯物主义哲学。

因此，根本不存在某些论者所谓的马克思的“人文主义导向”和恩格斯的“科学主义导向”的对立。在马克思主义哲学创立的过程中，尽管马克思和恩格斯在理论贡献的主要方面有所不同，但那也只是在坚持自然与人辩证统一的前提下，理论研究的分工和侧重点的不同。但分工不等于分家，更不等于对立，而是相互补充、相互验证、相互促进的关系。马克思主义哲学创立的过程，就是从一般唯物主义自然观上升到唯物主义历史观，继而又在更高层次上，即辩证思维层次上回复到唯物主义自然观的一个不断丰富、不断整合的辩证发展过程。

马克思主义哲学是一块整钢，即辩证唯物主义的一体化哲学。谁要是置马克思主义哲学的整个创立过程于不顾，谁要是置马克思主义哲学的整体联系于不顾，把其中的某一阶段或某一观点孤立起来，加以夸大，并与其他阶段或其他观点对立起来，那么就会肢解马克思主义哲学，而这是不能允许的。那种把实践本体化的观点，用实践唯物主义取代辩证唯物主义的观点以及所谓马克思和恩格斯在哲学导向上互相对立的观点等，从方法论的角度来说，都是失足于这种孤立的、片面的思维方式。

① 《马克思恩格斯文集》第1卷，194页，北京：人民出版社，2009年。

论马克思主义哲学理论结构的生态维度*

一、问题的提起

在全球性生态问题日趋严重的时代背景下，人们在思索这样一个问题：马克思恩格斯创立的马克思主义哲学是否留下某些相关论述，能给今人以思想启迪和行动指导（本文所论只涉及马克思与恩格斯的哲学思想）。在对这个问题的探讨中，西方的绿色理论认为，马克思主义没有自己的生态理论。理由是，马克思恩格斯彰显人的主体性、能动性，赞美“人对自然力的征服”，强调生产，漠视生态，因而是“生产主义”者、“经济决定论”者。他们追求生产力的普遍发展，实际是要把世界变成一个“大工场”①。西方论者的这一观点，在我国和者盖寡。但确也有人认为，说马克思恩格斯有生态理论，似乎有些牵强；因为在马克思恩格斯那里只有自然概念，并无生态概念。但是，这一观点并未获得多数论者的赞同。也就是说，多数论者是肯定马克思恩格斯有其生态理论的；诚然，在肯定的程度上，有或浓或淡的差别。比如，有论者认为，马克思主义哲学有生态思想；另有论者进一步认为，马克思主义哲学不仅有生态思想，而且还形成了统摄其生态思想的主导思想，即马克思主义哲学的生态观；还有论者进一步认为，马克思主义哲学的生态理论不仅是一种生态观，而且还是一种世界观，即马克思主义哲学生态世界观。这就是福斯特等一些论者的生态马克思

---

* 原刊于《哲学动态》，2015（9）。与胡梅叶共同撰写。

① 转引自［美］马丁·杰伊：《法兰克福学派史》，单世联等译，69页，广州：广东人民出版社，1996年。

主义的主张。在他们看来，只有坚持这一主张，才能使马克思主义哲学在当代大放异彩。

梳理上述观点，主要涉及如下一些问题。首先，作为前提性问题，马克思恩格斯所生活的19世纪的西欧，有没有产生今人所谓的生态环境问题；如果有，那么马克思恩格斯是予以关注、研究，并形成了相关理论，还是如“马克思生产主义”论者所认为的，是持一种漠视态度。其次，如果马克思恩格斯确有其生态理论，那么它在马克思主义哲学理论结构中的地位如何。再次，如果肯定马克思主义生态理论的重要地位，那么有哪些基本观点予以支撑。最后，也是最重要的，阐明和把握这个理论及其重要地位，其意义到底如何？

通过深入研究和思考，笔者在上述问题的理解上，获得了以下四点认识：第一，生活于19世纪的马克思恩格斯对当时西欧的生态问题高度关注，并进行了富有成果的研究，从而形成了他们的生态理论。第二，马克思恩格斯生态理论在马克思人的彻底解放学说的理论结构中，是一个支柱性理论。第三，马克思恩格斯生态理论虽然没有获得集中系统的理论表述，但其基本观点已经提出，并可以通过归纳、综合，逻辑地加以展示。第四，坚持和弘扬马克思主义哲学的生态理论，对我们全面系统地把握马克思主义哲学的本质精神、当代发展走向，以及促进人类生态文明事业的发展，都具有重大的理论和现实意义。

二、马克思恩格斯有其生态理论

毋庸讳言，马克思恩格斯在自己的著作中，没有使用过“生态”这一概念，因而也就谈不上用这一概念去标示自己的相关思想和理论成果。据黄枬森先生考证，“生态”一词，是德国科学家海克尔于1866年在其《生物体普通形态学》一书中，作为一个生物学名词首先提出来的。[①] 关于“生态思想”“生态理论”等概念，则是20世纪60年代以来，才逐渐获得广泛使用的，是当代人用这些概念去表述、指谓相关思想和理论成果的。一般说来，在学术发展史上，总是相关思想和

① 中国人学学会等编：《生态文明·全球化·人的发展》，31页，海口：海南出版社，2009年。

理论成果的形成在先，而对其概念的表述则在后。因此，在马克思恩格斯著作中，虽然没有使用“生态”这一概念，但并不妨碍今人用“生态思想”或“生态理论”去概括和说明他们的相关思想和理论成果。这正如我们当今对古代生态思想的研究，比如孟子、荀子等的相关思想和理论成果，也可以用生态思想或生态理论等概念来加以概括和说明（其实，在我国有一些论者早已这样做了）。也就是说，这样做不仅是一种学术惯例，而且也符合理论发展的逻辑，因而是合法的。

诚然，在学术研究中，重概念分析，这并不存在任何问题，而且这是学术成果得以表达和展示的前提。但不能因此而重名轻实，甚至以名之有无而去判实之有无，如果是这样，那么也就把名实关系搞颠倒了，很显然，这是不可取的。

从历史角度说，人与自然的矛盾，从人作为主体从事物质生产的那一刻起就已产生。作为这一矛盾表现的生态问题及其理性反思，也就随之产生。因而任何社会都存在生态问题，也都有关于生态问题的理性思考。所不同的只是其广度和深度而已。

在原始社会中，生态的局部恶化，人们通过迁徙让其自然修复。不过，从告别渔猎社会以来，这样的幸运也就不复存在了。马克思恩格斯指出，人类进入文明时代以后，随着铁质工具的广泛使用，生产力水平的不断提高，人口的快速增长，出现了大规模的毁林造田活动，从而导致了大范围的土地荒漠化。[①] 对此，马克思曾总结道：“耕作如果自发地进行，而不是有意识地加以控制，接踵而来的就是土地的荒芜，像波斯、美索不达米亚等地以及希腊那样。”[②] 这就是当代人把农业文明称之为“黄色文明”的原因所在。

到了资本主义工业社会，人们在创造了巨大生产力的同时，也造成了严重的环境污染和生态破坏，因而它被称之为“黑色文明”。当今的全球性生态问题，正是与这种黑色文明的全球扩张相联系的。

马克思恩格斯所生活的19世纪的西欧，正处于从18世纪开始的工业革命的进程中，他们对资本主义生产造成严重的环境问题，深有感

---

① 《马克思恩格斯选集》第4卷，18—24页，北京：人民出版社，1995年。

② 《马克思恩格斯全集》第32卷，53页，北京：人民出版社，1974年。

触，并极为愤慨。这可以从马克思恩格斯关于当时生态问题的大量论述中得到佐证。比如，恩格斯在其早期著作《英国工人阶级状况》中，就运用了大量篇幅对当时英国工人阶级所处的日益恶劣的环境状况进行了揭露。他指出，空气被污染，水被污染，“各种各样的灾祸都落到穷人头上”①。他在《致尼古拉·弗兰策维奇·丹尼尔逊》的信中也指出：“所有已经或者正在经历这种过程（指工业化，引者注）的国家，或多或少都有这样的情况。地力耗损——如在美国；森林消失——如在英国和法国，目前在德国和美国也是如此；气候改变、江河干涸在俄国大概比其他任何地方都厉害……”②。马克思在《1844年经济学哲学手稿》中进一步指出，在资本主义社会中，“光、空气等等，甚至动物的最简单的爱清洁习性，都不再是人的需要了。……完全违反自然的荒芜，日益腐败的自然界，成了他的生活要素”③。马克思在《资本论》中也有不少关于生态问题的重要论述，这在后文中将作详细说明。恩格斯在其后期著作《劳动在从猿到人的转变中的作用》一文中，更是对人类破坏生态平衡的行为提出了告诫：“我们不要过分陶醉于我们人类对自然界的胜利。对于每一次这样的胜利，自然界都对我们进行报复。每一次胜利，起初确实取得了我们预期的效果，但是往后和再往后却发生完全不同的、出乎预料的影响，它常常把最初的结果重新又消除了。”④

以上所引，从第一本到最后一本著作，其间跨度长达40年左右。这说明马克思恩格斯对当时的生态问题给予了长期关注。不仅如此，即使用今人的眼光来赏评其所论，也是极具前瞻性、洞察力的。因而那种认为马克思恩格斯没有自己的生态理论，甚至对生态问题漠不关心的观点是不能成立的。至于马克思是所谓“生产主义”者或“经济决定论”者的指责，则更是毫无根据的，是对马克思的一种纯粹的误读。马克思恩格斯不仅有自己的生态理论，而且这一理论在马克思主义哲学理论结构中，还是一个有着重要地位的理论。

---

① 《马克思恩格斯文集》第1卷，410页，北京：人民出版社，2009年。

② 《马克思恩格斯文集》第10卷，627页，北京：人民出版社，2009年。

③ 《马克思恩格斯文集》第1卷，225页，北京：人民出版社，2009年。

④ 《马克思恩格斯文集》第9卷，559—560页，北京：人民出版社，2009年。

三、马克思恩格斯生态理论的重要地位

马克思恩格斯生态理论在马克思主义哲学理论结构中的重要地位，可以表述为：它是其中的一个支柱性理论。

马克思主义哲学是关于人的彻底解放的科学。这里的彻底解放，主要是指，（1）要把人从资本价值主导的生产和消费方式所造成的人剥削人的关系中彻底解放出来；（2）要从这种方式所造成的人与自然的负面关系中彻底解放出来。前一个解放是通过社会变革来进行的，因而可称之为社会变革论，或社会解放论；后一个解放是以前一个解放为前提，主要是通过生态建设来实现的，于是可称之为生态建设论，或生态文明建设论。

马克思主义人的彻底解放学说的这样一种主辅统一的二维结构，不是这一学说的创立者马克思恩格斯单纯逻辑推演的结果，也不是当代人为了现实需要人为植入或附加的，而是因为马克思主义哲学的理论切入点完全生发于作为其根基的人类史与自然史的相互制约，以及以这种相互制约为基础的人的生活处境的双重矛盾。正是这种双重矛盾决定了马克思主义哲学的二维结构是其本然的存在。

马克思恩格斯指出：“历史可以从两个方面来考察，可以把它划分为自然史和人类史。但这两个方面是不可分割的；只要有人存在，自然史和人类史就彼此相互制约。”①

由于自然史和人类史相互制约，因此人的存在、人的处境，也就具有了双重关系，或曰双重矛盾。一是人与人的矛盾；二是人与自然的矛盾。这两个矛盾互为条件、相互交织。对此，马克思指出：“在这种自然的类关系中，人对自然的关系直接就是人对人的关系，正像人对人的关系直接就是人对自然的关系，就是他自己的自然的规定。因此，这种关系通过感性的形式，作为一种显而易见的事实，表现出人的本质在何种程度上对人说来成为自然，或者自然在何种程度上成为人具有的人的本质。”②

---

① 《马克思恩格斯文集》第1卷，516页，北京：人民出版社，2009年。
② 《马克思恩格斯文集》第1卷，184页，北京：人民出版社，2009年。

可见，既没有片面处于人与自然矛盾关系中的人，也没有片面处于人与人矛盾关系中的人。人的这种双重处境和人的这种双重性质，从根本上决定了人的彻底解放的科学，必然是“以解决人与人的矛盾为旨归的社会解放论”与“以解决人与自然的矛盾为旨归的生态建设论”相统一的理论。这个理论也就是马克思恩格斯所创立的共产主义世界观理论。

早在《1844年经济学哲学手稿》中，马克思就首次对这个理论的创立表示了极大的期待。他说：“这种共产主义，作为完成了的自然主义，等于人道主义，而作为完成的人道主义，等于自然主义，它是人和自然之间、人和人之间的矛盾的真正解决，是存在和本质、对象化和自我确证、自由和必然、个体和类之间的斗争的真正解决。”① 因为这时的马克思还处在成为马克思主义者的过程中，因而他所使用的述语还留有旧的印记。不过，其所表述的思想却是崭新的，既体现了历史发展的趋势，也体现了他要创立的理论的主旨。

马克思主义人的彻底解放学说的二维结构，作为这个学说的宏观构架，自然也就作为其思想统摄，体现于马克思主义哲学关于人的解放的各部分理论之中，并从而形成了一系列新的理论观点。比如，人的“二重存在”的观点，反映的是人作为自然存在物、又作为社会存在物的及两者相互统一的观点。② 又比如，人的劳动的“二重性”的观点，反映的是人的劳动作为人与自然的“物质变换”、又作为人与人的交往过程的及两者相互统一的观点。再比如，商品的价值二重性的观点，反映的是人与自然的物质变换中，形成了商品的使用价值，又在人与人的商品交换中，形成了商品的交换价值及两者相互统一的观点。

特别需要指出的是，马克思一生所进行的资本批判，在其早期的人本主义框架下，形成了资本“双重异化”，即人与人关系的异化（或人的异化）和人与自然关系的异化（或自然异化）③ 的理论成果。所谓自然异化，是指资本价值主导下的人与自然的关系所具有的反主体性效应。在对这种双重异化现象本质追求的过程中，马克思实现了对先

① 《马克思恩格斯文集》第1卷，185页，北京：人民出版社，2009年。

② 参见《马克思恩格斯文集》第1卷，187页，北京：人民出版社，2009年。

③ 参见《马克思恩格斯文集》第1卷，193页，北京：人民出版社，2009年。

前人本史观的超越，从而创立了唯物史观。在唯物史观基础上，原先的资本“双重异化”观点也就被扬弃了，进而形成了资本“双重剥削”的观点（即资本的增值，是资本对人的剥削，同时也是资本对自然的剥削的观点）。[①] 所谓资本对自然的剥削，就是资本为了实现利润增值，而对自然的一味征服、索取、滥用和破坏。

马克思主义哲学对资本主义“双重剥削”的批判，标志着这一学说，把从社会系统内部的、以人际关系为核心的资本主义批判，扩展到自然系统的、以人与自然关系为核心的资本主义批判。这一扩展不仅显示了马克思哲学关于资本主义批判的广阔视野和完整内涵，而且从根本上说明了，资本主义的灭亡不仅是社会规律的历史必然，而且也是生态规律的客观要求。当代资本主义的全球扩张所造成的全球性生态危机，已日益成为资本主义走向末日的一个重要原因，就是一个最好的证明。

面对这两重剥削，人类的出路何在？我们知道，马克思主义哲学的理论宗旨就是为实现人与人及人与自然的“矛盾的双重解决”[②]，或曰“双重和解”。即“人类同自然的和解以及人类本身的和解”[③]，从而使人成为“双重主人”。即“成为自己的社会结合的主人，从而也成为自然界的主人，成为自己本身的主人——自由的人”[④]。

马克思主义哲学的“双重和解”，不仅体现了这一学说的理想追求和人本关怀，而且也从根本上说明，双重和解的共产主义理想，不仅根植于人类发展的规律，而且也根植于人与自然和谐相得的自然生态规律。因此，一切信仰共产主义的人们，应该充满自信、坚定不移。另外，生态文明建设既然是马克思主义哲学的题中应有之义，那么对于信仰者来说，这也就成为义不容辞的历史责任。

通过上面的简单梳理和勾勒，不难看出，马克思主义哲学人的彻底解放学说的二维结构是确实存在的，马克思恩格斯生态理论作为这个理论结构中的一个支柱性理论，也是显而易见的。那么具有如此重

---

① 参见《马克思恩格斯文集》第7卷，694页，北京：人民出版社，2009年。

② 《马克思恩格斯文集》第1卷，187页，北京：人民出版社，2009年。

③ ［美］福斯特：《马克思的生态学：唯物主义与自然》，Ⅷ页，每月评论出版社，2000年。

④ 《马克思恩格斯选集》第3卷，760页，北京：人民出版社，1995年。

要地位的马克思议哲学的生态理论，是凭借哪些基本观点而得以支撑的呢？这就是下文所要回答的问题。

四、马克思恩格斯生态理论的基本观点

如前所说，马克思恩格斯没有能对自己的生态理论予以集中系统的论述，但确已提出了若干基本观点。不仅如此，这些基本观点，不是孤立的、只言片语的表述，而是有内在联系的。因而对其是可以加以条理化，并予以逻辑的展开和说明的。下面尝试着从四个逻辑层次来加以表述。

1. “人是自然界的一部分”

“人是自然界的一部分”①，这是马克思主义哲学生态理论的本然依据，是马克思在《1844年经济学哲学手稿》中首次提出，并在其后多部著作中反复声明和论证的一个重要命题。这个命题从根本上揭示：自然界是人的家园，因而人作为这个生态系统中的一员，应该保护这个家园。也就是说，“人是自然界的一部分”这个命题，为马克思主义哲学生态理论的确立，提供了根本依据。通过梳理，其内涵可展示为以下几点：

（1）自然界是永恒运动的系统。如恩格斯所言：“整个自然界被证明是永恒地流动和循环中运动着。”②

（2）人是自然界的产物。就此，马克思指出：“人本身是自然界的产物，是在自己所处的环境中并且和这个环境一起发展起来的。”③

（3）人是自然界的一部分。恩格斯说：“我们连同我们的肉、血和头脑都属于自然界和存在于自然界之中的。”④

（4）自然界是人类劳动的前提和基础。马克思指出：“没有自然界，没有感性的外部世界，工人什么也不能创造。”⑤

（5）人类活动要服从自然的规律。对此，恩格斯指出：“自由不在

① ［德］马克思：《1844年经济学哲学手稿》，57页，北京：人民出版社，2000年。
② 《马克思恩格斯文集》第4卷，270页，北京：人民出版社，2009年。
③ 《马克思恩格斯文集》第9卷，38页，北京：人民出版社，2009年。
④ 《马克思恩格斯文集》第9卷，560页，北京：人民出版社，2009年。
⑤ 《马克思恩格斯文集》第1卷，158页，北京：人民出版社，2009年。

于幻想中摆脱自然规律而独立，而在于认识这些规律，从而能够有计划地使自然规律为一定的目的服务。”①

（6）坚持人与自然的一体性。即实现人与自然的共生共长、和谐发展。为此，要反对“那种把……人类和自然……对立的荒谬的、反自然的观点。”②

2. 人是人与自然物质代谢关系的自觉调节者

如何实现人与自然的和谐发展，按马克思的观点，人不能像古代人那样，成为自然的片面顺从者，也不能像近代人那样，成为自然的绝对主宰者，而应该成为生态平衡或人与自然物质代谢关系的自觉调节者。这是马克思主义哲学生态理论的应然规范。

在《资本论》中，马克思把生物学上的“物质代谢”概念第一次运用于人与自然关系的分析，③“物质代谢”这个概念极富生态意蕴。它标示人与自然是一个不可分割的生态有机体、命运共同体。人作为一个生态因子，与其他生态因子的区别在于，人是通过劳动去实现人与自然这个生态有机体的物质代谢或物质变换的；而人与自然的物质变换，是人类存在的永恒的自然必然性。因而合理调节这个物质变换，使之良性互动、永续进行，就成为对人类活动，特别是人类劳动的根本要求。以上内容可以展示为以下几点。

（1）人是能动的自然存在物。劳动是人区别于动物的根本特性。④

（2）劳动是人与自然之间的物质变换的过程。⑤

（3）“人和自然之间的物质变换”是“人类生活的永恒的自然条件”⑥。

（4）人要合理调节人和自然之间的物质变换。对此，恩格斯指出，在未来共产主义条件下，“联合起来的生产者，将合理地调节他们和自然之间的物质变换，把它置于他们的共同控制之下，而不让它作为盲目的力量来统治自己；靠消耗最小的力量，在最无愧于和适合于他们

---

① 《马克思恩格斯选集》第3卷，455页，北京：人民出版社，1995年。
② 《马克思恩格斯选集》第4卷，384页，北京：人民出版社，1995年。
③ 参见［德］马克思：《资本论》第1卷，552页，北京：人民出版社，1995年。
④ 参见《马克思恩格斯选集》第4卷，373页，北京：人民出版社，1995年。
⑤ 参见《马克思恩格斯选集》第2卷，177页，北京：人民出版社，1995年。
⑥ 《马克思恩格斯选集》第2卷，181页，北京：人民出版社，1995年。

的人类本性的条件下来进行这种物质变换。”① 所谓适合人类的本性，从操作层面来说，就是要坚持生产活动中经济效益、社会效益和生态效益的统一。

（5）人的生产应该是兼顾经济效益、社会效益、生态效益的全面的生产。即人的生产，或真正的人的生产，不应只是物质财富的片面生产，而应同时是人际和谐关系，即所有社会成员的福利得到提高的生产，以及环境友好的生产，即能按“任何一个种的尺度”，按照生态规律来进行的生产，② 从而在这些彼此联系的生产过程中，进行着全面发展的人的生产，因而人的生产必须是全面的生产。

3. 消除资本主义造成的人与自然物质代谢的断裂

在马克思学说看来，劳动不仅是人与自然之间的过程，而且也是人与人互换活动的过程。这两个过程是相互影响、相互制约的。因而人与自然之间的物质代谢，必然受到人与人的关系，特别是利益关系，以及作为这种利益关系表现的文化观念的制约。对此，恩格斯曾作过一个总体的说明。他说：“到目前为止的一切生产方式，都仅仅以取得劳动的最近的、最直接的效益为目的。”“在西欧现今占统治地位的资本主义生产方式中，这一点表现得最为充分。支配着生产和交换的一个个资本家所能关心的，只是他们行为的最直接的利益。”③ 正是这种资本价值所主导的生产，造成了人与自然物质代谢的断裂。消除这种断裂，是马克思主义哲学生态理论的实然反思。这是因为：

（1）资本的本性是不断追逐利润，④ 资本主义的生产和销售的“唯一动力”是“获得利润”⑤。

（2）资本把利用自然作为获得利润的手段。自然对它来说，“不过是有用物”⑥。

（3）资本对自然的占有，成为资本对劳动剥削的手段，⑦ 成为资本

---

① 《马克思恩格斯文集》第7卷，928—929页，北京：人民出版社，2009年。
② 参见《马克思恩格斯全集》第42卷，96—97页，北京：人民出版社，1979年。
③ 《马克思恩格斯选集》第4卷，385页，北京：人民出版社，1995年。
④ 参见《马克思恩格斯全集》第23卷，295页，北京：人民出版社，1972年。
⑤ 《马克思恩格斯选集》第4卷，385页，北京：人民出版社，1995年。
⑥ 《马克思恩格斯全集》第46卷（上册），393页，北京：人民出版社，1979年。
⑦ 参见《马克思恩格斯全集》第46卷（上册），488页，北京：人民出版社，1979年。

所有者相互争夺的对象。

（4）资本主义生产方式造成了人与自然的“物质代谢断裂”。马克思指出，资本主义“大工业和按工业方式经营的大农业共同发生作用。如果说它们原来的区别在于，前者更多地滥用和破坏劳动力，即人类的自然力，而后者更直接地滥用和破坏土地的自然力”①。马克思还指出，“资本主义生产使它汇集在各大中心的城市人口越来越占优势，这样一来，它一方面聚集着社会的历史动力，另一方面又破坏着人与土地之间的物质代谢。也就是使人以衣食形式消费掉的土地的组成部分不能回归土地，从而破坏土地持久肥力的永恒的自然条件。”② 对此，马克思揭示了其中的本质所在：“在私有财产和金钱的统治下形成的自然观，是对自然界的真正蔑视和实际的贬低。”③

为了消除资本主义生产所造成的人与自然物质代谢的断裂，不能靠资本主义本身，而必须靠取代资本主义社会的“生产者联合起来的社会”④，即社会主义社会，从而来为实现人与自然的和解创造条件。

4. 创造条件实现人与自然的和解

这是马克思主义哲学生态理论的路径设计，这里可以概括为以下几点。

其一，要通过人际和解促进人与自然的和解。如前所说，马克思恩格斯从来都把两大和解的实现，视为为人类未来发展的方向，并主张从实现人际和解入手，进而去实现人与自然的和解。为此，就要变革现有的生产方式和社会制度。恩格斯指出：“单是依靠认识是不够的。这还需要对我们的直到目前为止的生产方式，以及同这种生产方式一起对我们的现今的整个社会制度实行完全的变革。”⑤

其二，调节人口生产。恩格斯说：“如果说共产主义社会在将来某个时候不得不像已经对物的生产进行调整那样，同时也对人的生产进行调整。”⑥ 恩格斯在这里已预见到实现社会主义计划生育的必要性，

① 《马克思恩格斯文集》第7卷，919页，北京：人民出版社，2009年。
② 《马克思恩格斯文集》第5卷，579页，北京：人民出版社，2009年。
③ 《马克思恩格斯文集》第1卷，52页，北京：人民出版社，2009年。
④ 《马克思恩格斯文集》第7卷，928页，北京：人民出版社，2009年。
⑤ 《马克思恩格斯全集》第20卷，521页，北京：人民出版社，1971年。
⑥ 《马克思恩格斯全集》第35卷，145页，北京：人民出版社，1971年。

尽管在那时，人口过度增长所造成的问题，包括给环境造成的压力还远没有今天这样严重。

其三，坚持“可持续发展”。可持续发展是一个当代概念，不过在马克思恩格斯那里已经有了这样的思想。这里可以概括为以下几点：

①应关心后代人的利益。比如，马克思在分析地租问题时，就曾指出：“一个民族，以至一切同时存在的社会加在一起，都不是土地的所有者。他们只是土地的占有者，土地的受益者，并且他们应当作为好家长，把经过改良的土地传给后代。”①

②依靠科技进步，发展节约型经济，减少环境污染。马克思恩格斯指出：“人们把生产过程和消费过程中的废料投回到再生产过程的循环中去，从而无需预先支出资本，就能创造新的资本材料。”② 为此，就“要从一切方面去探索地球，以便发现新的有用的和原有物体的新的使用属性……因此要把自然科学发展到它的顶点。”③ 他们还特别指出，化学的每一个进步不仅增加了有用物的数量和已知物质的用途，而且随着资本的增长扩大投资领域。他们还指出：“机器的改良，使那些在原有形式上本来不能利用的物质，获得一种在新的生产中可以利用的形态；科学的进步，特别是化学的进步，发现了那些废物的有用性质。”④ 这里实际是主张，要通过科学技术的生态化促进产业的生态化。

③要提倡文明消费。马克思说：“因为要多方面享受，他就必须有享受能力，因此他必须是具有高度文明的人。”⑤ 在这里，马克思是把文明消费作为衡量人的文明程度的一个重要指标。

总之，马克思恩格斯生态理论的内容是丰富的，其在马克思主义哲学理论结构中的地位是重要的。因而坚持这个理论是很有意义的。

五、坚持马克思主义哲学生态理论的重大意义

坚持马克思主义哲学的生态理论，对全面系统地把握马克思主义

① 《马克思恩格斯文集》第7卷，878页，北京：人民出版社，2009年。
② 《马克思恩格斯全集》第23卷，664页，北京：人民出版社，1972年。
③ 《马克思恩格斯全集》第46卷（上册），392页，北京：人民出版社，1979年。
④ 《马克思恩格斯文集》第7卷，115页，北京：人民出版社，2009年。
⑤ 《马克思恩格斯全集》第46卷（上册），392页，北京：人民出版社，1979年。

哲学的本质精神，以及在当代条件下坚持和发展马克思主义哲学，促进人类生态文明事业的发展都是有重大意义的。这里从以下三个方面来加以说明。

1. 有助于全面系统地把握马克思主义哲学的本质精神

马克思主义哲学的创立，实现了思想史上的一场伟大革命。这在马克思主义哲学理论界是众所周知的。但如何理解这场革命，如何把握马克思主义哲学的本质精神，在认识上并非是完全一致的。

在过去不少年中，很多论者自觉或不自觉地把马克思主义哲学仅仅视作一种社会解放论。比如，前苏联许多学者，中国的许多学者，以及现代西方那些拒斥恩格斯的自然辩证论，而把马克思理论仅仅看作是一种社会批判论的论者，大多位于此列。

之所以会产生上述偏颇，这有多方面的原因。比如，不能正确看待马克思恩格斯在理论研究上的分工，而把两者的分工看成了分家，看成是偏执于社会和偏执于自然的两种哲学导向上的对立。又比如，马克思为了获得关于人与自然矛盾解决的社会前提，从而在对人与人矛盾的解决进行研究和论证时，其所强调的重点是社会批判，虽然在其中对自然也有涉及，但没有充分展开。这种情况的存在，也就容易使那些不加深察的读者产生错觉。

加之，马克思主义传到俄国和中国以后，在相当长的一个时期中，俄国无产阶级和中国无产阶级所面临的主要任务是通过革命夺取政权。另外，还因为列宁在苏联大规模开展社会主义建设以前就去世了，毛泽东在中国革命胜利后，虽然在领导中国人民治理江河、植树造林、绿化祖国等方面做了很多工作且卓有成效，他也曾把人自身的解放与自然的解放与社会主义联系起来，比如他说："社会主义不仅从旧社会解放了劳动者和生产资料，也解放了旧社会所无法利用的广大自然界。"① 然而在理论上，他还没有把人与自然的矛盾及其解决作为全面性的问题提出来加以探讨。与此相联系，在其任内，还发生了"大跃进"这种破坏生态环境的严重恶性事件。因此，列宁和毛泽东的著作很少引述马克思恩格斯关于生态问题的论述。

总之，客观和主观的多种原因，导致不少马克思主义哲学的信奉

---

① 《毛泽东选集》第5卷，277页，北京：人民出版社，1977年。

者和研究者，以为马克思主义哲学的世界观、历史观主要是或基本是一种社会批判论，而不同时是自然批判论；只是一种社会解放论，而不同时是一种自然解放论。对马克思主义哲学作这样一种理解，也就在客观上窄化了马克思主义哲学的理论视野，遗漏了马克思主义的部分重要内容，部分遮蔽了马克思主义哲学对于人类命运的意义和价值。

不过，上述观点在上世纪六十年代末七十年代初，遭到了异军突起的一种新观点，即生态马克思主义的挑战。作为生态马克思主义代表人物之一的美国学者福斯特认为："马克思的世界观是一种深刻的、系统的生态世界观。"[①] 福斯特的这一论断富有见地。因为这一论断包含了对马克思恩格斯生态理论及其在马克思主义哲学中重要地位的肯定，而且在多个方面引申和丰富了这一理论，因而它对超越那种关于马克思主义哲学只是一种社会解放论的片面解读，无疑能起到振聋发聩的作用，有着别开生面的意义。诚然，理论上的深刻推进，往往又是与理论的片面呈现相伴随，或以此为代价的。这在生态马克思主义那里又一次得到了佐证。比如，福斯特把马克思世界观说成是一种生态世界观，这就显得有些偏颇。马克思生态观含有马克思主义世界观和历史观的意蕴，是马克思主义世界观、历史观的一个重要支撑，这是无疑的，但它本身并不就是马克思主义辩证唯物主义世界观和历史观，而是马克思主义辩证唯物主义世界观和历史观所统摄的、与社会解放论相统一的一个理论观点。

总之，只有彰显马克思主义哲学的生态理论并予以科学定位，才能实现对马克思主义哲学的本质精神的全面系统的把握。

2. 有助于在当代环境问题的解决上体现马克思主义哲学的指导价值

在当代环境问题的说明上，有人类中心主义和生态中心主义的对立。

人类中心主义主张一切以人为中心，以人为尺度，其理论基础是人道主义，其理论原则是功利主义。在价值取向上，主张人类中心，这没有错，但如果不考虑环境的承受能力和永续提供能力，那么人类中心也会落空。因此，人类中心主义不可取。

---

① ［美］福斯特：《马克思的生态学：唯物主义与自然》，Ⅷ页，每月评论出版社，2000年。

生态中心主义认为，人与万物是一个统一体，万物与人一样，是平等的价值主体，享有同等的权利。其理论基础是自然主义，其理论原则是超功利主义。承认人与万物是统一整体，这没有错，但由此否定了人的主体性，也就陷入了人学空场。看来，这种否定主体人的“生态中心”论，原本就是一种虚妄之论。因而，生态中心主义也不可取。

从思想方式来说，人类中心主义和生态中心主义之所以不可取，就在于，它们都是单向思维，导致在人的发展与环境保护的问题上，顾此失彼。因而，它们不仅不能用来科学解决人类的生态问题，而且还会使人陷入新的困境。

马克思主义哲学的生态理论超越了上述片面性。这种超越表现在：

（1）马克思主义哲学的生态理论超越了人类中心主义和生态中心主义关于人和自然抽象对立的观点。马克思主义哲学的生态理论，既肯定人作为自然存在物是自然界的一部分，同时又肯定人是能动的自然存在物，因而能通过自觉劳动来构建人与自然和谐共生的统一体。因而只有在劳动基础上，才能寻得人与自然的均衡协调之道。

（2）马克思主义哲学的生态理论超越了人类中心主义和生态中心主义把劳动的人本性与生态性抽象对立的观点。因为马克思主义哲学的生态理论，既承认劳动是人从自然界获取基本生活资料的价值性活动，因而具有经济的人本性；但同时又指出，人的劳动是受环境条件、生态规律所制约的对象性活动，因而要实现劳动的经济人本性，就必须坚持劳动的生态性，坚持此二者的统一。也就是说，只有坚持人本性与生态性统一的科学劳动观，才能实现生态规律的客观要求与人类活动的组织原则的有机结合。

（3）马克思主义哲学的生态理论超越了人类中心主义和生态中心主义把功利性和非功利性抽象对立的观点。马克思主义哲学的生态理论，以促进人的全面发展为旨归，把直接的经济功利，即人类中心主义所指谓的功利，与生态功利，即生态中心主义所理解的非直接的经济功利，都看成是人的全面发展的利益要求。因而，为了实现这双重利益，在人类活动中，就必须把人对自然的保护与开发、利用与反哺协调、统一起来。为此，就必须消除资本价值的主导性，重构人的全面发展的生产生活方式。

可见，只有坚持马克思哲学的生态理论才能扬弃人类中心主义和生态中心主义的片面性，从而也才能为人类环境问题的解决，提供科学的理论指导，并寻得一条现实的道路。

3. 有利于促进马克思主义哲学的当代发展

促进马克思主义哲学的当代发展，这既是马克思主义哲学与时俱进品格的内在取向，同时也是发挥和实现马克思主义哲学社会功能的必然要求。马克思主义哲学的当代发展，其路径之一，就是根据当今时代的需要，自觉转换马克思主义哲学研究的侧重点，把马克思主义哲学的某个侧面、某个环节突出出来加以研究，使之深化，作为马克思主义哲学的新的生长点。

在全球性生态问题日益严重的当今时代条件下，在坚持对马克思主义哲学理论体系作二维结构理解的前提下，更加突出对其生态理论的关注和研究，应该说，这是适应当今时代潮流和民众期待的重要而迫切之举，也是发展马克思主义哲学并彰显其现代意义的一个重要路径。

可以断言的是，到目前为止，马克思主义哲学生态理论的研究已有力地显示了它对马克思主义哲学发展的促进作用。这种作用表现为两个方面：

一是马克思主义哲学的许多理论观点因含纳了生态思维，而获得了新的论证、新的规定和新的说明，从而使其显得更全面、更丰富、更科学，也更具时代气息。比如，马克思主义哲学的世界统一性原理，已从以往的物质演化、能量守恒、信息传递等的论证，进一步拓展到生态学的食物链条的论证，从而使马克思主义哲学世界观呈现为天人命运与共的唯物辩证世界观；在以往对科学实践观的客观性、能动性、社会性等规定的基础上，现在又合理地融入了生态性的规定；对生产力发展的功能，不仅认为它是推动社会制度变革的物质基础，而且又进一步认为，它也是人类走出生态危机困境的物质前提。另外，生产力发展所引起的变革，不仅是人与人关系的变革，同时也是人与自然关系的变革。又比如，从以往关于资本主义命运的经济危机分析，现在已延伸到生态危机的分析；对社会主义，也在以往理解的基础上，进一步丰富了环境友好的内涵。这就为把社会主义运动与生态运动有机结合，提供了坚实的理论根据，从而也有助于提升社会主义在人们心目中的良好形象。

二是马克思主义哲学的生态理论，也在对当代生态建设经验的总结和对其他生态理论批判吸取的基础上，获得了极大的丰富、充实，从而进一步弘扬了马克思主义哲学的本质精神，拓展了理论空间，展现了时代魅力。比如，以往所侧重的关于社会系统的研究，现在已进一步推动到社会系统与生态系统及其统一的研究。与此相联系，也已从以往所关注的生产正义的研究，进一步推动到现在的关于生产正义、消费正义以及环境正义相统一的研究；另外，在伦理学方面，也从以往的社会伦理研究，进一步延伸到现在的生态伦理的研究；等等。

总之，在生态化与全球化、信息化作为当今时代三大发展潮流的背景下，在人类生产方式和生活方式将发生大变身的历史进程中，对坚持和弘扬马克思主义哲学生态理论，必将大有可为；而且作为一个重要路径，也必将会把马克思主义哲学推进到一个新的境界。

马克思主义的魅力*

——当代西方学术界一瞥

一、马克思主义的魅力是真理的魅力

今年5月5日，是马克思诞辰175周年。

19世纪中叶以来，马克思主义作为一种科学的思想体系，在西欧各国传播开来，并逐渐扩展到全世界。在马克思主义的旗帜指引下，国际社会主义工人运动在克服重重困难中，不断发展、壮大。但是，近几年来，在苏联和东欧发生剧变之后，社会主义的命运如何，在许多善良人的心目中产生了困惑；西方一些资产阶级理论家乘机发难，大肆鼓吹马克思主义失败论。本文拟从一个角度，即从马克思主义在现代西方学术界的影响来说明马克思主义的魅力，借以表达对这位伟人的敬意和纪念。

马克思主义从诞生之日起，就一直受到来自敌对阶级的攻击和围剿，也曾不断有人宣布，“马克思主义失败”了，“过时”了。然而，马克思主义的生命力还是那样持久和旺盛，它的影响还是那样深沉和有力。

马克思主义的影响几乎存在于每一个学科领域。就连以批评马克思主义而闻名的原西德学者巴茨昂也不得不承认：马克思主义是现代世界上的强大因素，是对我们世界的命运发生决定性影响的政治能量。马克思主义的精神——历史作用确实是巨大的。法国学者阿隆甚至认为，马克思主义依然是西方思想的主宰。另一位法国经济学家埃米尔·雅姆也说，恐怕卡尔·马克思的著作不仅在苏联，就是在西欧，迄今为止没有一个时代像我们这个时代这样，对它这么感兴趣。德国

---

* 原刊于《高校理论战线》，1993（3）。

的H·弗莱塞尔在1991年发表的《关于马克思的历史地位》一文中也赞叹道："他去世后所获得的永生十分罕见，令人振奋。在如来佛祖、耶稣和穆罕默德之后，再没有一个人能像马克思那样，用自己的名字和著述去赢得数以亿计的如此之多的追随者。"①

马克思生前并不拥有权力，也十分缺乏金钱，他的富有就是他所创立的理论——马克思主义。

他的影响力靠的就是真理的力量。下面分别以哲学、历史学、经济学、现代科学技术和未来学等领域为例，来说明马克思主义在现代西方学术界的影响的广泛性和深刻性。

第一，在哲学领域，现代西方哲学流派甚多，此兴彼衰，令人目不暇接，然而不管是人本主义、科学主义，还是与这两种思潮密切联系的西方马克思主义，都与马克思主义哲学有根本的原则的分歧。但是，这也没有妨碍这些派别的某些哲学家在一定时期内或一些问题上，对马克思主义哲学表示赞许和敬重的感情。存在主义的重要代表人物萨特，就曾高度评价马克思主义是"当代不可超越的哲学"，认为任何"反马克思主义的论调，无非是马克思主义以前的旧调重弹"②。一些哲学派别尽管在实际上与马克思主义相去甚远，或在主要观点上格格不入，却打着马克思主义的招牌，以"补充"或"修改"马克思主义的面目出现。比如，"存在主义的马克思主义""现象学的马克思主义""弗洛伊德的马克思主义""基督教的马克思主义""新实证主义的马克思主义""结构主义的马克思主义"等。这一方面说明了现代哲学斗争的复杂性，另一方面也说明，马克思主义的巨大影响使标榜马克思主义成为一种时髦。

第二，在历史学领域，马克思主义的影响是西方不少学者所公认的。英国当代著名史学家杰弗里·巴勒克拉夫说："1930年以来，马克思主义的影响广泛扩展，即使那些否定马克思主义历史解释的历史学家们……也不得不用马克思主义的观点来重新考虑自己的观点。"③ 他

---

① ［德］H·弗莱塞尔：《关于马克思的历史地位》，《国外科学快报》（京），1992（2）。

② 转引自夏基松：《现代西方哲学教程》，359页，上海：上海人民出版社，1985年。

③ ［英］杰弗里·巴勒克拉夫：《当代史学主要趋势》，张文杰等编译，32页，上海：上海译文出版社，1987年。

说："即使是在反对马克思主义的人中，也很少有历史学家会怀疑聪明睿智的马克思主义历史研究方法的积极作用及其挑战。"① 马克思主义之所以能征服反对它的历史学家，在杰弗里·巴勒克拉夫看来，是因为马克思主义"提供了合理排列人类历史复杂事件的使人满意的唯一基础"②。所以，他说：马克思主义是"今天仍保留着生命力和内在潜力的唯一的'历史哲学'"③。美国著名史学家伊格尔斯表述了与杰弗里·巴勒克拉夫相同的观点。他也认为："马克思主义思想以某种方式对当代历史作品产生了很大的影响"，"马克思主义史学明显地影响了非马克思主义史学家"④。鉴于马克思主义在史学领域的巨大影响，法国学者马克·布洛赫预言说："如果有一天，革命派的历史学家们决定为自己建设先贤祠的话，那么，那位来自莱茵河畔的先哲的银髯飘然的半身塑像一定会端坐于殿堂之首列。"⑤ 应该说，这一预言无半点虚饰，是完全正确的。

第三，在经济学领域，马克思主义的影响，有着与史学领域相似的情况。一些对马克思及其学说持否定态度的经济学家，面对马克思主义的巨大威力，也不得不改变他们的某些偏见。例如，创新学派的代表人物美籍奥地利人熊彼特就如实地认为："大多数智力或想象的创作，经过一段时间，短的不过饭后一小时，长的达到一个时代，就完全湮没无闻了，有些却不，……我们的定义把伟大和生命力联结在一起，是没有弊病的。按这个意义来说，伟大这个词无疑适用于马克思的道理……对于马克思理论来说，这种非难甚至精确的反驳，由于不能致命地毁损它，只起了显示这个理论力量的作用。"⑥ 熊彼特说得多

---

① ［英］杰弗里·巴勒克拉夫：《当代史学主要趋势》，张文杰等编译，42页，上海：上海译文出版社，1987年。

② ［英］杰弗里·巴勒克拉夫：《当代史学主要趋势》，张文杰等编译，27页，上海：上海译文出版社，1987年。

③ ［英］杰弗里·巴勒克拉夫：《当代史学主要趋势》，张文杰等编译，261页，上海：上海译文出版社，1987年。

④ ［美］伊格尔斯：《历史研究国际手册》，陈海岩等译，13—14页，北京：华夏出版社，1989年。

⑤ 转引自《史学理论丛书》编辑部编：《八十年代的西方史学》，78页，北京：中国社会科学出版社，1990年。

⑥ ［美］熊彼特：《资本主义、社会主义和民主主义》，绛枫译，9页，北京：商务印书馆，1979年。

么坦白、直率。马克思主义是不怕遭到反对的，这种反对还会使它大放异彩。美国新制度学派的代表加尔布雷思也承认："若是马克思在大多数问题上是错的话，他的影响早就烟消云散了，那些把他们的注意力贯注在指出他的错误的数以千计的人们，早已会把他们的注意力移到别处去了。"[①] 这里所表述的真知灼见，无疑是一种历史经验的总结。美国哈佛大学经济学教授萨缪尔森·鲍尔斯曾经指出：近年来的事实证明，正统的资产阶级经济学已快完蛋了，我们认为，马克思主义可以使我们更好地了解世界为什么陷于经济混乱。由此看来，不管西方一些经济学家对马克思主义持何种态度，承认马克思主义对经济学领域的影响则是共同的。

第四，在自然科学领域，马克思不是自然科学家，但他重视自然科学的社会现实意义是众所周知的事实。马克思主义，特别是马克思主义哲学对自然科学研究的指导作用也是毫无疑义的。美国著名的技术哲学家杜尔宾认为，马克思主义是当代技术哲学最有影响的学派之一，它在观点与方法的一致性方面远远超过了英美学派和西欧学派。一般系统论的创始人、理论生物学家贝塔朗菲，原来是一位逻辑实证主义者，但他后来得出一个结论："逻辑实证主义是完完全全过时了，作废了，而一般系统论的原理和辩证唯物主义的雷同是显而易见的。"[②] 因提出"信息社会"理论而著称的贝尔，尽管在许多方面并不赞成马克思的观点，但他还是客观公正地承认，信息社会"这一发展的许多方面很久之前就已被人预见到"，例如，"马克思早就极为关注技术人员……和科学……在社会转变中的决定作用"[③]。法国著名物理学家朗之万在科学活动中，从自发的唯物主义发展到辩证唯物主义，成为把辩证唯物主义应用于科学研究的一位杰出代表。他说："我体会到，只有在我认识了辩证唯物主义的基本观点后，才能够彻底地了解物理学的历史"，"只有辩证唯物主义才可以作为引导我们的准绳"[④]。日本著名物理学家坂田昌一，在谈到恩格斯的《自然辩证法》一书时指出：

---

① ［美］加尔布雷思：《丰裕社会》，徐世平译，62 页，上海：上海人民出版社，1965 年。

② 转引自查汝强：《科学与哲学论丛》，25—26 页，南宁：广西人民出版社，1980 年。

③ 转引自廖志强：《焕发科学青春的时代真理——兼答对马克思主义的非难》，《南京社会科学》，1991（1）。

④ 翁维雄、卢生芹编：《科学史的启示》，173 页，合肥：安徽省自然辩证法研究会，1983 年。

“恩格斯的这部著作，在我四十余年的科学研究生活中，始终为我的研究工作投射出瑰宝一样的光彩。”[①] 这些科学家都以自己切身的体会说明了马克思主义对科学研究的指导作用，是很有说服力的。

第五，在未来学领域，马克思主义的影响也是显而易见的。美国著名未来学家贝尔在《后工业社会的来临》（1973 年）中认为，20 世纪所有关于资本主义未来的社会学理论，几乎“都是同马克思的第二种图式（指《资本论》第3卷——引者注）的对话。”（贝尔：《后工业社会的来临》）。美国著名学者海尔布隆纳认为：“要探索人类发展的前景，就需要求教于马克思主义。”他当时预言说：“如果苏联明天会变成完全民主的国家，马克思主义的革命动力和灵感也仍然会影响我们的研究。”他说：“我们之所以向马克思求教，并非因为他一贯正确，而是因为对他不能回避。凡是愿意从事马克思所开创的研究工作的人，都会发现马克思就在眼前。”[②]

以上引述说明，马克思主义不仅对人们研究历史和现实，而且对研究未来都具有巨大的指导和启发作用。借口时代变化而认为马克思主义过时了的观点是没有根据的。

二、马克思主义是我们时代的主导真理

马克思主义为什么会具有如此巨大的威力呢？人们会说，因为它是真理。这样说，当然是对的，但是还不够。任何真理都有威力，但是并非任何真理都具有像马克思主义这样巨大的威力，因为只有马克思主义才是我们时代的主导真理。唯其如此，它才能深深打动亿万人的心灵，产生强烈的感召力量。下面分别从马克思主义的特点和我们时代的特点这两方面来说明。

（一）马克思主义是彻底而严整的科学理论体系

马克思主义之所以伟大，之所以威力无比，因为它有如下特点：

---

① ［日］坂田昌一：《我的经典——恩格斯的〈自然辩证法〉》，《自然科学哲学问题丛刊》，1984（2）。

② 转引自欧阳水：《马克思就在眼前》，《当代思潮》，1992（3）。

第一，马克思不是离开人类文明大道的偏颇学说，它批判地继承了数千年来人类所创造的一切优秀文化遗产。正如列宁所说，马克思主义“是人类知识的总和中产生出来的……典范”①，它是站在人类历史发展的新高度上的最无片面性弊病的崭新科学。

第二，马克思主义具有不同于其他一切学说的深刻性、强烈的革命性和对于未来的科学预见性。斯大林说：“马克思主义是关于自然和社会发展规律的科学，是关于社会主义在一切国家中胜利的科学，是关于建设共产主义社会的科学。”② 马克思主义作为一种科学的世界观，对人们认识世界和改造世界有着巨大的指导作用。这种作用具有普遍的涵盖性，因此，不管人们从事何种工作或何种研究，只要不存在偏见，都可以从马克思主义那里获得有益的启示。又因为马克思主义是关于资本主义发展和转变为社会主义的科学，所以它从理论上解决了时代所提出的最为重大的课题，即无产阶级和人民群众如何从资本主义制度和一切旧制度的束缚下解放出来，过上美好生活的问题。因此，马克思主义获得了亿万人民的衷心拥护和热烈欢迎，它成为无产阶级批判旧世界，建设新世界的理论武器。马克思主义依据对社会发展规律的研究，特别是对资本主义发展规律的研究，指明了人类最美好的理想——共产主义社会到来的历史必然性和条件。马克思主义关于这一理想的科学预见，揭示了历史发展的总方向，代表了人类的根本利益。因而它激发了并将继续激发人们去为之追求和奋斗。

第三，马克思主义是一个随着实践发展而不断发展的理论。恩格斯曾经指出：“我们的理论是发展着的理论，而不是必须背得烂熟并机械地加以重复的教条。”③ 马克思主义的生命力从根本上来说，就在于密切联系实际，不断回答实践所提出来的新问题，以推动实践的发展，并在这一过程中，求得自身的发展。马克思主义自创立以来一个半世纪的历史，就是在实践中，特别是在社会主义运动的实践中，不断自我更新和自我发展的历史。

---

① 《列宁选集》第4卷，284页，北京：人民出版社，2012年。

② 《斯大林全集》第8卷，22页，北京：人民出版社，1954年。

③ 《马克思恩格斯选集》第4卷，681页，北京：人民出版社，1995年。

（二）时代的新发展对马克思主义的新的证明与呼唤

从世界的全局来看，我们生活在从资本主义向社会主义过渡的时代。这个时代是从1917年十月革命开始的，它还将经历漫长的岁月。从十月革命到现在，我们的时代发生了许多新的变化，出现了一些新的特点。这些新的变化和特点，都有利于人们去接受、理解和传播马克思主义。

1. 生产力发展加速化

生产力发展的加速化，迅速改变着当今世界的面貌。

如果说，18世纪发生的以蒸汽机为标志的第一次技术革命，和19世纪下半期发生的以电力发明和使用为标志的第二次技术革命，都极大地推动了生产力的发展和人类的进步，那么，战后发生的以信息技术为中心的新技术革命，则以更为强大的推动力，促使许多经济部门的产值以十几倍乃至几十倍的速度增长，从而深刻地影响着社会生活的一切领域。在这一客观现实面前，历史唯物主义关于生产力是社会发展根本动力的理论，为越来越多的人所认识、所体会。以生产力、经济实力的发展为基础的综合国力的加强，成为世界各国所关注的目标，就是一个很好的证明。

2. 交往全球化

以生产力的高度发展为基础，交往的全球性成为当今世界的又一重要特点。

如果说，蒸汽机革命所形成的是在原料和成品方面的国际交换和分工，与电力革命相伴随的是国际性的生产分工、交换分工的完整体系的形成，那么在战后发生的新技术革命，则是推动国际性的生产分工向要素分工这一更深的层次发展，即从部门内的产品专业化分工，过渡到工艺、零部件、辅助性生产等的国际专业化分工的新阶段。在生产的国际化过程中，以此为基础而形成的各国之间的经济、政治、文化的相互联系、相互交流空前加深。加之战后无线电讯、卫星通讯、洲际交通工具的出现和运输费用的下降，国际交往的普遍化，已将全球联系为一个整体。交往的全球化，信息量的丰富和获取的快捷，极大地开阔了人们的眼界，人们可以通过对不同社会的比较，从现实中去印证马克思主义关于社会的共同本质和社会发展的一般规律的理论。

例如，一国经济发展的状况如何，在很大程度上决定了一国社会的和政治的稳定状况如何，并作为一个主要原因决定了人们对政治派别和政治人物的态度如何。应该说，在当今世界，经济决定政治这一历史发展的客观规律已经在相当程度上成为人们的共识。

3. 国际贫富两极化

生产力发展的加速化和交往的全球化，使资本主义的基本矛盾已经明显地表现为日益扩大到全世界范围的生产社会化与资本主义私人占有制的矛盾。在这种情况下，发达资本主义国家利用某些“改良措施”以缓和国内的阶级矛盾，但这是以转嫁危机到其他国家，特别是转嫁到广大发展中国家为前提的。因此，国际性的贫富两极分化就成为当代资本主义基本矛盾尖锐化的一个突出表现。这种情况已为全世界所瞩目。而要理解造成国际贫富两极分化的根源，就必须求教于马克思主义，特别是马克思主义关于资本主义运动规律的学说。

4. 落后国家社会主义道路的新探索

资本的国际性和垄断资本剥削重点的对外转移，把许多落后国家卷入了世界历史的发展进程。使这些国家在过去漫长的历史中，因缺乏交往而孤立发展的单线模式为社会发展的混合模式和超越模式所取代。正是在这一世界历史的背景下，一些落后国家先于资本主义发达国家走上了社会主义道路。这无疑是马克思主义的巨大胜利，但是在这些落后国家建设社会主义又确实遇到了十分复杂的问题，以致发生了重大挫折和失败。这说明社会主义国家还必须在马克思主义的指导下，探索社会主义继续前进的道路。当然，从全球角度来说，社会主义制度和资本主义制度并存的格局已经是一个不容否认的客观事实。社会主义制度经受住了资本主义长期包围的考验，经受住了战争风暴的考验，也必将经受住自身犯错误和遭受挫折的考验，通过改革开放，达到自我完善和发展。中国人民在马克思主义指导下进行的建设中国特色社会主义的探索和所取得的成功，已经和必将进一步展示社会主义的光明前景。在这一过程中，中国人民也必将用自己的经验和智慧去进一步丰富和发展马克思主义。尽管社会主义还处于劣势，它在短期内也不可能在全世界战胜资本主义。但是，资本主义制度在不断走向衰落，这是世界上许多人包括不少西方人士所承认并切身感受到的。虽然开出的许多药方都试过了，但都不能从根本上解决资本主义的固有矛盾。这就势必有一天，迫使人们按照马克思主义的主张，去求得一个根本解决。

5. 科学发展的综合和总体化

随着人类实践不断向深度和广度进军，世界的客观本性和辩证本性日益鲜明地暴露在人们面前，从而使科学发展呈现出综合化、总体化的趋势。现代科学发展的这一特点，决定了人们必须进行唯物辩证的思维，否则别无出路。这也是许多自然科学家走向辩证唯物主义的一个重要原因。

总之，马克思主义是马克思对人类作出的前所未有的划时代的贡献。马克思主义的巨大魅力就在于，它至今依然是人类社会的宝贵遗产和巨大精神财富，依然是全世界进步力量和社会主义事业走向胜利的旗帜。对我们中国人民来说，在中国特色社会主义建设中，坚持和发展马克思主义，这就是对马克思的最好纪念。

马克思主义的当代命运*

当今世界，马克思主义影响巨大，但又备受争议。可以说，不断涌现的社会新学说、新思潮没有不涉及马克思主义，没有不谈论马克思主义的。用美国学者海尔布隆纳的话说，这是因为马克思“不能回避”，“马克思就在眼前”①。

下面就马克思主义的当代命运这个总题目来谈以下几个问题。

一、马克思主义属于全人类

马克思主义不是马克思的私人学说，而是马克思恩格斯共同创立并由许多后继者不断加以发展的学说。马克思主义也不仅是一个流派，而是人类主体自觉的理论表现，是社会公正和良心的代表。正是基于这种理解，可以说，马克思主义属于全人类。当然，这个命题的提出，并非纯粹的自我宣称，而是从社会公认的角度说的。因为自我宣称，可能有卖瓜的不喊瓜苦之嫌，而社会公认则可能含有较多公正。古人说，公道自在人心，这是有道理的。那么公众是怎样看待马克思主义的呢？

从上世纪的1999年到本世纪的2005年，英国剑桥大学文理学院的教授们、英国广播公司（BBC）、英国路透社等依次进行了如下四项调查：“谁是千年第一学人”、“谁是一千年来最伟大的思想家”、“谁是千年伟人”、“谁是现今全英国人心目中最伟大的哲学家”。这四项调查的结果如何呢？其中第一、二、四项调查，马克思均荣登榜首，只有

---

* 原刊于《皖西学院学报》，2011（1）。

① ［美］R.L.海尔布隆纳：《马克思主义：赞成和反对》，易克信、杜章智译，1页，北京：中国社会科学院情报研究所，1982年。

第三项调查，爱因斯坦第一，一票之差，马克思位列第二。

需要注意的是，这种评选所进行的并非一次，而是四次，这是第一。第二，这种评选不是在社会主义国家，而是在英国这个发达资本主义国家进行的（上述第二项调查是在全球互联网上公开征集）。第三，这种评选不是在国际共产主义运动处于高潮，而是在其处于低潮时进行的。因而这是具有社会良知的人们所作出的一种公决。评选结果出来以后，举办方曾有人坦言，这个结果完全超出他们的意料，但他们对这个结果感到高兴。看到这一结果的一些报道，我也为之振奋。

这一结果说明什么呢？说明马克思仍有魅力，仍然在场，仍活在当代人心中。它再次证明了恩格斯在《马克思墓前的讲话》中所预言的："他的英名和事业将永垂不朽！"① 当代哲学家萨特也说："马克思主义非但没有衰竭，而且还十分年轻，几乎是处于童年时代，它才刚刚开始发展。因此它仍然是我们时代的哲学，它是不可超越的，因为产生它的情势还没有被超越。"②

那么，如何理解马克思主义在当代所具有的巨大魅力呢？具体说来，有如下四个方面的原因。

（一）马克思主义所提出的时代课题尚未根本解决

什么是课题？它与矛盾、问题等概念的差异何在？概括地说，矛盾是客观的，问题是被发现和标示解决意向的矛盾，而课题则是加以研究如何才能获得解决的问题。

课题有大有小，时代课题在全人类意义上是指在一定时代背景下所提出的关系全世界几十亿人命运的问题。

马克思所提出的时代课题是工人阶级和广大人民群众如何从资本主义制度下解放出来。这个问题到目前为止还没有从根本上获得解决。不仅如此，它还在深化。这表现在：

第一，当代资本主义比过去更加频繁地脱离平衡状态，而蹒跚地走向失衡的边缘。2008 年由美国引发的给世界各国造成巨大危害的金融危机，就是这种失衡的一个突出表现。

---

① 《马克思恩格斯选集》第 3 卷，778 页，北京：人民出版社，1995 年。

② ［法］萨特：《辩证理性批判》，林骧华等译，28 页，合肥：安徽文艺出版社，1998 年。

第二，当代资本主义的全球扩张，使全球贫富分化加剧。

第三，当代资本主义使人与自然的矛盾激化。它对利润的贪婪追求，导致了全球经济发展的不可持续。

为了控制地球上有限的战略资源，美国甚至制造借口，发动战争。美国联邦储蓄委员会前主席艾伦·格林斯潘，这位当年81岁的老人，在他出版的回忆录中说了真话。他在谈到2003年美国攻打伊拉克的动机时指出，“我对此感到悲哀，（政府）在政治上不便承认一个大家都知道的事实：伊拉克战争在很大程度上与石油有关。”①

由此可以预见，马克思主义所提出的这个时代课题在没有根本解决以前，马克思主义就仍具有魅力。这也是2008年世界金融危机发生以后，马克思的《资本论》在一些资本主义国家发行量大增的原因所在。

对此，当代西方具有广泛影响的文艺理论家詹姆逊在《论现实存在的马克思主义》一文中指出：“今日的资本主义并没有发生根本的变化”，从而“庆贺马克思主义的死亡是不合逻辑的”②。

（二）马克思主义所指明的社会理想还远未实现

马克思主义的社会理想就是实现以每个人自由而全面发展为基本原则的共产主义社会。

马克思主义的这个理想是伟大的，但并不空疏；是崇高的，但并不缥缈。

这是因为马克思主义社会理想深深扎根于历史发展之中，且日益实现于现实生活之中。

所谓马克思主义社会理想深深扎根于历史发展之中，是指人类从阶级产生的那一天起，广大人民群众就有了反剥削压迫、求翻身解放的要求。因此马克思主义的社会理想不是某个天才头脑的偶然发现，而是在生产力一定发展基础上所产生的阶级斗争的产物，特别是无产阶级与资产阶级斗争的产物，是必然产生这两个阶级及其相互斗争的那个社会的产物。

---

① 格林斯潘：《美国为石油发动伊日战》，《参考消息》，2007·7·17（2）。

② 陈学明：《重读马克思：哲学大师的“转身”》，《光明日报》，2002·4·18。

马克思主义的社会理想是从这种发展所造成的经济状况出发而展示的发展前景。正因为马克思主义的社会理想代表着社会的公正和良心，是千百年来广大被剥削、被压迫群众的情感和希望的理性升华，所以它才深深打动了亿万人的心灵，才产生了强烈的感召力量。

所谓马克思主义的社会理想日益实现于现实生活之中，一是在资本主义国家中，通过工人阶级和广大人民群众的斗争，下层群众的地位在提高，生活在改善，社会公平程度在上升。二是在社会主义国家中，工人阶级和广大人民群众已经成为国家和社会的主人，已经按照自身的需要，在规划和实现社会的发展和人自身的发展。

需要指出的是，马克思主义的社会理想还远未实现，因而它对今天为社会主义而斗争，为资源公平分配而斗争的人们仍然具有指导意义，仍是他们追求解放的旗帜。

（三）马克思主义世界观和方法论具有恒久的价值

马克思主义不仅提出了时代课题，提供了社会理想，而且为分析和解决时代课题，实现社会理想，提供了科学的认识工具或思想武器，这就是马克思主义的科学世界观和方法论。

马克思主义的科学世界观和方法论就是辩证唯物论和历史唯物论。它是人们借以认识社会、预测未来，为实现最终目标确定道路和提出一系列对策的根本指导原则。因此，谁要在实践中获得成功，谁就不能无视马克思主义的启迪。

在人与自然的关系问题上，马克思恩格斯不是现代意义上的生态学家，但他们关于人与自然关系的辩证唯物主义理论，又为实现人与自然的和谐提供了思想指导。马克思主义关于人是自然的产物，是自然界的一部分，自然界是人的无机的身体，人与自然之间应实现代谢平衡，以及要消除剥削阶级对自然的剥削等论断，自然也就成为当今生态马克思主义的理论基础。

在社会问题上，马克思主义虽然没有提供解决许多具体问题的社会方案和策略手段，但提供了根本的原则。比如，社会问题归根到底是经济问题，而经济问题归根到底又是生产力的发展问题。因此，生产力的发展是解决经济问题、社会问题的根本，不然就叫治标不治本。

因此，在社会现实面前，历史唯物主义关于生产力是社会发展最终决定力量的理论，也就被越来越多的人所体会和认同。

当今世界毒品泛滥，成为一个全球性问题。毒品问题当年并没有成为马克思所要研究解决的一个问题，但这并不妨碍当代人从马克思那里得到指导。老挝北部、泰国和缅甸相联的三角地带，因种植鸦片成为“金三角”，30 年前全世界 70% 的鸦片产于这里，并通过各种渠道销往世界。到 2007 年，据联合国毒品和犯罪问题办事处统计，金三角地区的鸦片产量降到只占全世界该产品产量的 5%。为什么会取得如此大的进展？因为中国在当地投资，支持当地群众种植橡胶、甘蔗、茶叶等，给他们开辟了新的生活来源。曾就鸦片毒品交易写过很多文章的荷兰学者马丁·耶尔斯马说：“中国的作用被低估了。中国的主要手段就是经济。”①

在经济与政治的关系问题上，马克思主义认为，经济决定政治。这一历史唯物主义的基本原理意义重大。这是任何政党、任何政治人物都不能不思考的问题。这是因为，一国的经济状况，居民就业和收入的状况，在很大程度上决定了一国的政治状况，并作为一个主要原因决定了人们对政治派别和政治人物的相应取舍态度。应该说，关于经济决定政治这一马克思主义原理，在当今世界已经在相当程度上成为人们的共识。

马克思主义哲学的精髓是实事求是，实事求是就是坚持辩证唯物主义，客观而不是主观地看问题，辩证、系统、发展而不是孤立、片面、静止地看问题。尽管有人在口头上反对唯物辩证论，但政治人物和商界精英，在激烈的党派角逐和市场竞争中，谁如果不注重实事求是，不从实际出发，不能随着情势变化而变化，那么谁就有可能被淘汰出局或遭到破产。

也就是说，不管人们的主观愿望如何，谁要获得成功，就必须自觉或不自觉地按照唯物辩证法办事。英国工党全国执行委员会的成员之一赛登在《卫报》上发表文章，解释马克思为什么得票率（在评选中）最高时，他说：“马克思现在仍对世人有启迪作用。重温马克思有关历史和辩证唯物主义理论，我们能够看到马克思不愧是一位天才。

① 托马斯·富勒：《中国用经济手段帮助金三角“戒毒”》，《参考消息》，2007·9·16（8）。

他的理论可以‘解释一切’。”①

（四）马克思主义对社会发展趋势的推测和据以提出的对策安排有许多被证实

马克思主义在把握社会运动规律的基础上对社会发展所作的一系列推测与根据这些推测所提出的一系列对策安排，在主导方面是正确的。其中许多科学预见已经或日益被社会发展所证实。他关于全球化的趋势、跨国公司的发展、全球贫富分化的加剧，以及城乡、体脑、工农等差别将逐渐缩小等预言，都一一得到了验证。

对此，美国学者约翰·卡西迪在他的《马克思的回归》一书中说：马克思“在维多利亚时代看到的许多矛盾后来在改良主义政府得到解决，但它们又如突变的病毒一样，以新的形式出现了。他写下的关于全球化、不平等、政治腐败、垄断化、技术进步、高雅文化的衰落、现代生存的萎靡不振的性质等动人的段落，现在经济学家又碰到这些问题，他们有时并没有意识到自己正在步马克思的后尘”②。蜚声世界哲坛的法国大思想家德里达也因此认为：不去阅读而且反复阅读和讨论马克思，“将永远都是一个错误，一个理论的、哲学的和政治的责任方面的错误”③。

总之，马克思主义的创立是马克思恩格斯对人类作出的前所未有的理论贡献。马克思主义至今依然是人类的宝贵遗产和巨大精神财富，依然是全世界进步力量和社会主义事业走向胜利的旗帜。说到底，这是因为它是一个科学的理论体系。

二、马克思主义是一个科学的理论体系

（一）马克思主义是一个理论体系

马克思主义是不是一个理论体系，在国内学术界有不同看法。其

① 易杰雄：《西方世界推崇马克思的原因探究》，《北京大学学报》（哲学社会科学版），2006（2）。

② 俞可平：《全球化时代的“马克思主义”》，1页，北京：中央编译出版社，1998年。

③ 徐崇温：《世纪之交的社会主义与资本主义》，117页，郑州：河南人民出版社，2002年。

中有一种观点认为，马克思主义不主张建立体系，马克思主义也不是体系，认为一提体系，就必然会走上封闭、僵化。另有一种观点认为，马克思主义不是思想体系，而是方法。其实这两种观点都是建立在误解基础上的。

卢卡奇在《什么是正统的马克思主义?》中认为，衡量是不是马克思主义的标准是方法。他说，即使改变了马克思的一切结论、原理，只要仍然坚持马克思主义的辩证法，就是坚持马克思主义。

怎样看待这一观点呢？应该说，这一观点具有部分的真理性，但在总体上，它又是片面的，不可取的。

所谓具有部分的真理性，是因为马克思主义确实是认识世界和改造世界的方法，马克思主义特别强调自己的方法论功能，甚至可以说，方法即观点的运用是马克思主义的核心，是马克思主义的集中概括和表现。关于这一点，恩格斯在1895年3月曾写下了这样一段话："马克思的整个世界观不是教义，而是方法。它提供的不是现成的教条，而是进一步研究的出发点和供这种研究使用的方法。"①

但能否据此认为，马克思主义只是方法呢？不能。因为理论和方法不可分割。理论是方法的基础，方法是理论的运用。离开了马克思主义理论的所谓马克思主义方法，是不可思议的。马克思主义不仅是科学的理论，而且是以体系形态表现的科学理论。

马克思恩格斯在自己的著作中曾批评黑格尔和杜林的所谓绝对真理体系。在恩格斯看来，人的认识是相对的，又是绝对的，是相对与绝对的统一。不存在那种排除相对性的绝对性。因此，他们认为，黑格尔的绝对真理体系与他的辩证法是矛盾的。杜林的绝对真理体系也是杜林的一种自我吹嘘。

马克思主义经典作家批评所谓绝对真理体系，并不否认有系统的认识，并不否认自己理论的体系性。马克思主义作为科学的理论，是从19世纪40年代开始创立的，经过30年左右，到70年代，完整的理论体系基本形成。

恩格斯于1876至1878年写作的《反杜林论》一书，大体反映了马克思主义在19世纪70年代达到的水平。这部著作的主旨是通过对杜

---

① 《马克思恩格斯文集》第10卷，691页，北京：人民出版社，2009年。

林的批判对已经形成的马克思主义理论体系作较为连贯的阐明。对此，恩格斯指出："无论如何，我的对手的包罗万象的体系，使我有机会在同他争论时用一种比以往更连贯的形式，阐明马克思和我对这些形形色色的问题的见解。"① 他说："这就是我承担这个通常是吃力不讨好的任务的主要原因。"②

关于这一点，恩格斯在1878年写的《反杜林论》第一版序言中，也曾特别提请读者注意："这本书的目的并不是以另一个体系去同杜林先生的'体系'相对立，可是希望读者也不要忽略我所提出的各种见解之间的内在联系。"③ 这里是说，恩格斯不是以一个绝对真理体系去同杜林先生所宣称的绝对真理体系相抗衡，但他的观点之间是有内在联系的。这里的"内在联系"，恩格斯于1885年写的《反杜林论》第二版序言中作了十分明确的说明。所谓"内在联系"，也就是"马克思和我所主张的辩证方法和共产主义世界观的比较连贯的阐述，而这一阐述包括了相当多的领域"④。

可见，马克思恩格斯反对建立绝对真理体系，但并不反对理论有体系。用恩格斯的话说："这样说决不排除，相反倒包含下面一点，即对整个外部世界的有系统的认识是可以一代一代地取得巨大进展的。"⑤

另外，体系和封闭并没有必然联系，体系与开放也并非必然对立。相反，开放总是以一定体系的存在为前提的。因此，开放本身就意味着"边界"的存在。

由此，可以得出结论：马克思主义是一个理论体系。

那么，马克思主义是一个什么样的理论体系呢？按照恩格斯的说法，是"共产主义世界观"的理论体系。

（二）马克思主义是共产主义世界观的理论体系

关于马克思主义世界观，通常有这样几种称谓："无产阶级世界观"⑥，

① 《马克思恩格斯选集》第3卷，696页，北京：人民出版社，1995年。
② 《马克思恩格斯选集》第3卷，696页，北京：人民出版社，1995年。
③ 《马克思恩格斯选集》第3卷，344页，北京：人民出版社，1995年。
④ 《马克思恩格斯选集》第3卷，347页，北京：人民出版社，1995年。
⑤ 《马克思恩格斯选集》第3卷，363页，北京：人民出版社，1995年。
⑥ 《马克思恩格斯选集》第3卷，685页，北京：人民出版社，1995年。

辩证唯物主义世界观[1]，还有上文所说的共产主义世界观。辩证唯物主义世界观、无产阶级世界观、共产主义世界观等称谓是从哲学基础、阶级属性和社会取向等不同侧面对马克思主义世界观所作的规定。这些规定之间不是绝对对立，而是统一的。很显然，这里的世界观已经不是单指哲学世界观，而且还包括哲学世界观的运用，因而是广义的世界观，即辩证唯物主义世界观及其运用所形成的科学的历史观、资本主义观和共产主义观及其统一。对此，恩格斯写道："我们的这一世界观，首先在马克思的《哲学的贫困》和《共产党宣言》中问世，经过足足二十年的潜伏期，到《资本论》出版以后，就越来越迅速地为日益广泛的各界人士所接受。"[2]

恩格斯在《反杜林论》的"概论"中，通过总结人类思想史，深刻揭示了马克思主义科学体系的内在逻辑。他在叙述了马克思在哲学和政治经济学领域的划时代的功绩以后说："这两个伟大的发现——唯物主义历史观和通过剩余价值揭开资本主义生产的秘密，都应当归功于马克思。由于这些发现，社会主义变成了科学。"[3]

由此可见，在马克思主义科学体系中，哲学（辩证唯物主义）是世界观和方法论的指导原则，政治经济学是运用哲学对资本主义社会进行剖析的产物和成果，而关于无产阶级解放运动的性质、条件和使命的社会主义理论则是运用哲学分析经济事实所引出的结论。也正是在这个意义上，恩格斯把马克思和他所创立的世界观称之为共产主义

---

① 尽管马克思和恩格斯都没有用"辩证唯物主义"来指称自己的哲学，但是这一称谓是符合马克思恩格斯所赋予的他们哲学的涵义的。马克思曾指出："黑格尔辩证法……无疑是整个哲学的最新成就。"（《马克思恩格斯全集》第29卷，540页，北京：人民出版社，1972年。）但"我的辩证方法，从根本上来说，不仅和黑格尔的辩证方法不同，而且和它截然相反"。（《马克思恩格斯选集》第2卷，111—112页，北京：人民出版社，1995年。）"因为我是唯物主义者，黑格尔是唯心主义者。"（《马克思恩格斯全集》第32卷，526页，北京：人民出版社，1974年。）由此可见，马克思是自称辩证唯物主义者的。恩格斯也曾明确说过："现代唯物主义……本质上是辩证的。"（《马克思恩格斯选集》第3卷，364页，北京：人民出版社，1995年。）"马克思和我，可以说是把自觉的辩证法……用于唯物主义的自然观和历史观的唯一的人。"（《马克思恩格斯选集》第3卷，人民出版社，349页，1995年。）并认为"唯物主义辩证法""多年来已成为我们最好的工具和最锐利的武器"。（《马克思恩格斯选集》第4卷，243页，北京：人民出版社，1995年。）由此可见，把马克思主义哲学称为"辩证唯物主义"，是有充分理由的。

② 《马克思恩格斯选集》第3卷，347页，北京：人民出版社，1995年。

③ 《马克思恩格斯选集》第3卷，366页，北京：人民出版社，1995年。

世界观，即以共产主义为根本社会取向的辩证和历史唯物主义世界观。

在马克思主义科学体系中，处于核心地位的是科学社会主义理论，在这个意义上也可以说，马克思主义就是科学社会主义。科学社会主义集中表现了马克思主义的目的、任务和使命。

三、在与时俱进中保持青春活力

马克思恩格斯奠基了马克思主义的理论基础，但又不能等同于整个马克思主义。列宁在《我们的纲领》中曾深刻阐明了这一点。他说："我们决不把马克思的理论看做某种一成不变的和神圣不可侵犯的东西；恰恰相反，我们深信：它只是给一种科学奠定了基础，社会党人如果不愿落后于实际生活，就应当在各方面把这门科学推向前进。"①把马克思主义推向前进，可以表现在多个方面。至少可以从两个方面来加以说明，一是局部的方面，二是整体的方面。

下面我们试着从整体的方面对马克思主义的与时俱进做一些说明。这里可以用马克思主义三次发展高潮来描述。马克思主义的第一次发展高潮是由马克思和恩格斯掀起的，第二次发展高潮则是由列宁及其领导的俄国革命和毛泽东领导的中国革命带来的，第三次发展高潮当前尚处于胎动之中。

（一）马克思主义第一次发展高潮

马克思主义的每一次发展高潮都直面时代所提出的课题，这是不可否认的。马克思恩格斯所面对的是资本主义如何被超越的问题。

资本主义社会是一个对工人进行剥削、统治，使工人陷于一种贫困和奴隶化状态的社会体系。马克思恩格斯所追求的就是对这一体系本身的彻底批判，它主张通过社会革命超越这一体系实现向新社会体系的转换。对于他们来说，对资本主义的现实批判同超越这种资本主义现实的理念的创造是不可分割的。

在当时，针对资本主义的现实进行某种批判并提出新理念的并不限于他们两人，而是同时代的社会主义者及共产主义者的共通之处。

① 《列宁选集》第1卷，274页，北京：人民出版社，2012年。

马克思恩格斯与他们的区别在于：这种批判不是仅仅诉诸于道德谴责，而是一种科学批判，即分析了资本主义社会的生产资料资本家占有制与生产社会化的矛盾，揭示了资本家剥削工人的秘密，指明这一生产体系不可避免地要被社会主义所取代的必然性。这一变革的道路是无产阶级革命和无产阶级专政。

19 世纪 40 年代，以工人阶级为主角的革命风暴席卷了欧洲各地。随着欧洲工人运动的发展，马克思主义日益被欧洲工人阶级所了解。

马克思恩格斯总结了欧洲工人运动的经验教训，专心致力于从理论上揭示处于被剥削、无权状态下的工人阶级如何夺取国家权力，摆脱剥削，获得人的权利的问题。其他社会问题，例如民族问题、妇女问题、宗教问题、文化问题、人与自然的和谐问题、社会公正问题等，也都是从工人阶级夺取政权、获得革命成功这一观点出发来进行考察、评价的。考察所有这些社会问题都是从经济基础—上层建筑这一唯物史观的原理出发，以此为线索进行研究的，这在社会理论的发展方面具有划时代的意义。在这一点上，马克思恩格斯的上述研究视角适用于各种社会问题，当然这些问题在他们那里还不可能逐个地做具体展开的研究。

马克思把无产阶级革命的希望寄予西欧一些先进国家的无产阶级身上，然而马克思所设想的西欧革命高潮并没有来临。1871 年巴黎公社革命失败后，西欧无产阶级革命运动趋于低潮。更为糟糕的是，有些国家的工人阶级革命意志衰退，这在英国更为典型。“……英国工人阶级渐渐地、愈来愈深地陷入精神堕落，最后，简直成了‘伟大的自由党’即他们自己的奴役者——资本家的政党的尾巴。英国工人阶级的领导权完全落入卖身投靠的工联首领和职业鼓动家手中。”①

与西欧革命陷入低潮形成强烈反差的是，东方各国革命潮头涌动，特别是俄国十月革命、中国革命的发生和胜利，从而迎来了马克思主义第二次发展高潮。

（二）马克思主义第二次发展高潮

十月革命的爆发，第一个社会主义国家的诞生，标志着俄国社会

① 《马克思恩格斯全集》第 34 卷，297 页，北京：人民出版社，1972 年。

主义运动由社会主义工人运动实践发展到社会主义建设实践，标志着马克思恩格斯开创的社会主义运动进入了当代社会主义发展阶段。十月革命和苏俄社会主义制度的建立是该时代的标志，也是该时代的重大历史性事件。

由列宁领导的俄国革命而创建的社会主义国家，对于其他资本主义国家中的社会主义运动，“是工人的祖国”。它的创立成为马克思主义第二次发展高潮扩展的契机。在殖民地摆脱帝国主义的独立运动中，马克思主义政党领导独立运动的情况也占较大比例；通过独立运动，在欧亚有十多个国家走上了社会主义道路。

二战之后，社会主义阵营的出现，特别是中国这个东方落后大国完成了新民主主义革命和社会主义革命，导致在世界范围内形成了社会主义制度与资本主义制度、工人阶级意识形态与资产阶级意识形态相互较量的态势和格局，社会主义力量处于上升期，资本主义力量则处于下降期。

然而，俄国、中国及其他一些国家的社会主义并不是马克思所提的那种作为资本主义内在矛盾产物的社会主义，而是在作为国际资本主义的“薄弱环节”的那些生产力不发达的国家中通过革命产生的社会主义。这些生产力发展落后的社会主义国家成了世界两极格局中的一极，两种社会经济体系并存的现状形成并确立起来。在这一过程中，社会主义国家在吸取资本主义的肯定性成果与防止资本主义国家侵略、渗透的关系的问题上，走了弯路。尽管社会主义国家在建设方面取得了很大成绩，但是经济发展的活力机制问题在相当一个时期中没有能得到解决，政治文明建设的活力机制问题也没有能得到切实解决，公民自由及平等的实现在各个领域中造成了理想与现实的背离。自上世纪六七十年代至八九十年代以来，力量对比发生了不利于社会主义而有利于资本主义的变化。资本主义通过改良，开始进入相对缓和、稳定的发展期。在这种国际环境下，苏东发生了1991年的剧变事件，这使世界形势发生了自二战以来最为重大的变化和转折。通过这次转折，社会主义处于发展的低潮。

（三）马克思主义第三次发展高潮

马克思主义第三次发展高潮正处于孕育阶段。这里有两个方面的标志：

第一，社会主义的原有体制不成功，那么，路在何方，如何实现社会主义体制的创新，如何通过创新实现社会主义现代化？这是邓小平及其后继者从1978年开始并且还在进行的伟大实践，我们称之为中国特色社会主义实践。经过30多年的努力，我们已成功开辟了中国特色社会主义道路，取得了举世瞩目的伟大成就。中国特色社会主义的成功使社会主义运动开始走出低潮。

第二，2008年爆发的世界性金融危机，这是资本主义矛盾深重的表现。它对世界发展格局将产生深远的影响。这场危机使美国为首的西方发达资本主义陷入困境，资本主义整体实力下降，必将使世界力量对比产生重大变化。在社会主义力量开始上升和资本主义力量趋于下降的过程中，这种此消彼长，使当代世界社会主义和中国特色社会主义伟大事业的发展进入了重要的机遇时期，但同时也是斗争最激烈，不确定、不稳定因素增加的时期。在当前，影响世界形势变化的因素包括：经济全球化、世界多极化、世界贫富差距扩大化、科技进步、全球性生态危机、国际金融危机、世界经济格局、国际力量对比、全球思想文化的交流交锋等。

为了促进马克思主义第三次发展高潮的到来，我们应该与时俱进，进一步深入开展马克思主义研究，不断丰富和发展马克思主义。当前研究马克思主义的工作，应该着力从以下四个方面展开。

一是当代实践中的社会主义，特别是中国特色社会主义建设的研究。

二是现代资本主义的新情况、新特点、新问题的研究。

三是全球化背景下的全球性问题的研究。

四是当代的哲学、社会科学、自然科学和技术科学，特别是新科技革命的成就及其社会作用的研究。

对我们来说，在上述多方面的研究中，中国特色社会主义的研究是最重要的。

我国社会主义事业在经历了巨大曲折之后，现在已进入了一个崭新的时代，即把我国建设成为一个富强、民主、文明、和谐的社会主义现代化国家的新时代。指导我们前进的理论，靠复兴儒学不行，靠移植现代西方理论不行，靠机械搬用历史上的马克思主义论著也不行。正如邓小平所说："我们坚信马克思主义，但马克思主义必须与中国实际相结合。只有结合中国实际的马克思主义，才是我们所需要的真正的马克思主义。”①

如果说，马克思时代需要写出以《资本论》为代表的马克思主义论著，揭示资本主义的本质特征和发展规律；列宁时代需要写出《帝国主义论》为代表的马克思主义论著，揭示私人垄断资本主义的本质特征和发展规律；我国新民主主义革命时代需要写出《新民主主义论》为代表的马克思主义论著，揭示出半殖民地半封建社会的中国进行新民主主义革命和新民主主义社会建设的特征和规律。那么，处于当今时代的中国就需要写出《中国特色社会主义论》这篇大文章，来揭示中国特色社会主义建设实践的本质特征和发展规律，用以指导我国社会主义建设。

党的十一届三中全会以来，党中央领导全党和全国人民开拓、创新，取得了许多实践和理论的新成果，开始找到了一条建设中国特色社会主义的正确道路。这些新成果集中反映在中央的重要文献和中央领导同志的重要讲话中，也反映在我们许多理论工作者的优秀文章和论著中。对于这些实践的新经验和理论的新成果，我们的理论工作者没有权利漠视它，只有责任去研究它、深化它、发展它。

现在，我们对于社会主义建设实践的本质特征和发展规律的认识，比过去、比十一届三中全会以前是大大进步了，但比起需要我们认识和把握的必然王国来，还有更多的未知领域有待我们去探索。应该看到，我国还处于社会主义初级阶段，我们的理论研究还没有达到应有的广度、深度和高度。而且新理论的创造从原则的确立到一个完整体系的形成，有一个很长的艰苦探索、研究和建立的过程。改革开放三十多年来，建设中国特色社会主义的系统理论虽然已基本形成，但还有待充实完善，有待提高深化，还需要在研究新问题中不断发展。

这里用得上恩格斯的一段话：不要生搬硬套马克思和我的话，而要根据自己的情况像马克思那样去思考，只有在这个意义上，“马克思主义者”这个词才有存在的理由。

让我们像马克思那样思考问题，在推进中国特色社会主义伟大事业的实践中，不断赋予马克思主义勃勃生机和活力。

---

① 《邓小平文选》第3卷，213页，北京：人民出版社，1993年。

自在世界与人*

二十多年来，在关于实践与物质关系问题的讨论中，我国哲学界流行着这样一种观点，即认为自在世界与人无关。在这种观点看来，马克思实践唯物主义不研究与人无关的自在世界，只研究人的“现实感性世界”。

这里涉及四个方面的问题：第一，马克思实践唯物主义是否真的是如此主张；第二，什么是马克思所理解的现实感性世界，它与人化世界是否等同；第三，自在世界是否可视为与人类认识和实践无关的存在；第四，人是否可以脱离自在世界，而只生活在人化世界之中。我们认为，这四个问题都需要进一步加以研究。

在我们看来，人生活在人化世界之中，也生活在自在世界之中。人类生活的世界是人化世界与自在世界的有机统一。作为人化世界形成基础和作为人类生活外在自然环境，并对人类生活发生直接作用的那部分自在世界与人的关系对人来说甚为紧要，它所引发的生活效应对人来说也是现实感性的。因此，人对之既要诉诸客体的或直观的理解，也要当作实践去理解。马克思《1844 年经济学哲学手稿》（以下简称《手稿》）中对黑格尔抽象自然观的批判，并非主张对自在世界的虚置化。自在世界对人的作用是客观存在的，那种认为“自在世界与人无关”的观点是虚妄之谈。下面对上述观点加以具体说明。

一、人生活在人化世界与自在世界的统一之中

人生活在人化世界之中，也生活在自在世界之中。人类生活的世界是人化世界与自在世界的有机统一。

---

* 原刊于《高校理论战线》，2008（11）。

所谓人类生活的世界，是指为人类的生命活动提供材料、背景和舞台的世界。人类生活世界的核心部分是人化世界，即人的生命活动对象化的积极成果；另一部分则是作为人类生活外在自然环境的自在世界。

说人生活在人化世界之中，大概不会有人提出疑义。因为人与动物的根本区别就在于：动物以自己的本能适应自然；而人则能通过实践改造自然，创造一个适合于人类生活的人化世界。说人也生活在自在世界之中，关于这一点，可能会有一些人不表赞同。这是因为：第一，自在世界与人的关系问题长期以来缺乏研究，因而尚未形成广泛认可的、清晰的认识；第二，随着人的实践能动性的发展和不断提升，人类往往夸大自己的能动性，陶醉于人类对自然界的胜利，以至一叶障目，不见泰山，而无视自在自然对人的作用，以至把自在自然虚置化。可以说，实践本体论就是这一方面的代表。

现实表明，人类的生命活动到目前为止，还只限于地球的浅层、表层和有限的地外空间。人类通过发挥实践能动性，利用地球上的一些资源，创造了一个人化世界，使人类自身享有了幸福和康乐。但在人类生活的世界中，还有许多自然现象尚未被我们所认识；在那些已被认识或部分认识的自然现象中，也有许多对象尚不能或根本不能施加人力的影响。也就是说，它们还属于自在世界的领域。但它们又是人类生活世界的构成部分，并对人的生活产生这样或那样的影响。这是人类所无法回避而不得不面对的。

比如，地球上的火山喷发、海啸、地震，包括今年我国发生的汶川地震，都是不期而遇、不召自来的。人们对它们尚只能加以防范，最大限度地减少其造成的损失，尚不能通过发挥人的实践能动性，避免其发生。由此可见，人类生活的世界与人化世界并不等同。不管人的实践能动性发展和提升到什么程度，人通过实践所创造的人化世界，也总是人类生活世界的部分，而非人类生活世界的总体。甚至可以预言，上述所列自然现象，不管人类社会发展到什么程度，它们终究是属于自在世界的领域。这是无疑的。

二、“自在世界与人无关”是一个假命题

作为人化世界形成基础和作为人类生活外在自然环境并对人类生

活发生直接作用的那部分自在世界，对人来说并非无关，而是至关重要。

在我们看来，自在世界原本就是与人相关的。人类产生以前的自然界，是一个物理的、化学的、生物的世界。在这个世界中并无所谓自在世界或人化世界。自从人来到这个世界上以后，以人为参照系，才有了自在世界与人化世界的区分。这里的“以人为参照系”，是就人的本质力量的表现来说的，而不是就自然对人的作用的有无而言的。所谓人化世界是指在自在世界的基础上，通过人的实践活动所创造的，作为人的本质力量呈现的世界；所谓自在世界是指尚未被人类实践所改造的自然物。

很显然，作为人化世界形成基础的自在世界，其对人的积极作用是毋庸置疑的。关于这一点，马克思有一系列论述。他认为，第一，自在世界为原始先民提供了“现成的生活资料”，使人类得以生存；①第二，自在世界为人类提供了“生产出或借以生产出”产品的材料；②第三，自在世界中的一部分作为社会劳动的外在要素，比如温度、湿度，虽然“它们不直接加入劳动过程，但是没有它们，劳动过程就不能进行，或者只能不完全地进行”③；第四，作为人化世界形成基础的自在世界，其被纳入人的活动的领域，会随着人的活动的发展而不断扩大。

总之，没有自在世界，人类实践的进行和人化世界的创造就会陷于虚无。

由此不难看出，那些实践本体论的持有者，否认人化世界形成的自然基础，而把实践说成是人化世界形成的唯一基础，这是很片面的，在总体上是错误的。在自在世界中，除了有一部分对象作为人化世界的基础不断被通过人的实践活动而转化为人化世界以外，也还始终存在一个更为广大的、人的实践能动性尚没有涉及的部分，或曰纯然的自在世界。这个世界作为人类生活的外在自然环境，也直接或间接地对人类生活发生作用。

---

① 参见《马克思恩格斯全集》第23卷，203页，北京：人民出版社，1972年。
② 参见《马克思恩格斯全集》第42卷，92页，北京：人民出版社，1979年。
③ 《马克思恩格斯全集》第23卷，205页，北京：人民出版社，1972年。

比如，现代科学已经证明，太阳中黑子的变化，对人的影响既有其直接的方面，也有其间接的方面。就其间接的方面来说，它会对地球上的气候发生影响，从而影响人的生活，只是因为这种作用是间接的，所以人们的直接感受一般并不强烈。而就自在世界对人类生活的直接作用来说，有时还是十分巨大的。比如，32 年前发生的唐山大地震就夺去了 24 万人的生命；2004 年发生的印度洋海啸也使 22.5 万人葬身海底。这次汶川地震的损害也十分巨大。

以上事实说明，“自在世界与人无关”是一个虚假命题。自在世界总是与人相关的，特别是作为人化世界形成基础和作为人类生活外在自然环境并对人发生直接作用的那部分自在世界，对人来说关系甚为紧要。因此，这部分自在世界也就成为人类认识和在力所能及范围内加以改造或防御的重点对象。

三、“现实感性世界”不等于人化世界

作为人类生活外在自然环境的自在世界所引发的生活效应对人来说也是现实感性的。

什么是“现实感性世界”，有一种观点认为，它就是“人化世界”。这种观点往往还以马克思《关于费尔巴哈的提纲》（以下简称《提纲》）第一条作为其立论的依据。我们认为，这种论证是不足为信的。

汶川地震启示我们，作为人类生活外在自然环境的自在世界所引发的生活效应，与人化世界一样，对人来说也是现实感性的。汶川地震使山崩地裂，道路毁坏，一些城镇和村庄被夷为平地，人员伤亡严重，其状惨不忍睹，这难道还不够现实感性吗？可见，把作为人类生活外在自然环境的自在世界所引发的生活效应作为人的“现实感性世界”的一部分，应该说是毫无疑义的。

那么，对这部分现实感性世界，除了要从客体的或直观的形式去理解以外，也必须当作实践去理解吗？回答是肯定的。

所谓从客体或直观的形式去理解，是指把客体或直观对象当作真实存在去理解；所谓当作实践去理解，是指立足于能动的实践活动去理解。这两种理解方式对任何现实感性对象的理解都是需要的，缺一不可的。

对上述这部分现实感性世界的理解也不例外，也要当作实践去理解。这是因为对这部分自在世界，人的实践固然还不能发生现实作用，但物质世界具有统一性，或者说具有普遍本性，这种普遍本性存在于各种具体的物质形态中；人的实践作为一种具体的物质存在形态或物质运动形式，无疑包含了世界的普遍本性。因此，人的思维虽然不可能在具体的量上穷尽对世界的认识，但是却能在实践基础上，通过辩证思维进行概括，在质上得出对世界普遍本性的认识。

不仅如此，人们还可以以这种关于世界普遍本性的认识为指导，通过实践去不断把握在人类生活中呈现的种种事物和现象的特殊本质，包括作为人类生活外在自然环境并对人类生活发生作用的自在世界。比如，对汶川地震的发生，人们虽然不能通过发挥实践能动性去加以阻止，但这并不妨碍人们把其当作实践去理解。即人们可以通过仪器监测、实地调查等实践活动，来获得有关资料，并在此基础上进行分析，从而科学揭示汶川地震发生的具体原因。

马克思《提纲》的第一条，批评包括费尔巴哈在内的旧唯物主义的主要缺点：对对象、现实、感性只是从客体的或直观的形式去理解，而不是当作实践去理解。在这里，马克思虽然没有对对象、现实、感性的内涵作具体说明，但他并没有把对象、现实、感性与人化对象、人化现实、人化感性作等同的理解，这是很明确的。由此可见，在世界观意义上，对作为人类生活世界构成部分的人化世界和自在世界来说，马克思在这里的论述都是适用的。即对它们既要作客体的或直观的理解，又要当作实践去理解。这里切忌把实践的认识功能作经验主义或实证主义的理解。

从上面的分析可知，《提纲》第一条并没有把通过实践所理解的对象局限于人化对象，也没有把“现实感性世界”等同于“人化世界”。因此那种以此为依据，来证明马克思哲学只把人化世界作为研究对象的观点是不能成立的。

诚然，马克思在创立自己新哲学的过程中，十分重视实践的地位和作用，但他的这种重视从来不是片面的、绝对的。比如，他在强调物质生产是人类的第一个历史活动时指出：“要深入研究人们所处的各种自然条件——地质条件、山岳水文地理条件、气候条件以及其他条件”，并郑重表明：“任何历史记载都应当从这些自然基础以及它们在历史进程中由于人们的活动而发生的变更出发。"① 不难看出，马克思在这里的论述是全面的、深刻的。

四、"抽象理解的自然界"对人才是"无"

对自然作脱离人的抽象理解对人来说无意义，并非自在世界本身无意义。有些论者为了说明马克思哲学不研究与人无关的自在世界这一观点，引证了马克思《手稿》中的一段论述。这段论述是："被抽象理解的、被固定为与人分离的自然界，对人来说也是无。"② 在有些论者看来，既然马克思认为，与人分离的自然界是无意义的，也就是说，自在世界是无意义的，于是，自在世界似乎也就顺理成章地不是马克思哲学研究的对象。

这里的论证存在两个问题：

一是自在世界本身与对自然作与人分离的抽象理解不能混为一谈。

自在世界作为一种客观存在，其本身并无抽象可言。抽象是一个认识论的概念，也就是说，对客观事物的认识才有一个抽象与否的问题。马克思的上述论述是说，对自然作与人分离的抽象理解，对人来说是无意义的，并不是说自在世界是与人分离的，更不是说自在世界无意义。

换句话说，在马克思看来，自然是与人相联系的，因而它对人来说是有意义的，只有那种把自然与人武断地割裂开来，对自然所作的抽象理解，对人来说是无意义的。可见，上述观点在这里误读了马克思，把马克思所说的对自然作脱离人的抽象理解的无意义，说成是马克思主张脱离人的自然无意义，进而得出马克思认为自在世界无意义的结论。这里的思维跳跃是不允许的，这样的论证是不能成立的。

二是马克思对黑格尔抽象自然观的批判不能说成是马克思对自在世界的排斥。

在《手稿》中，马克思是在对黑格尔唯心辩证法的批判过程中，写下上述论述的。黑格尔的唯心辩证法是以绝对观念为起点，在其自

---

① 《马克思恩格斯选集》第1卷，67页，北京：人民出版社，1995年。

② 《马克思恩格斯全集》第3卷，333页，北京：人民出版社，2002年。

在自为的过程中外化为自然界，继而又扬弃这种外化，并最终通过自我意识获得向绝对观念回归的辩证法。

马克思指出，绝对精神作为这个过程的主体，“是居于自然界和人之外的僵化的精灵”[①]，是纯粹的抽象，是根本不存在的。因此，马克思认为：“抽象思维本身是无，绝对观念本身是无。”[②] 当绝对理念在纯逻辑中经历了全部过程之后，“为了不至在逻辑中再一次重复全部抽象过程，它就必须放弃抽象，从而……达到自然界”[③]。即从抽象思维中释放出自然界。

对此，马克思又指出：“当他把自然界从自身释放出来时，他实际从自身释放出来的只是抽象的自然界……只是自然界的思想物……因此，对他来说整个自然界不过是在感性的、外在的形式下重复逻辑的抽象概念而已。”[④] 所以马克思批判黑格尔那种从绝对观念释放出来的自然界，是与人分离的自然界。

这种自然界对人来说无意义，即它不能作为人的存在的自然基础和改造对象。这种抽象的自然界如果说有意义，它也只是对黑格尔建构其唯心主义哲学体系有意义。即马克思在上述论述接下来的文字所指出的，绝对观念把自然界作为展开自身的一个环节，扬弃其外在性，对绝对观念回到自身是有意义的。只要认真研读上下文，《手稿》中上述论述的含义是不难理解的。可是有些论者为了论证其“自在世界与人无关”观点，在这里断章取义，把马克思对黑格尔抽象自然观的批判，说成是马克思对自在世界的排斥，这种张冠李戴的做法，是极不严肃的。

通过上面的分析可知，自在世界对人的作用是客观存在的。那种认为“自在世界与人无关”的观点是一种没有任何根据的虚妄之论。它不仅否定了作为人化世界形成基础的自在世界对人而言的积极意义，导致对人的实践和人化世界形成的唯心主义理解，而且会麻痹人们的神经，使人在作为人类生活外在自然环境的自在世界的破坏作用面前陷于纯粹被动的、毫无防备的危险境地。

---

① 《马克思恩格斯全集》第3卷，334页，北京：人民出版社，2002年。
② 《马克思恩格斯全集》第3卷，334页，北京：人民出版社，2002年。
③ 《马克思恩格斯全集》第3卷，334页，北京：人民出版社，2002年。
④ 《马克思恩格斯全集》第3卷，334—335页，北京：人民出版社，2002年。

论虚拟现实的客观实在性*

世界统一于物质，即客观实在。这是马克思主义哲学的一个最基本观点。随着科学技术的发展，这一观点获得日益坚实的实证支持；与此同时，科技发展所引发的哲学争议，也促进了对这一观点的更为深刻的澄明。当今虚拟现实的产生，使人们又面临这样一种时刻，当然这不是历史上类似时刻的简单重复，而是有着鲜活的时代内涵。

虚拟现实，英译为 Virtual Reality，简称 VR，是 20 世纪 80 年代末由美国人拉尼尔最先提出的概念。随着计算机科学技术的飞速发展，20 世纪 90 年代以来，“虚拟现实”逐步成为一个引起技术、人文等领域广泛关注的新兴议题。在虚拟技术所构建起的虚拟世界中，由于虚拟的行为事实带来的高度真切的实在感，人们经验到了以往只有在现实世界中才能经验到的事实。虚拟世界与现实世界的关系究竟如何？世界的物质统一性原理是否还能成立？由此引发了不同观点的争议。

在我们看来，虚拟世界是人的观念外化的一种物质形态，即电子场景。因此，不能把虚拟世界归结为精神世界；但它又只是一种虚拟的物化形态，不是现实的物化形态，所以，虚拟世界是有别于现实世界的。

当然，也不能由此认为，虚拟世界是脱离现实世界的纯然独立的存在。在本质上，虚拟世界是对现实世界的模拟，是对现实世界的再现。虚拟现实的构成要依托于现实世界，虚拟世界的发展也要依赖于现实世界的发展。虚拟世界和现实世界是统一的物质世界的两种不同的存在方式，世界的直接存在性和间接存在性都在于它的物质性，客观实在性是世界的唯一特性。下面从四个方面来加以说明。

---

* 原刊于《高校理论战线》，2005（4）。与凤蝶共同撰写。

一、虚拟世界是观念外化的电子场景

随着科学技术的迅猛发展和人类实践水平的不断提高，现实世界日益信息化、数字化、网络化，电子商务、网上实践、网络图书馆、虚拟大学、虚拟社区甚至虚拟爱情等虚拟现实的出现，极大地改变着世界的面貌，它不仅影响着我们认识世界和改造世界的途径和方式，而且影响着我们的生活方式。

人的一切活动都是有意识的活动，人的一切活动都不能没有人的观念活动的参与。人的观念活动就其对于既有客体的认识来说，是一个反映过程；就其对于理想客体的创造来说，是一个设计过程；就其主体间关系来说，是一个以语言为载体的观念交往过程。由此，人的观念活动可以大体分为三类：一是观念性反映，二是观念性设计，三是观念性交往。在认识过程中，观念反映是实践到认识的中介；在实践过程中，观念设计是认识到实践的中介；在人际交往中，观念交往是人际交往的精神纽带。

从认识世界的角度说，既有的对象可能是白箱，因而可以打开，可以作为直接对象通过实践去加以认识；有的对象可能是灰箱或黑箱，因而只能部分打开或不能打开。对于不能直接打开的黑箱，人类的认识就不能直接进入。但是随着虚拟技术的发展，人们的观念可以借助于虚拟技术对作为黑箱的既有对象加以虚拟，如进行结构虚拟或功能虚拟。这样，人们借助虚拟客体这一中介，对原本作为黑箱的既有对象的认识，就由原来的不可能变成可能，变成现实。

从改造世界的角度来说，人的改造世界的活动与动物本能活动的区别在于，人的活动是以观念设计为前提的活动。诚如马克思所言："劳动过程结束时得到的结果，在这个过程开始时就已经在劳动者的表象中存在着，即已经观念地存在着。"①

人们关于实践的观念设计是否真的可行，如何减少观念设计向现实存在转化的成本，如何降低失败的风险，这在以往的实践中是没有办法从根本上获得解决的。但是随着虚拟技术的发展，人们可以把观

① 《马克思恩格斯全集》第23卷，202页，北京：人民出版社，1972年。

念设计通过电子场景化，即转化为一种虚拟存在，然后通过虚拟存在对观念设计加以检验、加以评价、加以修订。在观念设计与虚拟存在的多次相互校正过程中，使观念设计不断趋于完善，使虚拟存在的真实性更逼近理想中的现实存在，从而为最终创造理想的现实存在提供具有现实可行性的中介物化形态。

从社会生活的角度来说，人际间的观念交往以及与观念交往相伴随的物质交往受到许多现实条件的限制。但是现在，人们运用虚拟技术可以把现实生活中远程的、复杂的交往直接化、简单化。即在虚拟世界中把交往主体直接联系起来，进行虚拟交往。

由上可见，无论作为观念反映的直接对象的虚拟客体，还是作为观念设计的一种物化形态的虚拟存在，以及作为人际交往的客观呈现的虚拟交往，虽然都离不开人的观念活动的参与，但它们都不是观念形态的存在，而是借助于虚拟技术获得了超出观念范围的、具有现实形式的虚拟存在。与此相联系，观念形态的意识是内在于人脑的，是无形的，且只能为主体个人独立感受。而作为具有外在形式的虚拟现实，只要实验者配以一定的虚拟现实设备，就可以感受到。也就是说，并不局限于设计者本人，它可以为任何一个外人所感受。

那么，如何理解虚拟世界相对现实世界而言的间接性或虚拟性呢？

首先，现实世界中客体是形式和质料的有机统一。形式是质料赖以存在和发展的方式，是质料的外部表现；而质料则是形式的深层根基和实质，它们是相互依存的，在现实世界中形式和质料是不可分离的。然而，在虚拟现实中，原先现实世界中形式与质料相统一的局面被打破了。虚拟客体通过数字化方式剥离了现实客体的质料，而只是再现了现实客体的形式。也就是说，虚拟客体只是使现实客体的现实形式获得了一种虚拟形式的表现。

其次，由于虚拟现实中的事物是抽离了质料的数字化存在，因此，与现实世界中的事物相比较，虚拟现实对人而言就缺乏一种内部实在感。虚拟的面包不能吃，虚拟的衣服不能穿。可见，人们要获得自己的生活物品，归根到底还是要投入现实世界中去。

最后，因为虚拟现实中的事物是人们对现实世界中的事物在特定时间和空间中认识结果的数字化再现，这种再现出来的事物只能是现实事物特定时空形态的僵化表现。因而，并不具有现实事物所固有的运动特性。虽然在虚拟现实中，我们看到的事物和现象也是运动着的，但那只是由一系列特定时空事物和现象的状态图景连接而成的，这就像电影中，胶片是间断的，而影片是连续的。在虚拟现实中，事物的运动正如电影放映一样，只是一种错觉。正因为虚拟世界中的事物不具有运动性，因而现实世界的无限多样性、丰富性就不可能在虚拟世界中获得应有的表现。

由上可见，虚拟现实与现实世界的区别是显而易见的，它确实是不同于现实世界的一种物质存在形式。但是又不能把这种不同绝对化，不能割裂二者联系，因为从本质上说，虚拟世界要依托于现实世界。

二、虚拟世界是关于现实世界的模拟

虚拟世界为什么也会具有某种真实性呢？这是因为虚拟世界不是脱离现实世界、与现实世界无关的纯粹自足的世界。从本质上说，虚拟现实是以信息形式再现的现实，是现实世界的一种折射。也就是说，虚拟现实归根到底是对现实世界的虚拟，是对现实世界的数字化模拟和建构。现实世界无论在内容上还是形式上，其真实性是毋庸置疑的，所以，作为对现实世界进行虚拟的虚拟世界，尽管在形式上有“虚”的一面，但其所表现的内容，却又具有“实”的一面。

何谓“数字化模拟和建构”？要回答这个问题，关系到对人类文明发展中所经历的两次中介系统革命的理解和说明。

第一次中介系统革命是语言符号化革命。语言是在实践基础上产生的以物质形态（震动着空气层的声音）表现出来的“现实的意识”。在这次革命中，人类借助语言符号作为表达工具，突破了用感性的肢体动作来描述外部世界的原始素朴方法，转而用符号化的文字来指代外界事物，从而拓展了人类的思维空间，开启了理性的大门，它导致了世界文明的巨大发展。然而借助于语言文字符号对世界的描述，人们所能获得的只是关于现实世界的间接、生硬、直白的知识。认识中介的提升，使人类思维具备了抽象理性的光辉，却也失去了感性的丰富、生动。为了克服这第一次革命的局限，随着科学技术的发展，人类迎来了第二次中介系统革命，即数字化革命。

"数是我们所知道的最纯粹的量的规定"①。用高度抽象的"数"来表征实物的"象"乃是人类智慧的高度结晶。"数字化之父"莱布尼茨就力图以数字来表达一切，正是这一构想结合二进制的计算方式使数字化在现代成为现实，数字化手段就是将关于事物的信息简化成一连串的0与1，在计算机中按照一定程序加工和储存。这种经过数字化处理后的信息可以被转化成多种信息表现形式，如文字、图像、声音等。虚拟现实实现的关键就在于数字化的处理。人们首先对物质世界中的事物进行认识，并将认识中所获取的信息转换成计算机所能接受的二进制数据流，处理能力强大的计算机通过程序加工将其转换成精致的三维图像、立体声响以及相关的传感信号，穿戴着特制服装、手套、头盔的人们只需通过接收这些传感信号便进到了虚拟世界之中。

因此，虚拟现实从本质上讲只是人类用以表达现实世界的又一方式。这种崭新的表达方式兼具了理性和感性的双重特质，更突破了原型的现实世界的时空局限性，它通过虚拟化数字化的方式将现实世界呈现给人。

由此可见，现实世界是虚拟世界存在的原型。作为原型的现实世界与间接再现的虚拟世界实为一体，他们是整体的客观世界的两种互为补充的存在方式。我们不能因虚拟世界的间接性存在而将其视为脱离于现实世界甚至是与之绝对对立的又一"新大陆"。

三、虚拟世界的构成依托于现实世界

虚拟世界对现实世界的模拟和建构是如何成为可能的呢？从其构成的三大要素，即从虚拟世界的构成技术、虚拟世界的客体及主体来看，虚拟世界是依托于现实世界而得以构成的。

第一，虚拟世界的构成技术。虚拟世界的构成要借助于现实的技术手段。这些技术手段包括计算机软件及各种传感器，如高性能计算机、图形图像生成系统，以及特制的服装、手套、眼镜等。只有借助于这些现实的手段，才能生成一个逼真的、三维的，具有一定的视、听、触、嗅等感知能力的环境。而任何一种技术的发展都是现实世界

① 《马克思恩格斯全集》第20卷，602页，北京：人民出版社，1979年。

发展的产物，特别是当代科学技术都是源于以现代生产实践为基础的科学实验的发展。由此可见，没有现实世界的发展，没有现代科学技术的支撑，虚拟世界的产生是无从谈起的。

第二，虚拟世界的客体。人们借助现代科学技术模拟和建构的虚拟世界，对模拟主体而言，它是一个属人的客体世界，或者说，是一个虚拟客体。虚拟客体之所以能成为人的虚拟客体，即能带给人以全方位的临境感，正是因为它与人们在现实世界的直接存在方式相联系、相一致，因而使人在虚拟世界中产生了同现实世界中所经验到的“同样”的感观效果，以至从视、听、嗅、触觉上都达到了可以混同的境地。

由此可知，虚拟客体的存在前提正是现实客体。如果没有现实客体的真实存在，那么虚拟客体便成了无源之水、无本之木。它若不是与现实客体的紧密相关性存在，也就不能产生感知上的一致性。如果是那样，那么虚拟现实提供给人们的只能是一个陌生的情境，身入其境的人们将陷入手足无措的尴尬。虚拟世界既然是对现实世界的数字化模拟和建构，必然是与现实世界须臾不可分的。

那么，“建构”出的虚拟客体是否可以超脱于现实世界呢？对此要进行具体分析。虚拟现实中建构的虚拟客体乃是在来自真实客体的信息材料基础上的建构，是在现实世界的基础上通过人的理性加工而成的。因此，虚拟世界的虚拟客体归根到底要依托于现实世界的客体，是对现实世界现实客体的数字化再现。当然，这是一种创造性的再现。

第三，虚拟世界的主体。虚拟世界是人借助于现代科学技术模拟和建构的世界，这个世界之所以能与人们在现实世界的直接存在方式相一致，从根本上说，是因为人不仅是现实世界的主体，而且同时也是虚拟世界的主体。正是在这个根本点上，现实世界与虚拟世界连结起来了。无论现实世界的主体，还是虚拟世界的主体，都是活生生的现实的人。人按照自己的需要和利益，改造了现实世界，同时按照自己的需要和利益对现实世界进行模拟和建构，创造出一个属人的虚拟世界。

因此，无论是现实世界，还是虚拟世界都是人的本质力量的实现、体现。就虚拟世界而言，人作为虚拟世界的建构者和操作者，也就使虚拟世界里的事物、情景所造成的实在感必然是以主体的现实景况为基础的；虚拟世界的技术装备（头盔、服装、手套等）必须由现实的主体人穿戴方可发生效用；在人与虚拟世界中的对象进行交互作用的过程中所产生的视、听、嗅、触等感官信号，只有现实的人才能识别。正是虚拟世界对现实世界的主体人的这种强依存关系，决定了虚拟世界的构成必然要依托于现实世界。

四、虚拟世界的发展依赖于现实世界

人为什么要创造和发展一个虚拟世界？说到底是为了促进对现实世界的认识和改造。人之所以能创造和发展一个虚拟世界，说到底是因为现实世界的发展为虚拟世界的创造和发展提供了现实的条件和最后的归属。也就是说，离开了现实世界的发展，虚拟世界的发展是不可想象的。具体说来有两点：

第一，现实世界发展的需要为虚拟世界的发展提供了目的和动力。

虚拟世界发展的目的和动力，不是来自其自身，而是来自现实世界发展的需要。

人作为有血有肉、从事社会实践和生活消费的活生生的现实的人，必须生活在现实世界中，而不能长久地、连续地、全部地生活于虚拟世界中，如果是那样，人也就不成其为人，虚拟世界也不成其为虚拟世界。

但是人要更好地生活于现实世界之中，又需要创造一个虚拟世界，并不时地、间断地、部分地生活于虚拟世界之中。这是因为人们对现实世界的认识和改造，从基本的和主要的方面来说，必须采取现实的、直接的方式，但是直接方式有其局限性。众所周知，现实世界中的事物是具有时空特性的质料和功能的统一体。人们用直接方式把握现实世界必然受到上述多方面的限制，而虚拟世界则能超越物理时空的限制，去质料而使现实事物之功能以虚拟事物的形式存在。

这样一来，在现实世界中，人们用现实方式无法进入的情境，就可以借助虚拟现实进入。现在，虚拟现实已经被运用于天文、医疗、模拟飞行、军事训练等许多领域。

由此可见，为了促进现实世界的发展，人们不能满足于对现实世界的直接把握方式，而必须辅之以间接的、虚拟的把握方式。正是现实世界发展的这种需要，引发了人们构建虚拟世界的目的，形成了推动虚拟世界发展的主体动力。

第二，现实世界的发展为虚拟世界的发展提供了手段和最终归宿。

关于现实世界为虚拟世界提供了构成手段，前文已经说过了。这里需要指明的是，虚拟世界的扩大和虚拟逼真度的提高，仍然要依赖于科学技术的新的发展和新的创新，要依赖于现实世界的发展。

另外，在虚拟世界中，人们以主体的身份与虚拟客体之间进行交互作用而造成的虚拟客体的变化并不能与现实世界客体的变化相对等。因为，前者只是对现实改造活动的模拟演示，而并非真正的现实活动。因此，虚拟现实效用的真正发挥就需要人们在充分吸收虚拟现实中所获得的经验，并把这些经验运用于对现实世界的改造。也就是说，现实世界的改造绝不可能在虚拟现实中完成。虚拟现实的最终效用的发挥必须回归于现实世界之中，即必须对现实客体由虚拟方式的改变转换为现实方式的改变，从而才能影响现实世界。

因此，从根本上说，现实世界的发展决定虚拟世界的发展，而虚拟世界的发展又最终服务于现实世界的发展，服务于人们对现实世界的更好的认识和改造。

总之，虚拟世界从属于现实世界，作为原型的现实世界与作为它的间接再现的虚拟世界是统一的，其共同的本质都在于物质性，即客观实在性。那种把虚拟世界与现实世界割裂开来、并列起来的所谓世界多元性，以及二元论观点并不是什么新见解，它们只能引起人们思想上的混乱和对世界物质统一性原理的疑虑，因而是必须摒弃的。

论规律客观性之根据*

承认规律的客观性，这对信仰唯物主义的人们来说是一种常识。但是，长期以来，当人们把它作为一个真理性的认识加以肯定的时候，往往疏于深察规律客观性的根据何在，作为一个原因，致使一些人对规律客观性的普遍性产生了怀疑，前些年有的论者甚至提出了“有的规律可以创造”这一错误命题。①因此，从世界观的高度，对规律客观性的根据作出科学的说明，乃是一个不容忽视的问题。

在笔者看来，规律客观性的根据不是在单个的事物，而是在世界普遍联系的统一性、和谐一致性。

规律首先是一种联系或关系。众所周知，任何联系或关系都是就两个以上（含两个）的事物而言的。换句话说，只有两个以上的事物才谈得上它们之间的关系或联系，而单个的事物是无所谓关系或联系的。因此，规律作为一种关系或联系，这就意味着某个事物的规律，其关涉物不只是这个事物本身，而是包括这个事物在内的两个以上的事物。比如，地球运动的规律，其关涉物就不仅有地球，而且至少还包括太阳。恩格斯曾经指出：“单个物体的运动是不存在的”②。运动存在于关涉物之间的相互联系、相互作用中。他说：“这些物体是相互联系的，这就是说，它们是相互作用着的，并且正是这种相互作用构成了运动。”③有了联系和运动，规律才得以表现，才有所依托。所谓规律也就是事物联系和运动的规律，离开了联系和运动，规律就不复存在。

当然，规律不是两个以上关涉物的一般关系或联系，而是“本质”

---

* 原文来源于《安徽师范大学建校七十周年论文集》（A辑）。

① 参见《关于当今时代与哲学改革的思考》，《社会科学战线》，1994（4）。

② ［德］恩格斯：《自然辩证法》，329页，北京：人民出版社，1971年。

③ 《马克思恩格斯选集》第3卷，347页，北京：人民出版社，1995年。

的联系或本质之间的关系。① 如何理解这里所说的本质的联系呢？有一种观点是在把规律与本质加以比较的意义上认为，规律和本质是同等程度的概念，并由此推论，规律是本质在运动过程中的体现。这种理解对不对呢？我认为是欠妥的。

其一，规律和本质是同等程度的概念，这是列宁在《哲学笔记》中提出的一个理论观点，但是列宁的这个观点是有前提的。列宁说："规律和本质是表示人对现象、对世界等等的认识深化的同一类的（同一序列的）概念，或者说得更确切些，是同等程度的概念。"② 很显然，列宁这段论述是在对现象世界的认识深度的意义上，认为规律和本质是同等程度的概念。而不是在一般意义上说的。因此，不能脱离上述前提，把这个命题加以普遍化。因为如果是那样，那么势必会把规律与本质误认为是一种等值关系。那种所谓规律是本质在运动过程中的体现的观点，就是这种误解的一种表现。

规律作为本质的联系，其涵义不是指它是某一种本质的体现，而是指它把一种本质与另一种本质联系起来。举例来说，经济基础和上层建筑各有其本质，二者的本质联系就是它们的根本性质之间的关系，即经济基础的性质和变化决定上层建筑的性质和变化；上层建筑对经济基础具有能动的反作用。这些也就是上层建筑与经济基础相适应这一规律所包含的基本内容。

其二，规律作为本质的关系不仅体现在事物发展的过程中，即不仅包括继起的本质的关系，如原因与结果、可能与现实之间的本质联系；还包括并列的本质的关系，即事物处于相对静止的诸规定的本质关系，比如事物的质和量、形式和内容之间的本质联系。

那么，规律作为本质的联系，这种本质联系的内涵如何呢？在笔者看来，这种本质联系就是各关涉物的根本性质的某种契合和统一。两个氢原子和一个氧原子在一定温度下化合成水这条规律，就是氧原子和氢原子在一定条件下的根本性质的契合和统一。同样，元素周期律所揭示的就是元素的化学性质与原子序数之间的一致，生产关系与生产力相适应的规律就是物质生产方式的内容和形式之间的契合，质

① 参见［俄］列宁：《哲学笔记》，161 页，北京：人民出版社，1974 年。

② ［俄］列宁：《哲学笔记》，159 页，北京：人民出版社，1974 年。

量互变规律就是事物质变和量变这样两种变化形式在一定条件下的统一。

规律所蕴涵的各关涉物根本性质的契合和统一，其根据何在呢?从哲学的角度来说，不论是自然规律、社会规律和思维规律，还是实践规律,[①] 人的发展规律等，都是世界普遍联系的统一性、和谐一致性，在不同层次、不同方面的具有普遍性的形式表现。比如，自然规律就是通过自然物的相互作用所实现的自然界的普遍联系的统一性、和谐一致性。所以，恩格斯说，自然规律是“自然界中的普遍性的形式”[②]。又比如，社会规律是通过人的生产劳动所实现出来的历史和自然相互联系的统一性、和谐一致性。社会是自然界长期发展的产物，同时也是通过人的劳动活动而实现的自然界的延续。因此，马克思认为：“社会是人同自然界的完成了的本质的统一。”[③] 人类社会的历史归根到底是在生产劳动中形成的，经过形式变化的适合人需要的自然力，即生产力与生产劳动中形成的物质的社会关系即生产关系相互作用的历史。也是在这个意义上，马克思恩格斯常常把社会规律称之为“社会的自然规律”。

同样，思维规律也是通过人的思维活动所实现的主观世界与客观世界相互联系的统一性、和谐一致性。思维必须以外部世界为自己的前提，思维的主观形式决不能脱离思维的客观内容而独立存在。人的全部思维活动都是在和客观事物处在一种必然联系中的活动。思维规律就是在思维活动中实现，同时又支配着人的思维活动的这种必然性联系。

恩格斯指出：“我们的主观思维和客观的世界服从于同样的规律，因而两者在自己的结果中不能互相矛盾而必然彼此一致，这个事实绝对地统治着我们的整个理论思维，它是我们的理论思维的不知不觉的和无条件的前提。”[④] 由于任何规律都是对世界普遍联系的统一性、和谐一致性在某一层次、某一方面的普遍性的形式表现，因而人们对规

① 参见陶富源：《实践规律简析》，《哲学动态》，1996（8）。

② 《马克思恩格斯选集》第4卷，341页，北京：人民出版社，1995年。

③ 《马克思恩格斯全集》第42卷，122页，北京：人民出版社，1979年。

④ 《马克思恩格斯全集》第20卷，610页，北京：人民出版社，1971年。

律的认识，即“规律的概念”也都“是人对于世界过程的统一和联系、相互依赖和整体性的认识的一个阶段”①。

规律以世界普遍联系的统一性、和谐一致性为自己表现的内容。而世界的普遍联系的统一性、和谐一致性，既不是上帝的安排，也不是人为的赋予，而是世界本身所固有的，所以规律是客观的。换句话说，规律客观性的根据就在于世界所固有的普遍联系的统一性、和谐一致性。

有的论者认为，人创造了新事物，也就创造了新事物的运动规律。其实，这一推论是不能成立的。因为人创造的新事物总是作为一种个别的存在，而新事物的运动规律则是新事物与其他关涉物的本质联系，它是超越新事物这个个别存在的一种关系存在。

举例来说，人造卫星作为个别存在是人造的，人造卫星运动的规律则是人造卫星在运动过程中所表现出来的，超人造卫星这个个别存在的，它与地球之间的本质联系。这种联系是世界普遍联系的统一性、和谐一致性的一个方面的实现和表现。因此，人造卫星是人创造的，不能由此推论出人造卫星的运动规律是人创造的。不仅如此，人对人造卫星的建造还必须遵循地球卫星运动的规律。否则人造卫星就上不了天，上了天也会掉下来。

规律是客观的，不以人的意志为转移的，这主要包括以下两个方面的涵义。

一是在规律与对规律的认识关系上，规律的存在是第一性的；人类对规律的认识是第二性的。二者是反映与被反映的关系。规律作为被反映者是不以作为反映者的人类的意志为转移的，是客观的。人们认识规律就是认识规律所表现的世界普遍联系的统一性、和谐一致性。这种统一性、和谐一致性在有的场合是通过人的有意识的活动来实现的，有的场合不是这样。但不管是否是通过人的有意识活动来实现，也不管人们对规律是否认识以及认识的深度如何，一切规律存在的根据都是客观的，是不以任何人的意志为转移的。有的论者曾经对社会规律的客观性产生怀疑，究其原因，一个重要方面是没有把社会规律存在的客观根据与社会规律通过人的有意识的活动加以实现这二者区

① ［俄］列宁：《哲学笔记》，158 页，北京：人民出版社，1974 年。

别开来。把社会规律的实现途径当成了社会规律产生的根源、根据，从而得出了“社会规律是主体人的选择活动的结果”① 这样一种不正确结论。

二是在规律与人的活动关系上，有的规律，比如社会规律和思维规律虽然是通过人的有意识的活动来实现，但这些规律不仅不以人的意志为转移，反而决定人的意志，制约和规定着人的活动。也就是说，人必须按规律办事。当然，人在实践中可以创造性地利用规律，造福人类。② 所谓按规律办事，就是按规律所标示的世界普遍联系的统一性、和谐一致性的法则办事。违背了世界普遍联系的这种统一性、和谐一致性，就是违背规律，违背规律就要受到规律的惩罚。

有的论者之所以对社会规律的客观性产生怀疑，除了上文所讲的原因外，另一个重要原因是把社会运动规律片面地归结为主体运动的规律。③ 马克思说过，社会规律是人的活动的规律。人的活动总是存在主体和客体两个方面。因此，社会运动并不单纯是主体的运动，而是社会主体和社会客体相互作用的运动。社会规律也不单纯是主体运动的规律，而是实践过程中，社会主体和社会客体相互作用、辩证发展的规律。社会规律作为社会主体和社会客体之间的本质联系，无论对社会主体还是社会客体都具有超越性、统摄性。作为这种超越性、统摄性的一个方面的表现，就是社会规律不以社会主体的意志为转移性，即客观性。这一点是绝对的。当然，社会规律的这种绝对的客观性实现于社会历史的相对客观性之中。这种相对的客观性在历史的纵向上表现为以前各代人所创造的劳动成果的沉淀，对于新一代人的不可选择性、客观性。然而这些成果作为新一代人活动的要素，又是通过人的活动而改变的东西。正是人类世代所构成的连续不断的历史活动中，历史呈现出规律性的过程。从历史的横向来说，社会历史的相对客观性表现为人们交互作用的矢量和对于每个个体意识和群体意识的客观性。正是在这种交互作用的客观形式中，社会规律作为一种占统治地

① 田鹏颖：《主体选择是社会规律发生作用的内在机制》，《求是学刊》，1989（3）。

② 参见陶富源：《规律的客观性及其价值性运用》，《江淮论坛》，1995（5）。

③ 参见刘福森：《社会历史过程中的主体性、合目的性和规律性》，《哲学研究》，1988（10）。

位的趋势“凌驾于他们之上”，“表现为不以他们为转移的过程和强制力”[1]。

总之，从规律的存在来说，尽管有的规律是通过人的有意识的活动来实现的，但一切规律存在的根据都是客观的，即它们都是对世界普遍联系的统一性、和谐一致性的普通性形式表现。从规律的具体实现来说，尽管有的规律离不开人的有意识的活动，但这些规律作为世界普遍联系的统一性、和谐一致性的具体体现，即作为人的有意识活动中主客体之间的本质联系，也是不以主体的意志为转移的、客观的。

① 《马克思恩格斯全集》第46卷（上册），145页，北京：人民出版社，1979年。

相互作用·本质契合与规律生成*

——兼与鲁品越教授商榷

《哲学动态》2008年第5期发表了鲁品越教授《生成论规律观与马克思主义哲学原理建设》一文（以下简称鲁文）。其文观点独到，令人耳目一新，读后深受启发。下面结合鲁文所论，来谈谈自己的一些思考和体会，以求得到指正。

一、规律生成于事物的相互作用中

鲁文认为，客观规律在事物相互作用中生成。对此，我深以为然。世界以两种形态存在：一是纵向的过程形态，二是横向的系统形态。从过程论的角度说，“世界……是过程的集合体”，世界上一切事物“都处在生成和灭亡的不断变化中”①。从系统论的角度说，世界也是系统的集合体。现代科学证明，世界上一切事物都是自成系统又互成系统，整个世界就是由无数的系统所构成的大系统，用恩格斯的话说：“宇宙是一个体系，是各种物体相联系的总体。”②作为整个世界一部分的人类社会也是一个活的机体。③当然，系统与过程也是相互联系的。因此，在这个意义上可以说，世界是处于系统联系中的过程的集合体，或者说，世界是处于过程联系中的系统的集合体。

世界以过程和系统两种形态存在。与此相联系，世界的规律也可分为两种类型：一是过程规律，即过程的本质联系，如运动规律、变化规律、发展规律等；二是系统规律，即系统的本质联系，如充分开放

---

* 原刊于《哲学动态》，2008（10）。

① 《马克思恩格斯选集》第4卷，244页，北京：人民出版社，1995年。

② 《马克思恩格斯选集》第4卷，347页，北京：人民出版社，1995年。

③ 参见《马克思恩格斯全集》第23卷，72页，北京：人民出版社，1972年。

规律、自组织演化规律、结构功能统一规律等。

过程规律存在于过程之中，系统规律存在于系统之中，这在辩证唯物论看来是毫无疑义的。如果对过程规律做脱离过程存在又支配过程的理解，同样对系统规律做脱离系统存在又支配系统的理解，那就是现代哲学所诟病的本质主义，就会落入唯心主义的窠臼。

那么世界为何能以过程和系统的形态存在呢？关于这一点，马克思主义经典作家早有论述，即认为，世界上一切事物都“是互相联系的，也就是说，它们是相互作用着的，并且正是这种相互作用构成了运动”[①] 过程。如果依据系统哲学的观点，那么也可以说，正是这种相互作用构成了系统。一般意义上的系统是指由若干相互作用的要素按照一定的层次和结构有序地组织起来的具有特定功能的整体。虽然到目前为止，人们还未能从马克思、恩格斯的著作中找到一段文字可以直接引用来对相互作用构成系统的观点给予明白无误的说明，但恩格斯确实又曾从总体上指明：“相互作用是事物的真正的终极原因。我们不能比对这种相互作用的认识追溯得更远了，因为在这之后没有什么要认识的东西了。”[②] 很显然，恩格斯的这一论述，对从相互作用出发去理解事物存在的过程形态和系统形态都是完全适用的。

鲁文坚持了马克思主义的上述观点，认为“一切事物必须通过与他物的相互作用才能存在”，并进一步指出，“相互作用”与“存在”不可分离，可以视为哲学的“第一原理”。我认为，这一概括和总结是十分恰当的。虽然鲁文仅仅把存在理解为过程的存在，而不是同时理解为系统的存在（这是鲁文的一个不足），但它确实又把基于相互作用关于事物过程的理解，推进到对事物过程中规律生成的理解，并提出了“生成论规律观”这一崭新概念，从而也就赋予了“规律”更为深刻而又生动的内涵。在我看来，这是鲁文的一个重要理论创新和理论贡献，是应该予以充分肯定的。但相互作用如何使规律得以生成？在这里，似乎还需要做进一步的探讨。

---

① ［德］恩格斯：《自然辩证法》，54页，北京：人民出版社，1971年。

② 《马克思恩格斯选集》第4卷，328页，北京：人民出版社，1995年。

二、规律是事物相互作用达成的本质契合

在关于事物通过相互作用如何使规律生成的问题上，鲁文指出，事物相互作用是双向的，因而某物与他物的相互作用，对某物来说，必然包含有能动和受动两个方面。能动是某物自由能力的表现，趋于自由随机状态，而受动则构成他物对某物身上的各种可能表现形式的限制和选择，从而表现为相互作用的规律，或者说，规律就是在这种相互作用中生成。

鲁文此论述，在其大方向上是正确的，但比较简单、笼统，另外在某些方面也存在可商榷之处。

从某物对他物的能动作用来说，针对他物的不同特性，某物面向他物的能动作用，在其时空、性质和强度等表现上，对某物而言具有自由度和随机性。但这种自由度和随机性不是绝对的。在这里，如果把鲁文所坚持的相互作用原则贯彻到底，那么也就不存在所谓“原生态”的、不受任何约束的、具有绝对自由和随机性的某物能动作用。当然，在这个问题上，学术界还没有形成统一的认识。至少在量子力学的研究中，关于微观粒子的“自由意志”问题，玻尔与爱因斯坦之间就曾进行过长达数十年的争论，而且这一争论至今没有止息。

不过从辩证哲学角度说，自由本身就是一个内涵约束的概念。就某物对他物的能动作用来说，这种能动作用的实施和实现，除了受他物作用的约束以外，相对于某物，还要受到其自身的约束，即某物内在结构的约束。因为从根本上说，某物的能动作用不过是某物的内在结构在某物与他物关系中所表现出来的作用性能。可见，某物对他物能动作用的自由度和随机性，是在该物结构功能制约下的自由度和随机性，因而是相对的。

比如，人的眼睛可以随便看看，这是人的视觉作用所具有的自由度和随机性，但人的眼睛的视网膜结构又决定了这种随便看看只能在可见光的范围内（电磁波的波长在390—760毫微米内），超出这个范围，人的视觉也就无能为力了。从某物承受他物作用的受动来说，“他物”是一个笼统的称谓。在现实中，他物是一个复数，也是一个变数。他物之作为他物，总是对某物发生作用的他物。构成他物的因素，可

能是原先就有的，也可能是中途突然闯入的，这就是人们通常所说的“不速之客”或遭遇的所谓“突发事件”。某种或某些不确定因素的侵入，通过非线性联系，会造成他物对某物综合作用的某种减弱或放大，或造成某物性质的某种改变。

因此，从总体上说，某物的受动也具有随机性。它对该物的稳定性会造成扰动，造成稳定中平均状况的偏离，甚至使稳定性趋于消解。因此，一般地谈论事物的相互作用，谈论某物的能动受动，这对说明规律的生成是不充分的。

从过程论的角度说，“生成”意味着矛盾双方的斗争达成统一，达成“对立面互相均衡，互相中和，互相抵销……融合成新的合题”①。从系统论的角度说，生成就是系统的各要素在相互作用中通过自组织，形成具有特定结构和功能的系统。可见，“合题”的形成或系统的产生，都离不开相互作用，但相互作用又必须达成相谐、相和，才能实现生成。这就是中国古人所说的“和实生物”②。因此，必须把上述关于相互作用的理解，关于能动受动的理解，进一步具体化为排斥与吸引、竞争与协同、相反与相成的理解，只有这样，才能科学说明事物的生成。

当然，本文在这里所要论述的不是一般事物的生成，而是规律的生成。但两者并非毫不相干，而是密切联系的。这表现在，规律的生成孕育于、实现于事物的生成之中，并对事物的生成起着约束、规范作用。可见，规律的生成离不开事物的相互作用，离不开事物之间的排斥与吸引、竞争与合作、相反与相成。但需要指明的是，这种相互作用中的“吸引”“合作”“相成”，对于规律的生成来说，是本质关系意义上的，是事物相互作用所达成的根本性质的契合，或简称“本质契合”。因此，必须把关于事物相互作用的理解，进一步深入到本质契合的理解，这样才能科学地说明规律的生成。

三、规律是世界统一和谐的普遍形式

关于规律，列宁指出：“规律是……本质的关系或本质之间的关系。”③

① 《马克思恩格斯选集》第1卷，140页，北京：人民出版社，1995年。

② 《国语·郑语》。

③ ［俄］列宁：《哲学笔记》，161页，北京：人民出版社，1974年。

这就是说，规律不是某种本质的体现，而是把某种本质与他种本质联系起来的体现，是本质之间的关系。比如，一个社会的经济基础和上层建筑各有其本质规定，两者的本质关系就是经济基础的性质及其变化决定上层建筑的性质及其变化，这样上层建筑也就获得了自己存在的合法性根据，并从而才能对经济基础起着维护、巩固和促进其发展的反作用。这也就是上层建筑与经济基础相适应这一规律的基本内容。

规律作为本质的联系，这种本质联系的内涵如何呢？在我看来，这种本质联系就是各关涉物的根本性质的某种契合。两个氢原子和一个氧原子在一定条件下化合成水这条规律，就是氢原子与氧原子在一定条件下根本性质的契合。同样，元素周期律所揭示的就是元素的化学性质与原子序数之间的一致，生产关系与生产力相适应的规律就是物质生产方式的形式和内容之间的契合，质量互变规律就是事物的质变与量变这两种变化形式在一定条件下的统一。

规律所蕴涵的各关涉物根本性质的契合，说到底是世界普遍联系的统一性、和谐一致性，在不同层次或不同方面的具有普遍性的形式表现。比如，自然规律就是通过自然物的相互作用所实现的自然界的普遍联系的统一性、和谐一致性。所以，恩格斯说：自然规律是"自然界中的普遍性的形式"①。又比如，社会规律是通过人的生产劳动所实现的历史与自然相互联系的统一性、和谐一致性。社会是自然界长期发展的产物，同时也是人通过劳动活动而实现的自然界的延续。因此，马克思认为："社会是人同自然界的完成了的本质的统一。"② 人类社会的历史归根到底是在生产劳动中形成的，经过形式变化的、适合人需要的自然力即生产力与生产劳动中所形成的社会物质关系即生产关系相互作用的历史。同样，思维规律也是通过人的思维活动所实现的主观世界与客观世界相互联系的统一性、和谐一致性。思维必须以客观世界为自己的前提，思维的主观形式不能离开思维的客观内容而孤立存在。人的全部思维活动都是与客观事物处于一种必然联系中的活动。思维规律就是在思维活动中生成，同时又支配着人的思维活动的这种必然性联系。恩格斯指出："我们主观的思维和客观的世界遵循

① 《马克思恩格斯选集》第4卷，341页，北京：人民出版社，1995年。

② 《马克思恩格斯全集》第3卷，301页，北京：人民出版社，2002年。

同一些规律，因而两者在其结果中不能互相矛盾，而必须彼此一致，这个事实绝对地支配着我们的整个理论思维。这个事实是我们的理论思维的本能的和无条件的前提。”①

总之，不论是自然规律、社会规律还是思维规律都是对世界普遍联系的统一性、和谐一致性在某一层次或某一方面的普遍性形式的表现。因而人们对规律的认识，即“规律的概念”也“是人对于世界过程的统一和联系、相互依赖和整体性的认识的一个阶段”②。规律以世界普遍联系的统一性、和谐一致性为自己表现的内容。而世界普遍联系的统一性、和谐一致性，既不是上帝的安排，也不是人为的赋予，而是世界本身所固有的。换句话说，规律生成的根据就在于世界所固有的普遍联系的统一性、和谐一致性。

四、规律生成中根据条件偶然必然的作用

那么，承认规律生成的根据在于世界所固有的普遍联系的统一性、和谐一致性与承认规律在事物相互作用中生成是否矛盾？应该说，在以往的文献中，这个问题从来没有被如此明确和尖锐地提出过。鲁文第一次提出了这个问题，这是很有意义的，它启发了我的思考。

在我看来，两者之间并不矛盾，而是统一的、互补的。这种互补性可以从两个互相联系的角度去加以说明：一是规律生成的根据与条件的关系角度；二是规律生成的必然性与偶然性的关系角度。

第一，从规律生成的根据与条件的关系来说，世界普遍联系的统一性、和谐一致性为规律的生成即事物本质契合的实现提供了根据。用释家的话来说，就是“有缘”。这里的有缘可以唯物主义地解释为各有其本质规定的事物具有达成本质契合的可能性或趋向性。但可能不等于现实，趋向不等于达成。也就是说，事物本质契合的可能要转化为现实，需要一定的条件，这个条件就是事物的相互作用。只有通过相互作用达成相互敞开、相互矫正，即按照相同形式自我改变形态，才能使本质契合的可能性变成现实性。相互作用的过程就是本质上

① 《马克思恩格斯选集》第4卷，364页，北京：人民出版社，1995年。

② ［俄］列宁：《哲学笔记》，158页，北京：人民出版社，1974年。

“有缘”的事物达成“结缘”的过程，亦即规律生成的过程。不难看出，没有上述根据与条件的结合与互补，就不会有规律的生成。

需要指明的是，以往关于规律的研究和论述，大多是从静态、既成的角度给规律以本质根据的规定，而没有从动态、生成的角度，即相互作用的角度给规律以生成条件的规定。这样一来，也就把作为规律生成根据所内含的可能性、趋向性的固有性，误读成了规律本身的固有性，从而造成了鲁文所批评的以往关于规律的预定论、先验论理解的弊病。这是必须要纠正和克服的。当然，在纠正这种倾向的同时，也不能从一个极端跳到另一个极端，即否定规律生成的固有根据，而片面强调规律生成的条件。否则，也就否认了规律生成的必然性，就会在关于盲目偶然性的抽象理解中使规律的生成化为乌有。

第二，从规律生成的必然性和偶然性的关系来说，事物的相互作用是随时随地发生和进行的，它具有偶然性。但规律的生成，即事物本质契合的实现，则具有必然性。但两者不是绝对对立的，而是互补的。这里的互补性可以归纳为三个方面：其一，相互作用的偶然性作为“代价”，为规律生成的必然性提供铺垫。比如，在人的创造性活动中，一开始缺乏经验，总要“摸着石头过河”。摸石头，可能摸着，也可能摸不着；可能摸对了，也可能摸错了；有时碰巧摸对了，却又缺乏自觉，抱有怀疑，甚至难免反复。只有通过多次失败，通过比较修正，才能最后找准过河的方向，即摸到过河的规律。其二，相互作用的偶然性作为“因素”，为规律生成的必然性提供支撑。自然现象、社会现象都具有随机性，那是多因素关系所造成的不确定性。但这种不确定性又在总体上形成或构成一种必然性，即统计决定论规律。其三，相互作用的偶然性作为形式，为规律生成的必然性提供手段。“被断定为必然性的东西，是由纯粹的偶然性构成的，而所谓偶然的东西，是一种有必然性隐藏在里面的形式。”① 必然性总是“以偶然性为其补充”，并“通过各种偶然性而得到实现的”②。打个比方说，果子熟了，总是要掉下来的，这是必然。但成熟了的果子什么时候、以什么方式离开果树，这就有偶然性。这里有以下几种情形，成熟了的果子可能

① 《马克思恩格斯选集》第4卷，244页，北京：人民出版社，1995年。

② 《马克思恩格斯选集》第4卷，733页，北京：人民出版社，1995年。

在某一天的某个时候被人摘下来，也可能被风吹下来，或者被雨打下来，等等。

总之，必须从上述的根据和条件、必然性与偶然性的辩证统一来理解规律的生成。

五、规律生成中人的合目的性介入

对规律生成的根据与条件、必然性与偶然性做辩证统一的理解，这就为科学说明客观规律的生成与人的实践活动的关系提供了科学的方法论。

规律的生成是在事物相互作用中所实现的本质契合，是从某一个方面或层次上所表现的世界普遍联系的统一性、和谐一致性。这种相互作用可能是自然发生的，也可能有人的活动的参与，但规律生成的根据是客观的，是不以人的意志为转移的。在一定范围内，人的活动作为一个因素，可以通过参与事物的相互作用去发现和确证事物本质契合的可能和条件。在这个前提下，人的实践活动对规律的生成可以在以下三个方面发挥作用。

第一，认识了事物本质契合的可能，如果这种可能对人有利，那么在力所能及的范围内，人可以有意识地创造这种本质契合的可能性，即创造这种可能性得以产生的现实基础。比如，民众的大联合作为一种可能性，它是以民众具有共同利益为现实基础的。因此，实现、保障、维护和发展这种共同利益也就为民众的大联合（各民众团体的本质契合）提供了极大的可能性。如果某种可能对人不利甚至有害，那么在力所能及的范围内，人也可以有意识地去破除这种本质契合的可能性，即消解它产生的基础。

第二，认识了事物本质契合由可能转化为现实的条件，如果这种可能的实现能获得人所需要的结果，那么人就可以在力所能及的范围内，创造条件以实现这种契合，从而使规律得以生成，以造福于人。比如，声和光是两种不同的物理现象，人们在几十年以前就已经知道，通过声光介质，声光就会发生相互作用，达于本质契合，以产生声光效应。近若干年来，人们创造了性能较好的声光介质材料，加上激光和高频超声技术的发展，声光效应才得到了许多实际的运用。

第三，事物本质契合的可能性，所提供的不是一种可能性，而是有多种可能性的发展空间。在这一可能性空间中，人们可以根据自己的目的、需要进行自觉选择。同时，每一种可能性的实现又可以有多种形式，即多种途径和方式，人们对具体途径和方式的选择可以发挥巨大的创造性和能动性。不同的可能性在特定条件下，被实现的只有一种。实现了的这个可能性是否是实现主体目的和需要的最佳选择，这取决于主体对规律生成根据的正确把握程度和创造规律生成条件的人的能动性发挥程度。

总之，规律生成的根据是客观的，它是世界普遍联系的统一性、和谐一致性的表现，但这种表现又是通过事物在相互作用中的本质契合得以实现的。人的活动作为相互作用中的一个参与因素，因而对事物本质契合的可能性基础，以及这种可能转化为现实的条件、形式，在一定范围内人们又可以根据自己的价值目标加以选择和创造。这就为人们在实践中发挥能动性，实现合规律性与合目的性的统一，提供了契合点。而且随着人的活动领域的日趋扩大，活动内涵的日趋丰富，活动作用的日趋久远，能否实现上述契合，也就对人的主体性建设提出了更高的要求。

主体性作为人的活动原则，它反映了人在世界中的主体地位，揭示人应当如何通过自觉能动的创造活动来处理自身与世界的关系，创造出最大的主体性效应。人的主体地位不是天然具有的，而是在人与世界的相互作用中，通过人的自觉能动活动去争取和创设的；这种地位也不是一蹴而就，一劳永逸的，而且随时面临丢失和削弱的危险，因而需要不断巩固、强化，甚至需要在新的基础上重新确立。

人的这种主体地位的提高，归根到底是为了通过主体性活动获得最大的主体性效应。正是这种主体性效应的追求，作为一种目标和规范，作为一种价值取向，制约着人的整个活动方式和过程，使人成为主体，使自发的潜在的主体转化为自觉的主体，使人作为个体活动的主体上升为社会历史活动的主体。

因此，主体性原则不是不受约束的纯粹自由原则，而是以承认客体制约和主体内在制约为前提的原则，是要求主体发挥内部潜能创造条件去超越外部制约性有效掌握客体的原则。也就是说，科学地坚持主体性原则，就必须把马克思主义所提倡的唯物主义原则与实践原则、内在尺度与外在尺度、真理原则与价值原则有机统一起来，以激发和制约人的主体性行为，并在主体性活动过程及其积极结果中，实现和体现主体性效应。因此，那种脱离人与世界的相互作用，把人的活动的主体性做纯粹自由的、预定性和先验性的理解，是不可取的。

恩格斯认同黑格尔“思维与存在的同质性观点”吗*

——与俞吾金先生商榷

一、事体重大，不可不辨

俞吾金先生在《哲学研究》2005 年第 12 期上发表了《从思维与存在的同质性到思维与存在的异质性——马克思哲学思想演变中的一个关节点》（以下简称俞文）一文。该文梳理了马克思探索思维与存在关系问题的历程，引出了一些富有启发性的结论，这是应该肯定的。但俞文在思维与存在的关系问题上，把恩格斯与马克思对立起来，这是我不能赞同的。

俞文说：“恩格斯一生都认同黑格尔关于思维与存在的同质性观点，并主张在这一观点的基础上探讨思维与存在的同一性问题。”而“马克思关于思维与存在关系的探讨中，具有决定意义的观点乃是思维与存在的异质性观点”。据此，俞文认为，这是马克思和恩格斯在这个问题上的“思想上的差异”。

在俞文看来，恩格斯不仅认同上述所谓“同质性观点”，而且是“一生认同”；相反，马克思主张所谓“异质性观点”，而且这是他的“具有决定意义的观点”。如此说来，这岂止是俞文所认为的马克思和恩格斯在“思想上的差异”，而分明是“本质的差别即是‘对立’”①。那么，马克思和恩格斯这种思想上的对立是真实的存在，还是俞文“想象的存在”呢？在我们看来，不是前者，而是后者。

---

* 原刊于《高校理论战线》，2006（3）。与王景共同撰写。

① ［德］黑格尔：《小逻辑》，贺麟译，254 页，北京：商务印书馆，1980 年。

特别应该指出，俞文关于恩格斯认同黑格尔“思维与存在的同质性观点”这样一个结论，涉及一个根本的、原则性的问题，即关系到对恩格斯哲学是唯物主义还是唯心主义的判定，关系到对恩格斯和马克思关系的正确认识，因此事体重大，不可不辨析清楚。

二、黑格尔的一个唯心主义基本观点

俞文认为，恩格斯认同黑格尔的思维与存在的同质性观点。那么，什么是黑格尔的思维与存在的同质性观点呢？对此，俞文作了说明：“在黑格尔那里，存在是被思维化的存在，而思维则是无条件地渗透、贯穿于存在的思维。简言之，思维与存在具有同样的性质，即它们具有同质性。”

俞文的这一说明，大体是到位的。当然，不足之处也有，因而需要加以补充和进一步予以说明。这里至少有以下三点。

第一，在存在与思维谁是本原的问题上，黑格尔认为，思维是本原的，存在是思维的派生物，是“抽象精神的产物”。也就是说，在关于哲学基本问题的第一方面问题的说明上，黑格尔坚持的是“思维第一性，存在第二性”的观点。

第二，存在是思维中的存在，也就是说，在黑格尔那里的存在，不是思维借助于现实手段和条件转化为的“现实的存在”，而是思维中“想象的存在”①。

第三，在黑格尔那里，思维与存在的同质性，是存在与思维的同质，而不是相反。用黑格尔的话说：“客观世界即是——理念”②，或者说“存在即思维”③。

不难看出，黑格尔的思维与存在的同质性观点，不是黑格尔哲学的一个一般的观点，而是集中体现其哲学唯心主义性质的一个基本观点。如果这个认识不错的话，那么结论必然是：谁认同这个观点，也

---

① 参见［德］马克思：《1844年经济学哲学手稿》，98、99页，北京：人民出版社，2000年。

② ［德］黑格尔：《小逻辑》，贺麟译，421页，北京：商务印书馆，1980年。

③ 北京大学哲学系外国哲学史教研室编译：《十八世纪末—十九世纪初德国哲学》，232页，北京：商务印书馆，1960年。

就是认同黑格尔的唯心主义；谁反对这个观点，也就是坚持了唯物主义。

三、恩格斯并未认同黑格尔

俞文说，恩格斯一生认同黑格尔关于思维与存在的同质性观点。我们认为，事实真相并非如此。

早在1845年，恩格斯在《“傅立叶论商业的片断”的前言和结束语》一文中就批判了黑格尔的思维与存在同质性的唯心主义观点。他指出：不要相信黑格尔的“绝对的精神王国，不相信有和无的同一以及永恒范畴的交配”①。

31年以后，即1876年，恩格斯在《反杜林论》一书中又指出：“黑格尔是唯心主义者，就是说，在他看来，他头脑中的思想不是现实的事物和过程的或多或少抽象的反映，相反，在他看来，事物及其发展只是在世界出现以前已经在某个地方存在着的‘观念’的实现了的反映。这样，一切都被头足倒置了，世界的现实联系完全被颠倒了。”②

也是在这部著作中，恩格斯在叙述了从实际出发的唯物主义观点之后，接着指出：“杜林先生的相反的观点是唯心主义的，它把事物完全头足倒置了，从思想中，从世界形成之前就永远地存在于某个地方的模式、方案或范畴中，来构造现实世界，这完全像一个叫做黑格尔的人的做法。”③

此后，又过了10年，在1886年发表的《路德维希·费尔巴哈和德国古典哲学的终结》一文中，恩格斯在评论青年黑格尔派时再一次指出：“唯物主义把自然界看作唯一现实的东西，而在黑格尔的体系中自然界只是绝对观念的‘外化’，可以说是这个观念的下降；无论如何，思维及其思想产物即观念在这里是本原的，而自然界是派生的，只是由于观念的下降才存在。”④

---

① 《马克思恩格斯全集》第2卷，656页，北京：人民出版社，1957年。
② 《马克思恩格斯选集》第3卷，363页，北京：人民出版社，1995年。
③ 《马克思恩格斯选集》第3卷，374页，北京：人民出版社，1995年。
④ 《马克思恩格斯选集》第4卷，221—222页，北京：人民出版社，1995年。

以上所引，出自恩格斯从青年到晚年的各个时期的著作，其时间跨度40多年。从这些引证中不难看出，在这40多年中，恩格斯对黑格尔关于思维与存在的同质性观点的批判是深刻的，其唯物主义立场是坚定的、一贯的，是不容置疑的。因此，俞文所谓恩格斯一生认同黑格尔关于思维与存在同质性的唯心主义观点，是有悖于历史真实的，是武断的、不能成立的。

四、如此“思维跳跃”搞不得

为了说明恩格斯和马克思在思维与存在关系问题上存在“差异”，俞文认为马克思主张思维与存在的异质性观点。但在我们看来，俞文的这一结论并没有如实反映马克思，当然也包括恩格斯的有关思想。因此，必须加以分析，予以澄清。

无疑，马克思对黑格尔的思维与存在的同质性观点是持坚决的批判态度的。但是能否由此断言，马克思主张思维与存在的异质性观点呢？我们认为，不能做这样的引申和推断。

在论述思维与存在的关系问题时，马克思和恩格斯一向认为，思维和存在是有区别的，但他们没有孤立地讲思维与存在之间的“区别”，而是把二者既区别开来又联系起来加以说明，从而与唯心主义及二元论划清界限。

比如，马克思说：“思维和存在虽有区别，但同时彼此又处于统一中。”① 他又说：“观念的东西不外是移入人的头脑并在人的头脑中改造过的物质的东西而已。”②

恩格斯也说：“如果完全自然主义地把‘意识’、‘思维’当作某种现成的东西，当作一开始就和存在、自然界相对立的东西，那么结果总是如此。如果这样，那么意识和自然，思维和存在，思维规律和自然规律如此密切地相适合，就非常奇怪了。可是，如果进一步问：究竟什么是思维和意识，它们是从哪里来的，那么就会发现，它们都是人脑的产物，而人本身是自然界的产物，是在自己所处的环境中并

① 《马克思恩格斯文集》第1卷，189页，北京：人民出版社，2009年。

② 《马克思恩格斯选集》第2卷，112页，北京：人民出版社，1995年。

且和这个环境一起发展起来的；这里不言而喻，归根到底也是自然界产物的人脑的产物，并不同自然界的其他关系相矛盾，而是相适应的。”①

由此可见，必须从上述的“区别”和“联系”这样两个方面来全面把握思维与存在的关系，来正确理解马克思恩格斯关于思维与存在关系的唯物主义论述，而不能像俞文那样，撇开思维是存在所派生，思维是对存在的反映等二者之间的本质联系，把思维与存在的区别绝对化，定格为所谓“思维与存在的异质性”。俞文把马克思关于思维与存在既相区别又相联系的观点，说成是马克思主张思维与存在的异质性观点，这里的思维跳跃遮蔽了马克思主义关于思维统一于存在的唯物主义观点，也难以与二元论划清界限。

俞文还把这种所谓“异质性观点”说成是马克思在思维与存在关系问题上的“具有决定意义的观点”，在我们看来，在思维与存在的关系问题上，马克思和恩格斯的具有决定意义的观点，只能是以实践为中介的存在第一性，思维第二性的观点，而不可能是别的观点。

五、这种“文字技巧”玩不得

为了证明马克思和恩格斯在思维与存在关系问题上存在“差异”，证明马克思主张思维与存在的异质性观点，俞文引用了马克思、恩格斯四本著作中的有关论述，即《1844年经济学哲学手稿》（以下简称《手稿》）、《神圣家族》、《关于费尔巴哈的提纲》（以下简称《提纲》）、《德意志意识形态》等。其中，《手稿》是马克思独自撰写的，恩格斯在世时，还不知道有这部《手稿》。《提纲》是马克思撰写的，恩格斯从马克思1844—1847年的旧笔记中发现了它，在作了文字整理以后，作为《路德维希·费尔巴哈和德国古典哲学的终结》的附录，第一次公开发表出来，并且给《提纲》以高度的评价，认为这是一份“非常宝贵的”、“包含着新世界观的天才萌芽的第一个文件”②。以上事实说明，恩格斯是完全赞同《提纲》的观点的。另外两部重要著作《神圣家族》和《德意志意识形态》则是由马克思恩格斯共同完成的。

① 《马克思恩格斯选集》第3卷，374—375页，北京：人民出版社，1995年。

② 《马克思恩格斯选集》第4卷，213页，北京：人民出版社，1995年。

俞文在引用《手稿》和《提纲》中的有关论述时，不提恩格斯，这理所应当，不会有人提出异议。但是俞文在引用《提纲》中的有关论述时，在思维与存在关系问题上是把“恩格斯观点”放在与“马克思观点”相对立的意义上，来证明马克思观点的正确的，这样一种引证，就很不妥当了。特别需要指出的是，俞文在引用《神圣家族》和《德意志意识形态》中的有关论述时，只是说“马克思写道”、“马克思又写道”等等，而压根儿不提恩格斯。这样做也是甚为不妥的。

六、这般“移花接木”使不得

为了证明马克思和恩格斯在思维与存在关系问题上存在着“差异”，为了证明恩格斯一生认同黑格尔的思维与存在的同质性观点，为了能提供这一方面的证据，哪怕仅仅是一点证据，俞文把恩格斯在《路德维希·费尔巴哈和德国古典哲学的终结》（以下简称《终结》）一书中对黑格尔关于世界可知性思想的肯定，说成了恩格斯对黑格尔的思维与存在同质性的唯心主义观点的认同，这里姑且称之为“移花接木”。

在《终结》这本著作中，在论述思维与存在关系问题的第二方面，在谈到世界的可知性问题时，恩格斯指出：“绝大多数哲学家对这个问题都作了肯定的回答。”①

接着谈到对不可知论的批判，并分别论述了黑格尔“从唯心主义观点出发”所做的“驳斥”、直观唯物主义费尔巴哈所做的机智的批判，特别是论述了他自己所主张的诉诸“实践，即实验和工业”的驳斥。也就是说，黑格尔、费尔巴哈和恩格斯分别从各自不同的哲学路线，都对世界可知性进行了肯定，在这一点上他们是共同的。

在谈到黑格尔关于世界的可知论时，恩格斯写道：“例如在黑格尔那里，对这个问题的肯定回答是不言而喻的，因为我们在现实世界中所认识的，正是这个世界的思想内容，也就是那种使世界成为绝对观念的逐步实现的东西，这个绝对观念是从来就存在的，是不依赖于世界并且先于世界而在某处存在的；但是思维能够认识那一开始就已经

---

① 《马克思恩格斯选集》第4卷，225页，北京：人民出版社，1995年。

是思想内容的内容，这是十分明显的。”[①]

俞文在引用了恩格斯的这段论述之后，写道：“虽然恩格斯不同意黑格尔把绝对观念理解为先于世界而存在的东西，但在‘思维能够认识那一开始就已经是思想内容的内容’这一点上，他又肯定了黑格尔。正是这种肯定表明，恩格斯一生都认同黑格尔关于思维与存在的同质性观点。”

恩格斯这段话到底认同了什么？很显然，这段话表述了两层意义：一是概括说明了黑格尔关于思维与存在同质性的唯心主义观点，这种观点是恩格斯所批判的；二是文中用“但是”标明，黑格尔的这一观点中又包含了世界可知性的思想。因而在恩格斯的这一整段论述中，前文用了“不言而喻”一语，最后用了“十分明显”一语相呼应，只在于证明一点，即彻底的唯心主义者黑格尔也是承认世界可知性的。可见，这里的“十分明显”，根本不是如俞文所认为的是对黑格尔所谓“同质性思想”的认同。列宁在《唯物主义和经验批判主义》一书中，在谈到恩格斯的这段论述时，也明确指出，关于世界可知性的肯定性的回答，“不仅是所有的唯物主义者，而且也包括最彻底的唯心主义者，例如，绝对唯心主义者黑格尔”[②]。

很显然，肯定黑格尔的世界可知性的观点，并不等于认同黑格尔的思维与存在同质性的唯心主义观点。正如在《终结》这本著作中，恩格斯肯定了费尔巴哈关于世界可知性的观点，也并非是认同了费尔巴哈的人本学唯物主义一样。

总之，俞文关于恩格斯一生都认同黑格尔的思维与存在同质性观点的结论，是没有一点证据的，是不能成立的。以这个观点为前提所引申出来的关于恩格斯和马克思在思维与存在关系问题上存在“差异”的观点，也是不能成立的，是错误的。当然，这样说，并不否认马克思和恩格斯在走过的哲学道路、哲学研究的侧重点、哲学的风格和对哲学的贡献等方面，各有特点，两人之间存在着差异，但在哲学基本问题上，他们是完全一致的，都坚持了彻底的唯物主义，即辩证唯物主义。这是两位巨人在几十年的政治生涯中，团结奋斗、肝胆相照，共同锻造的无产阶级和全人类解放的哲学武器。

---

① 《马克思恩格斯选集》第4卷，225页，北京：人民出版社，1995年。

② 《列宁选集》第2卷，74页，北京：人民出版社，2012年。

关于马克思主义哲学超越唯物主义的一点否证*

"实践一元论"或"实践本体论"是近年来一些论者所坚持的哲学见解。为了论证这种见解，他们宣扬一种"对唯物论和唯心论对立的超越"理论。并且认为，这种超越理论在马克思那里早已有之。有的论者甚至断言："马克思主义哲学诞生的秘密，变革的实质，恰恰就在于对唯物论和唯心论对立的超越。"①既然是超越，有的论者也就据此认为，不能把马克思主义哲学"归结为唯物主义的一种形态"②。

说马克思主义哲学超越了唯心主义，当然毫无疑义；说马克思主义哲学超越了唯物主义，其论据何在呢？在超越论者看来，最有力的证明，也就是他们在文章中一再援引的，是马克思在《1844 年经济学哲学手稿》（以下简称《手稿》）中的一段论述，即"彻底的自然主义或人道主义，既不同于唯心主义，也不同于唯物主义，同时又是把这二者结合起来的真理"③。

马克思的这一论述是否真的能为这种所谓超越理论提供有力的支持呢？现在许多不赞成"超越理论"的同志，已经写了不少文章，也发表了许多很好的批评意见，但是对超越论者所视为的上述这个最有力的证明，却往往疏于进行深入的分析。因此，本文不揣浅陋，希冀对这一不足能有所补救。

---

* 原刊于《安徽教育学院学报》，1991（1）。

① 高清海：《再论实践观点的超越性本质》，《哲学动态》，1989（1）。

② 刘纲纪：《对马克思主义哲学中的唯物主义问题的重新考察》，《天津社会科学》，1989（3）。

③ 《马克思恩格斯文集》第 1 卷，209 页，北京：人民出版社，2009 年。

一、费尔巴哈对机械唯物主义的超越

众所周知，马克思在世界观形成过程中，曾经受到费尔巴哈人本学唯物主义的重大影响。然而，同样作为一个客观事实存在的是，费尔巴哈从来也没有承认自己是一个唯物主义者，并且在批判黑格尔唯心主义的同时，他也曾一再声称要与唯物主义划清界限。在他看来，“唯物主义、唯心主义……都不是真理；只有人本学是真理。”①

我们的超越论者若是看到费尔巴哈的这一论述，不知会作何感想。他们会不会把赠送给马克思的这顶关于超越论的首创者的“桂冠”重新收回，又奉送给费尔巴哈呢？当然，这只有他们自己知道。其实，对任何思想家的思想进行科学研究，都不能仅凭思想家的自我声明，也不能从思想家有关论述的字面意义上去加以断定。既然是科学研究，就必须遵循科学的精神，即实事求是的精神。换句话说也就是，必须要联系思想家所处的时代条件，在历史的联系和逻辑的发展中，去把握其精神实质，去评价其思想内容。

在这一方面，恩格斯对费尔巴哈的研究，给我们树立了杰出的榜样。在《路德维希·费尔巴哈和德国古典哲学的终结》中，恩格斯并没有因费尔巴哈不承认自己是唯物主义者，而妨碍他去充分肯定费尔巴哈恢复唯物主义王座的巨大功绩，也没有停留在费尔巴哈要与唯物主义划清界限的有关声明的字面意义上，而是如实地分析这一声明所包含的真实内容，从而科学地说明了费尔巴哈哲学在唯物主义发展史上的地位及其局限。

恩格斯指出：“上一世纪（18世纪——引者注）的唯物主义主要是机械唯物主义，……对植物和动物的机体只作过粗浅的研究，并用纯粹机械的原因来解释；正如在笛卡儿看来动物是机器一样，在18世纪的唯物主义者看来，人是机器。”② 当历史进入19世纪50年代，自然科学已经有了长足发展的情况下，德国的庸俗唯物主义小贩们，仍然停留在18世纪机械唯物主义的水平上，甚至把思想也说成物质。

---

① 《费尔巴哈哲学著作选集》上卷，荣震华等译，205页，北京：商务印书馆，1984年。

② 《马克思恩格斯选集》第4卷，228页，北京：人民出版社，1995年。

费尔巴哈对这种忽视人、贬低人的“冷酷的唯物主义”深为不满。恩格斯认为：“费尔巴哈拒绝为这种唯物主义负责是完全对的。”① 换句话说，就其思想实质而言，费尔巴哈所反对的，只是机械的、庸俗的唯物主义，而并非反对一般的唯物主义。然而又正如恩格斯所指出的，由于费尔巴哈“把这种巡回传教士的学说同一般唯物主义混淆起来”②，因而他又犯了用个别代替一般的方法论错误。正是这个错误导致了费尔巴哈在口头上“反对唯物主义这个名称”③，而实际上又在为恢复和发展唯物主义，为克服先前唯物主义的机械性而努力这样一种似乎矛盾的现象。

二、费尔巴哈哲学是人本学唯物主义

费尔巴哈要克服先前唯物主义的机械性，而主张建立一种人的哲学。费尔巴哈认为，人是自然界的产物，人是自然界的一部分，但人又是自然界的一个特殊部分。人以自然界为基础，但相对于自然界，人又是更为重要的。因此，费尔巴哈认为，他的“新哲学将人连同作为人的基础的自然当作哲学唯一的，普遍的，最高的对象——因而也将人本学连同自然学当作普遍的科学”④。很显然，费尔巴哈哲学的基础是唯物主义，他承认物质自然界对人来说的基础性、本原性，但他的哲学的重点是人。

用费尔巴哈的话说，他的哲学是“作为人的哲学的新哲学”，其宗旨“主要的也是为人的哲学”⑤。因此，费尔巴哈的唯物主义不同于先前的机械唯物主义，而是以人本主义为特点的唯物主义，费尔巴哈的人本主义也不是一般的人本主义，而是以唯物主义为基础的人本主义。用马克思的话说，费尔巴哈哲学是体现了“和人道主义相吻合的唯物主义”⑥。只是费尔巴哈却总是回避唯物主义这个术语，而用“自然主

① 《马克思恩格斯选集》第4卷，229页，北京：人民出版社，1995年。
② 《马克思恩格斯选集》第4卷，229—230页，北京：人民出版社，1995年。
③ 《马克思恩格斯全集》第20卷，540页，北京：人民出版社，1971年。
④ 《费尔巴哈哲学著作选集》上卷，荣震华等译，184页，北京：商务印书馆，1984年。
⑤ 《费尔巴哈哲学著作选集》上卷，荣震华等译，186页，北京：商务印书馆，1984年。
⑥ 《马克思恩格斯全集》第2卷，160页，北京：人民出版社，1957年。

义”或“人本主义”[①] 来表述罢了。

在费尔巴哈那里，自然主义与人本主义是相通的概念。从学理的意义上说，人本，即人的根本、基础。费尔巴哈认为，这个基础就是自然界，自然是“人的前提，为人的原因或根据，为人的产生和生存所依赖的东西”[②]。因此，人本主义作为费尔巴哈的一个原理，它的意思是：在解决哲学问题时，必须把人看作自然界的一部分。

费尔巴哈把人提高到哲学的中心位置，并联系人的自然基础来理解人，这相对于先前的哲学有它优长的方面。但是这一原理脱离了具体历史的社会关系来考察人，因而导致了对历史发展规律的唯心主义理解。因此列宁认为：“无论是人本主义原理，无论是自然主义，都只是关于唯物主义的不确切的肤浅的表述。”[③]

由此可见，费尔巴哈的“自然主义”或“人本主义”只是唯物主义在费尔巴哈那里的特有形态，相对于先前的唯物主义，它“不那么机械”[④]，然而相对于马克思主义的唯物主义，它又有极大的局限性、不彻底性。即在自然领域中他是唯物主义者，在人类历史领域中，他是唯心主义者。[⑤]

三、马克思超越了旧唯物主义的直观性

在世界观的转变过程中，青年马克思于1843年通过写作《黑格尔法哲学批判》，转到了费尔巴哈人本学唯物主义的立场。到1844年写作《手稿》时，马克思还处在费尔巴哈人本主义的巨大影响下。《手稿》对费尔巴哈表示了高度的赞扬，甚至达到了某种迷信的程度。马克思在《手稿》中指出：“从费尔巴哈起才开始了实证的人道主义的和自然主义的批判”[⑥]，即把人这一自然界的不可分割的部分作为自己哲

① 《费尔巴哈哲学著作选集》上卷，荣震华等译，118、122页，北京：商务印书馆，1984年。

② 《费尔巴哈哲学著作选集》下卷，荣震华等译，523页，北京：商务印书馆，1984年。

③ ［俄］列宁：《哲学笔记》，78页，北京：人民出版社，1974年。

④ 北京大学哲学系哲学史组：《马克思恩格斯列宁斯大林论德国古典哲学》，471页，北京：商务印书馆，1972年。

⑤ 《马克思恩格斯选集》第1卷，78页，北京：人民出版社，1995年。

⑥ 《马克思恩格斯文集》第1卷，112页，北京：人民出版社，2009年。

学的最高对象。因此，马克思肯定说："费尔巴哈著作（《关于哲学改造的临时纲要》和《来来哲学原码》——引者注）是继黑格尔的《现象学》和《逻辑学》之后包含着真正理论革命的唯一著作。"① 不仅如此，马克思在《手稿》中还沿用费尔巴哈的术语，把自己当时的哲学见解，也称之为"彻底的自然主义或人道主义"。

所不同的是，马克思在《手稿》中并没有像费尔巴哈那样回避唯物主义这个术语，而是对"自然主义"或"人道主义"作了唯物主义的理解。《手稿》甚至认为，"费尔巴哈的伟大功绩在于……创立了真正的唯物主义和实在的科学"。②

既然马克思在《手稿》中如此肯定费尔巴哈的唯物主义，那么又如何说明指称马克思为超越论者那些人所援引作为论据的那段话，即马克思在《手稿》中关于"彻底的自然主义或人道主义……不同于唯物主义"的论断呢？

在我看来，这里只是用语上的不确切和混乱。如前所说，这种情况在费尔巴哈那里早已存在，当青年马克思还处在费尔巴哈哲学思想的巨大影响中的时候，以至这种表述的不确切和混乱也被《手稿》延续下来。

另外，《手稿》本身既不是马克思成熟时期的著作，也不是公开发表的著作，只是马克思在世界观转变过程中，对经济学和哲学进行研究，而写下的供自己使用的一部手稿。因此，出现用语上的不确切和表述的前后不一等情况，也是不难理解的。当然，这会给不加深察的研究者理解马克思当时的真实思想带来一些困难。但是只要联系《手稿》中这一段论述的上下文，把握好马克思对费尔巴哈的批判继承关系，而不是把它孤立起来做断章取义的理解，还是不难窥其精神实质的。

我认为，这段论述的精神实质有二：第一，表明《手稿》对费尔巴哈人本学唯物主义的继承，也就是说，肯定了费尔巴哈人本主义对先前唯物主义机械性的一定程度的超越。关于这一层含义，前文已经有所说明，这里不再重复。第二，这段论述也在一定程度上表明了《手稿》对费尔巴哈唯物主义直观性的超越。尽管马克思当时还没有意

① 《马克思恩格斯文集》第1卷，112页，北京：人民出版社，2009年。

② 《马克思恩格斯文集》第1卷，200页，北京：人民出版社，2009年。

识到，或没有完全意识到这一点，但《手稿》中确实已经开始了这种超越。

具体说来就是，费尔巴哈的“自然主义”或“人道主义”与马克思在《手稿》中所说的“自然主义”或“人道主义”，就共同点来说都是以人为中心的，都是对先前敌视人的机械唯物主义的超越，但费尔巴哈的“自然主义”或“人道主义”所理解的人，是作为感性存在的自然物。用费尔巴哈的话说：他的哲学的出发点就是：“我是一个实在的感觉的本质，肉体总体就是我的‘自我’，我的实体本身。”[①]

而《手稿》中的“自然主义”或“人道主义”所指谓的人，则是作为感性活动的自然物。《手稿》指出：“人直接地是自然存在物，人作为自然存在物，……是能动的自然存在物。”[②]“自由的有意识的活动恰恰就是人的类特性”[③]。“通过实践创造对象世界，即改造无机界，人证明自己是有意识的类存在物”[④]，亦即社会的存在物，这样马克思沿着从人的活动的能动性到人的活动的社会性的思路，进一步揭示出人类社会的历史归根到底是劳动的发展史。[⑤] 因此可以说，在《手稿》中马克思虽然还没有提出“实践活动的唯物主义”这一概念，但也已经是呼之欲出了。

比如《手稿》中说：“只有自然主义能够理解世界历史的行动”[⑥]，换句话说，马克思要创立一种能够理解世界历史的行动的唯物主义。可见《手稿》中关于“彻底的自然主义或人道主义……不同于唯物主义”这一论断中所谓“不同于唯物主义”，其本意指的是不同于旧唯物主义，即机械性和直观性的唯物主义，从而表现了一种在社会历史领域中贯彻唯物主义的追求和努力，而并非如超越论者所理解的，是所谓超越一般的唯物主义。

退一步说，即使《手稿》中的这一论述真的如超越论者所理解的那样，是所谓主张用自然主义或人道主义超越（一般的）唯物主义，

① 《费尔巴哈哲学著作选集》上卷，荣震华等译，169页，北京：商务印书馆，1984年。
② 《马克思恩格斯文集》第1卷，209页，北京：人民出版社，2009年。
③ 《马克思恩格斯文集》第1卷，162页，北京：人民出版社，2009年。
④ 《马克思恩格斯文集》第1卷，162页，北京：人民出版社，2009年。
⑤ 参见《马克思恩格斯文集》第1卷，196页，北京：人民出版社，2009年。
⑥ 《马克思恩格斯文集》第1卷，209页，北京：人民出版社，2009年。

也不能由此推论说：马克思主义哲学超越了唯物主义。因为马克思主义哲学不是自然主义或人道主义，而是辩证历史唯物主义。自然主义和人道主义只是马克思主义哲学形成过程中表现出来的一种理论现象，随着马克思向历史唯物主义的进一步接近或最终建立，马克思自己也不再使用“自然主义”或“人道主义”这类术语来称谓自己的哲学了。

四、马克思“实践活动的唯物主义”

马克思在1845年3月写作的《评弗里德里希·李斯特的著作〈政治经济学的国民体系〉》一文中已经用“工业唯物主义”取代“自然主义”或“人道主义”等术语，来批判李斯特所“信守的唯心主义”的虚伪性。①

其后不久，马克思写作的《关于费尔巴哈的提纲》作为“新世界观的天才萌芽的第一个文件”②，则更鲜明地批判了“从前的一切唯物主义——包括费尔巴哈的唯物主义”的直观性和不彻底性，而把自己的哲学称为“实践活动的唯物主义”和“新唯物主义”③。

在《关于费尔巴哈的提纲》以后，马克思恩格斯合写的《德意志意识形态》一书是马克思主义哲学创立的标志。该书的第1卷，第一个标题是“费尔巴哈　唯物主义观点和唯心主义观点的对立”。文中有这样的话：“我们这些意见正是针对着费尔巴哈的，因为只有他多少向前迈进了几步，只有他的著作才可以加以分析。”④

费尔巴哈多少向前迈进几步，指的是“费尔巴哈比‘纯粹的’唯物主义（指机械唯物主义——引者注）有巨大的优越性：他也承认人是‘感性的对象’”。书中同时指出：“当费尔巴哈是一个唯物主义者的时候，历史在他的视野之外，当他去探讨历史的时候，他绝不是一个唯物主义者”，因为“把人只看作是‘感性对象’，而不是“感性活动’”⑤。正是“实践的唯物主义者”即“共产主义的唯物主义者看到

① 参见《马克思恩格斯全集》第42卷，240页，北京：人民出版社，1979年。
② 《马克思恩格斯选集》第4卷，213页，北京：人民出版社，1995年。
③ 《马克思恩格斯选集》第1卷，60、61页，北京：人民出版社，1995年。
④ 《马克思恩格斯全集》第3卷，20页，北京：人民出版社，1959年。
⑤ 《马克思恩格斯选集》第1卷，77、78页，北京：人民出版社，1995年。

改造工业和社会结构的必要性和条件的地方，他却重新陷入唯心主义”[①]。

这里，马克思恩格斯把机械的唯物主义，费尔巴哈的人本学唯物主义，和自己的“实践活动的唯物主义”之间批判继承关系，作了较为完整的科学的阐明。我们只能从这种批判继承关系的意义上去理解后者对前者的超越，即前者和后者都保持了一般唯物主义的传统，后者又克服前者在表现形态上所具有的缺点和局限性。因此，我们认为《手稿》中的上述那段论述，作为马克思主义哲学超越了唯物主义的证据，根本不能成立。

历史和现实的许多事实说明，谁主张超越唯物主义和唯心主义的对立，其结果必然是超越唯物主义，而使自己陷入唯心主义。现代西方哲学中，人本主义和科学主义这两大思潮的众多派别，都以拒斥形而上学相标榜，然而谁都未能逃脱这个历史的逻辑。既然是这样，那么我们的超越论者所坚持的“实践一元论”或“实践本体论”又岂能例外？当然从思想自由的意义上说，谁主张超越唯物主义，那是他的权利。但是谁也无权曲解马克思，说马克思主义哲学超越了唯物主义。

① 《马克思恩格斯选集》第1卷，79页，北京：人民出版社，1995年。

关于“超越论”的反思*

近20多年来，我国哲学界流行着一种关于马克思哲学思维方式的“超越论”观点。在这种观点看来，马克思以其创立的实践论思维方式超越了以主客、心物、思有二分为特征的唯物主义和唯心主义的本体论思维方式。其理由是，实践既是人的物质活动，同时又是人的精神活动。也就是说，实践是一个融合了物质和精神的总体范畴。因而马克思哲学的实践论思维方式也就克服了唯物主义和唯心主义的本体论思维方式的片面性。

如何看待这一观点呢？我认为，这一观点内含多重困难，因而是立不住，是不可取的。这里就这一观点所内含的四个主要困难来进行剖析。

一、二元论哲学的特征不可他移

超越论所言说的超越对象是作为唯物唯心本体论思维方式特征的主客、心物、思有的二分。这里所谓的特征，对唯物唯心而言是确如所指，还是子虚乌有？我认为并非前者，而是后者。

主客、心物、思有，三者涵义有别。为了行文的方便，这里先就主客二分来加以说明。

主客二分是指主体与客体的区分。这种区分不是人们选择赞同或反对的观念或立场，它概括的恰是人类生存和发展的条件，是一种必然存在的客观事实，不仅如此，它还标志着一种历史的进步。主客二分意味着人通过劳动从自然界的提升，意味着人不仅是自然存在物，而且是把外在自然和自身自然作为客体来加以改造的主体。

---

* 原刊于《马克思主义研究》，2010（11）。

正是在生产劳动的意义上，马克思指出："主体是人，客体是自然。"[①] 人作为主体获得肯定，这实际是在描述和肯定人在自然和社会中的一种特殊地位。即表征和肯定人与环境相互作用中的人的主导性、主体作用和主体尺度。也就是说，人作为主体是实践活动的发起者，是通过实践活动对客体的改造者，是实践成果的价值赋予和享用者。由此可见，如果没有主客二分，也就没有作为主体的人对客体世界的改造活动以及以此为基础的认识活动，这样一来，也就没有人的生存和发展。

当然，肯定主客二分，不是只分不合，只对立不统一。肯定人的主体地位，说到底是强调主体要自觉地把握客体，并要把这种把握作为人的主体地位得以确立的基础，从而把客体的基础性与人的主导性、客体的存在方式与人的存在方式、客体的尺度与人的尺度有机统一起来。不难看出，主客二分是前提、是手段，主客合一是目标、是归宿。没有主客二分，也就无所谓主客合一。反之亦然。人类文明就是在主客又分又合、既对立又统一中发展起来的。

在中国古代，主客二分和主客合一被分别表述为"天人相分"和"天人合一"。

人们一般认为，孟子是中国古代"天人合一"思想的主要代表。但孟子强调天人合一，其目的之一是在于用天人合一来规范天人相分。用今人的话来说，即在处理天人关系上，不能片面张扬人的主体性。例如，他说，农人种地，"不违农时，谷不可胜食也"；渔夫捕鱼，"数罟（孔小的网——引者注）不入洿池，鱼鳖不可胜食也"；伐木者"以时入山林，木材不可胜用也"[②]。

与孟子有别，荀子是中国古代"天人相分"思想的主要代表。他曾说："明于天人之分，则可谓至人矣。"然而荀子强调天人相分，其指向是在于实现"天人合一"。即强调发挥人的主体作用，充分运用自然规律"制天命而用之"，以达于"天人交胜"[③]，即实现二者的协调发展。

① 《马克思恩格斯选集》第2卷，3页，北京：人民出版社，1995年。

② 《孟子·梁惠王上》。

③ 《荀子·天论》。

由上可见，在孟子和荀子那里，尽管其主张的侧重点不同，但坚持“天人相分”与“天人合一”的统一则是一致的。因此，不能像当今有些论者那样，为了批判主客二分，而把“天人合一”单挑出来，作为中国传统思维方式的优长去加以肯定。这样做，有悖辩证理性，也与历史不符，因而是要不得的。

可见，问题的关键不在于主客二分，而在于如何正确理解主客二分。所谓正确理解，即要把主客二分置于主客既对立又统一的有机联系中去加以辩证理解，而不能像超越论那样脱离主客合一，对主客二分作主客绝对对立的理解。

在西方哲学史上，主体以及与之相关联的客体在认识论并进而在实践论意义上被使用，是从 17 世纪开始的。从那以来，彻底的唯心主义和旧唯物主义虽然没有能科学揭示主客相分与相合的基础，但在其指向上它们又总是力图按各自的哲学路线去说明二者的统一。

例如，十七、十八世纪的英法唯物主义者从纯粹物质的角度肯定了主客统一。但其缺陷也很致命，即他们都牺牲了人的主体能动性，而把人单纯看作是环境的产物，是服从机械法则的存在。

从费希特到黑格尔则是以唯心主义形式肯定了主客统一。拿黑格尔来说，他认为绝对观念是最高的存在，人与世界都是绝对观念的分有，二者在这个基础上统一了起来。因而作为主体的人，即抽象的自我意识与作为认识和改造对象的客体在本质上具有统一性。

在批判黑格尔哲学的过程中，费尔巴哈建立了自己的人本哲学。他用“感性主体”超越了黑格尔的“思辨主体”，认为人作为主体在地位上比自然界更重要。但同时他又认为，自然是人的来源、人的本质，因而人的感官能够认识自然，从而达于主客统一。

尽管这些唯物主义和唯心主义派别关于主客统一的说明存在着种种片面性甚至谬误，但它们并没有把主客绝对对立起来，这是显而易见的。因此，超越论把主客绝对对立说成是唯物唯心的特征，是没有根据的。

诚然，在主客问题上，坚持主客绝对对立的哲学派别是有的，那就是以笛卡尔和康德为代表的二元论哲学。拿康德来说，他继承了历史上“认识开始于经验”的思想，同时又明确提出了著名的主体性原则，从而将人们的认知符合客体改为客体符合人们的认知，让客体围绕主体旋转。然而在阐明这一主体性原则的过程中，康德又表现了动摇和退缩。他一方面说，客体作用于人的感官产生经验现象，经过人的先天范畴的整理而成为人的知识；可另一方面又说，经验现象和引起经验现象的物质没有共同之处，客体不能被现象化、主体化，它是人的认识所不能达到的“物自体”。这样一来，康德也就把主客绝对对立了起来。

总之，主客二分不能否定。要否定的只能是那种把主客二分等同于主客绝对对立的独断理解，以及作这种独断理解的二元论哲学。因此，超越论把主客二分混同于主客绝对对立去加以指责，是不妥的；另外，它把主客绝对对立这个二元论哲学的特征说成是唯物唯心的特征去加以非难，这是张冠李戴，欲加之罪，因而也是不能允许的。

二、唯物唯心的涵义不容曲解

超越论之所以把主客或心物绝对对立说成是唯物唯心的特征，并力图加以超越，其原因何在呢？对此有位论者给出了所谓“隐蔽的二元论”这样一种说法。

何谓隐蔽的二元论？这位论者认为：“表面看来，旧唯物主义和唯心主义都是一种一元论，其实不然。因为在追问物质和精神何者第一性、何者第二性时，它们实际上已经先行地设定了心与物之间的二元分裂。只有在这一预设的前提下，何者第一性、何者第二性的问题才是可能的。因此，可以说，旧唯物主义和唯心主义都是基于同一个前提而确立起来的。在此意义上，它们都不过是隐蔽的二元论而已，所以逻辑上是不彻底和不完备的，从而有其致命的缺陷。先行地预设两种实在（最抽象的实在就是心和物），然后再寻求二者之间的统一，把一个归结和还原为另一个，这正是旧唯物主义和唯心主义的根本缺陷。”①

在我看来，这一观点不能成立。原因在于这位论者把唯物主义②和

---

① 何中华：《实践本体论：一个再证实》，《学习与探索》，2007（3）。

② 尽管这位论者在行文中所非难的是旧唯物主义，其实，这是一种障眼法。在超越论那里，唯物主义不论新旧都被看作是一种旧的思维方式，都是被超越的对象。

唯心主义所承认的物质和精神的区别混同于了物质和精神的二元分裂，它以此为依据来论证所谓隐蔽的二元论观点，自然是牵强的，不妥的。

是的，唯物唯心与二元论所论都是关于物质和精神的关系问题，并且都承认二者的区别。但是，能否像这位论者那样，把承认这种区别等同于主张物质和精神的二元分裂呢？不能。这是因为，承认这种区别与把这种区别绝对化是性质不同的两回事。

例如，17 世纪法国哲学家笛卡尔就是对这种区别作了绝对化的理解，因而他成为哲学史上典型的二元论者。他认为物质和精神是两种绝对不同的实体，精神的本质在于思想，物质的本质在于广袤；物质不能思想，精神没有广袤，因而二者彼此完全独立，不能相互影响。

与二元论有别，唯物主义和唯心主义虽然也承认物质和精神或思维与存在的区别，但它们并没有把这种区别绝对化，而是认为这种区别是与统一相联系的区别。例如，黑格尔认为：“思维与存在的对立”与“思维与存在的统一”是不可分割的，并指出：“哲学的职责在于努力证明，亦即揭示这种思维与存在的统一”①。应该说，旧唯物主义、马克思新唯物主义与黑格尔唯心主义在这个问题上的见解是一致的。关于思维与存在的关系，马克思也曾指出：“思维与存在虽有区别，但同时彼此又处于统一之中。”②

那么如何理解唯物唯心所坚持的物质和精神的统一呢？对这种统一有以下两种理解：一是唯物唯心所理解的有根的统一，二是上述那位论者强加给唯物唯心的所谓以二元分裂为前提的无根的统一。很显然，因为无根，所以这种统一是荒唐的，不可思议的。正如恩格斯指出的：“如果完全自然主义地把‘意识’、‘思维’当作某种现成的东西，当作一开始就和存在、自然界相对立的东西……那么意识和自然界，思维和存在，思维规律和自然规律如此密切地相适合，就非常奇怪了。”③

唯物主义和唯心主义所坚持的物质和精神的统一不是上述无根的统一，而是有根的统一，或者说，是以本原为根据的统一。即唯物主

① ［德］黑格尔：《小逻辑》，贺麟译，139、157 页，北京：商务印书馆，1980 年。

② 《马克思恩格斯全集》第 42 卷，123 页，北京：人民出版社，1979 年。

③ 《马克思恩格斯选集》第 3 卷，374 页，北京：人民出版社，1995 年。

义认为，物质作为本原派生出精神，因而精神能够与物质相统一，故而称之为物质一元论；唯心主义认为，精神作为本原派生出物质，因而物质能够统一于精神，故而称之为精神一元论。

由此可见，无论是唯物主义还是唯心主义，都以各自的方式为物质和精神的统一提供了根本依据。在这种本原与派生的关系中，由本原而派生出区别之物，但这种区别之物毕竟又是由本原所派生的，因而这种区别之物又是与本原相统一的。

上述那位论者为了为所谓隐蔽的二元论观点提供论证，先是来了一个釜底抽薪，即抽去了物质和精神统一的本原根据，其手法是把原本作为根据和缘由的东西加以本末倒置，变成了所谓通过主观“归结”和“还原”的结果的东西。接着来了一个移花接木，即把原本作为本原派生意义上的物质和精神的区别与物质和精神的二元分裂嫁接起来。经过这样一番倒腾，唯物主义和唯心主义似乎也就成了无根的一元论，隐蔽的二元论。

很显然，这种“倒置”和“嫁接”是不合逻辑的，是非法的，所以一经推敲，自然破绽败露，不能成立。

诚然，马克思主义哲学既反对那种把物质和精神的区别作绝对化理解的二元论观点，也反对那种把物质统一于精神的唯心主义观点，而主张精神统一于物质的唯物主义观点。在马克思看来，“观念的东西不外是移入人的头脑并在人的头脑中改造过的物质的东西而已”①，“意识在任何时候都只能是被意识到了的存在，而人们的存在就是他们的现实生活过程。”② 恩格斯也说：“什么是思维和意识，它们是从哪里来的，那么就会发现，它们都是人脑的产物，而人本身是自然界的产物，是在自己所处的环境中并且和这个环境一起发展起来的；这里不言而喻，归根到底也是自然界产物的人脑的产物，并不同自然界的其他联系相矛盾，而是相适应的。”③ 需要指出的是，马克思主义哲学肯定物质在物质与精神统一中的本原性意义，但并不否认实践在这种统一中的中介性意义，不仅不否认，而且认为，这对唯物主义原则的贯彻和

---

① 《马克思恩格斯选集》第2卷，112页，北京：人民出版社，1995年。

② 《马克思恩格斯选集》第1卷，72页，北京：人民出版社，1995年。

③ 《马克思恩格斯选集》第3卷，374—375页，北京：人民出版社，1995年。

坚持是必不可少的。就是说，马克思哲学思维方式的实践性与其唯物性是根本一致的。

坚持唯物主义，在思维方式上就表现为要坚持客观而非主观地看问题。为此，就必须坚持恩格斯所说的“从最顽强的事实出发”[①]。而要做到这一点，其关键又在于必须从实践出发，要立足于实践。这是因为只有通过实践改造现实，才能使现实获得展示和呈现，才能使认识中的主观附加在长期反复的实践中得到清洗，从而才得以按照事物的本来面目及其产生情况来理解事物。这种通过实践以实现对事物客观认识的理念和要求，就是唯物主义世界观和方法论在认识论和思维方式上的贯彻和体现。正如马克思所指出的：“人的思维是否具有客观的……真理性，这不是一个理论的问题，而是一个实践的问题。人应该在实践中证明自己思维的真理性，即自己思维的现实性和力量，自己思维的此岸性。”[②] 列宁也指出：“对象、物、物体是在我们之外，不依赖于我们而存在着的，我们的感觉是外部世界的映象。这个结论是由一切人在生动的人类实践中作出的，唯物主义自觉地把这个结论作为自己认识论的基础。”[③] 他还说：“如果把实践标准作为认识论的基础，那么我们就必然得出唯物主义。”[④] 也就是说，在认识论上，包括哲学思维方式上，坚持马克思哲学的实践性与坚持唯物性并不相悖，而是统一的。可见，那种所谓马克思哲学的实践论思维方式是对唯物主义超越的观点是根本立不住的。

另外，超越论还无法回避这样一个令其头痛且足以致命的问题，即马克思在批判唯心主义时，曾一再声称：“我是唯物主义者”[⑤]；他曾明确指出，它所创立的哲学是“新唯物主义”“实践活动的唯物主义”[⑥]；马克思强调要发挥唯物主义的认识功能和思维功能。他曾肯定这样一种见解：“当我们真正观察和思考的时候，我们永远也不能脱离

---

① 《马克思恩格斯选集》第2卷，41页，北京：人民出版社，1995年。

② 《马克思恩格斯选集》第1卷，55页，北京：人民出版社，1995年。

③ ［俄］列宁：《唯物主义与经验批判主义》，93页，北京：人民出版社，1960年。

④ ［俄］列宁：《唯物主义与经验批判主义》，131页，北京：人民出版社，1960年。

⑤ 《马克思恩格斯全集》第32卷，526页，北京：人民出版社，1974年。

⑥ 《马克思恩格斯选集》第1卷，56页，北京：人民出版社，1995年。

唯物主义。”① 既然如此，如果硬要说作为新唯物主义创立者的马克思，在哲学思维方式上超越了唯物主义，那岂不荒唐可笑、自相矛盾？因此，超越论与马克思所坚持的唯物主义原则是格格不入的。超越论所设定的那个在思维方式上超越唯物主义的马克思也是根本不存在的。

三、实践的折中主义理解不能成立

超越论除了把关于唯物唯心的上述曲解作为立论的前提以外，还把其关于实践的折中主义的理解作为自己立论的基础。在超越论看来，实践既是人的物质活动，又是人的精神活动，这样一来，既肯定了物质的作用，又肯定了精神作用，于是坚持马克思哲学思维方式的实践性也就克服了唯物唯心的片面性。在我看来，这种关于实践的理解，是以折中主义冒充辩证法，给人貌似全面之感，实际是一种虚妄之论。

关于实践，马克思经典作家没有给出定义式的界说，但他们确实又从不同角度给实践以各种规定。综合这些规定，可以作如下概括：实践是以生产劳动为最基本形式的，以生产力和生产关系的矛盾为根本动力的，人与环境、主体与客体相互作用的、能动的社会物质活动。

在这一概括中，容易产生分歧的是关于实践能动性的理解。因为能动性总是跟人的主观性、目的性相联系的。正因为如此，所以旧唯物主义很难用自然观上的唯物主义来理解人的实践能动性，而为了与唯心主义划清界限，于是它干脆排除人的实践能动性。正如马克思所批评的，“从前的唯物主义”“对对象、现实、感性，只是从客体的或者直观的形式去理解，而不是把它们当作感性的人的活动，当作实践去理解。”也是基于相同的原因，唯心主义则总把人的实践能动性径直归结为抽象精神的能动性，所以马克思说：“能动的方面却被唯心主义抽象地发展了，当然，唯心主义是不知道现实的、感性的活动本身的。”② 由此可见，如何看待人的实践能动性，这是马克思主义哲学与旧唯物主义以及唯心主义相区别的一个焦点。

承认人的实践能动性与人的主观性、目的性相联系，在马克思主

---

① 《马克思恩格斯全集》第32卷，213页，北京：人民出版社，1974年。

② 《马克思恩格斯选集》第1卷，54页，北京：人民出版社，1995年。

义看来，这是一个必然之理。对此，马克思曾经指出：“有意识的生命活动把人同动物的生命活动直接区别开来。正是由于这一点，人才是类存在物。”① 不仅如此，随着人的不断发展，人不断地超越动物越远，人的活动的目的性也会越加自觉、越加鲜明。正如恩格斯所指出的，“人离开动物越远，他们对自然界的影响就越带有经过事先思考的、有计划的、以事先知道的一定目标为取向的行为的特征。”②

既然人的实践能动性与人的主观性、目的性相联系，那么能否据此认为，人的实践既是一种物质活动，同时又是一种精神活动呢？应该说，这种认识比较符合常识，而常识是以表面现象为根据的日常经验，所以常识往往并不可靠。因此，实践超越论囿于这种关于实践的日常经验理解，自然也就不可能得出正确的结论。

实际上，人的一切活动，包括人的物质活动和精神活动，都既有精神因素的参与，又有物质因素的参与。在这一点上，它们是共同的。很显然，人的精神活动如果没有物质因素的参与，那么这种精神活动，也就具有了十分神秘的性质，它就不是人的精神活动，而只能是想象中的神灵和鬼怪的活动。反之，人的物质活动如果没有精神因素的参与，那么这种物质活动也就不是人的物质活动，而只能是纯粹动物的活动，如同猩猩、猴子之类的本能活动。

因此，人的精神活动之所以是精神活动，并非因为排除了物质因素的参与，而是在于人在精神活动中，通过发挥其认识能动性，使参与其中的对象性物质因素摆脱了其外在的客观形式，而赋予了其内在于人脑的主观形式，使其成为精神的一个环节。

同理，人的物质活动之所以是物质活动，也并非因为排除了精神因素的参与，而是在于人在物质活动中，通过发挥其实践能动性，使参与其中的目的性、手段性等精神因素摆脱了内在于人脑的主观形式，而赋予了其外在的物化形式，获得了“外部现实性”。在这个意义上可以说，人的物质活动，就是凭借一定的物质条件和手段，使参与其中的精神因素获得外化、物化的活动。

人的实践活动就是这样一种内含精神参与因素并使之获得外化、

① 《马克思恩格斯全集》第3卷，273页，北京：人民出版社，2002年。

② 《马克思恩格斯选集》第4卷，382页，北京：人民出版社，1995年。

物化的物质活动。关于这一点，马克思曾明确指出，人的实践是“感性的活动”①，是“物质实践”② 活动，是人“实际地反对并改变现存的事物”，“消灭现存状况的现实的运动”③。这样一来，马克思就以其关于人的“感性活动”的观点，既区别了费尔巴哈唯物主义关于人的感性存在的观点，又批判了唯心主义关于“想象主体的想象活动”的观点，即把实践理解为抽象精神活动的观点。因此，实践活动的能动性，不是抽象精神的能动性，而是现实的人的感性活动的能动性，是人通过实践把参与活动的精神因素，即人的目的、意志、情感等因素加以外化、物化的能动性。

从上面的论述可知，既不能把实践活动说成抽象精神的活动，也不能像超越论那样把物质实践活动中的精神参与因素从中抽离出来，独立起来，并与所谓人的物质活动相提并论，从而把实践说成既是人的物质活动，又是人的精神活动。因为经过这样的抽离，人的物质活动也就降格为一种纯粹动物的活动；与之关联，从物质实践活动中抽离出来并获得独立的所谓精神活动，也就成了抽象精神的活动。因此，超越论关于实践的这样一种折中主义理解，也就从根本上歪曲和消解了人的实践活动的本性，即实践作为人所特有的能动地改造客观世界的物质活动这一根本性质。这样一来，超越论所理解的既作为人的物质活动又作为人的精神活动的实践也就不是真正的人的实践，而是一种虚幻的实践。很显然，超越论以这种主观设立的虚幻实践作为自己立论的基础，自然是没有好结果的。

四、本体论思维方式不可超越

超越论之所以会对实践作折中主义的理解，从根本上说，是在于它迷失于实证主义的误区。这种迷失不仅表现在上文所说的，它停留于关于实践的现象层面的理解，从而遮蔽和消解了实践的本质规定，而且还表现在它以现象层面所理解的关于马克思哲学思维方式的实践

① 《马克思恩格斯选集》第1卷，60页，北京：人民出版社，1995年。
② 《马克思恩格斯选集》第1卷，92页，北京：人民出版社，1995年。
③ 《马克思恩格斯选集》第1卷，87页，北京：人民出版社，1995年。

性去排斥以实践为基础的关于人与世界总体关系的哲学本体论理解，即关于形上问题的思辨性理解，而这是没有出路的。马克思哲学思维方式变革的实质，并不是超越论所认为的是以实践论思维方式超越了本体论的思辨性思维方式，而是在于以实践性为根本特点的科学思辨性思维方式超越了旧哲学的独断思辨性思维方式。

实证主义是现代西方哲学的一个重要流派。该派强调感觉经验，拒斥形而上学，试图超越于唯物唯心之上。它在哲学上主要是继承了英国经验主义，特别是休谟主义，并以此来反对黑格尔的思辨哲学。在这一点上，实证主义有其合理之处，但这种批判做过了头。这表现在：第一，它批判黑格尔的思辨哲学而走到了排斥一切思辨的地步，认为哲学只研究经验、事实和现象，而不研究本质和规律，因而它推崇实证，排斥思辨。第二，它批判黑格尔的绝对精神本体论，而走到否定哲学本体论的地步，认为透过现象看本质是办不到的，是应予反对的形而上学。它断言，唯心主义、唯物主义都是这样的形而上学，都应该加以拒斥。由此实证主义宣称，它是一种超越了以往哲学的崭新哲学。

自实证主义提出拒斥形而上学以来，这一观点陆续被现代西方不少哲学派别，包括现代西方马克思主义所接纳。一些现代西方马克思主义者主张研究人的实践，研究主客体关系，有的干脆称其哲学是“实践哲学”，或“实践一元论”哲学，即既不是唯物主义的，也不是唯心主义的，而是把实践理为解物质和精神、自然和人的统一者。也就是说，物质和精神、人和自然在实践中“相互溶解”了。

不难看出，关于马克思哲学思维方式的超越论，并不是什么新见解，它不过是流行于中国哲学界的现代西方哲学拒斥形而上学的观点，用于诠释马克思哲学思维方式所表现出来的一种样态，它与现代西方马克思主义的“实践一元论”观点，有着共同的理论前提，即都把唯物唯心视为旧的思维方式，从而作出了否定性的理解。然而所有这些自称拒斥形而上学的现代西方哲学派别，在研究各自的对象时，都脱离不了哲学基本问题的制约，都超脱不了唯物唯心的纠缠，并且都在各自的演变过程中自觉或不自觉地走向或回归形上思维。诸如蒯因的“本体论承诺”、库恩的“范式”、费耶阿本德的“高层背景理论”、图尔敏的“自然秩序的理想”，以及斯特劳逊所倡导的“描述的形而上学研究”等，就是上述“走向”或“回归”的一些具体表现。

这一事实启示我们，批判旧的形而上学，并不能对之一概拒斥，即不能把其中蕴涵的形上追求，或如恩格斯所说的思维的“至上性”加以否定。与此相关联，也不能把关于本体论问题的思辨性思维方式加以否定。本体论之本体，并非凝然坚实之体。虽然持这一见解的不乏其人，然而这只是哲学史上关于本体的一种阶段性、特殊性表现。因而在这里不能把一般与特殊混为一谈。就一般意义而言，本体论之本体是关于存在的真实体现。其实际内容是指存在的本质和规律。作为世界观意义上的本体论问题，也就是关于人与世界总体关系的本质和规律问题，这是哲学最高层次的问题，也是哲学之所作为哲学的根本依据。在这个问题上，我国哲学界虽然还存在分歧，但绝大多数论者都表达了肯定性的意见。原因在于人所面对的世界，不是单纯的现象世界，而是现象与本质相统一的世界。人的感性经验、感性活动所呈现出来的只是现象世界。如果停留于感性经验、感性活动的层面，或者说，对感性经验、感性活动只作实证的理解，而不作思辨的理解，那么它就不可能透过感性经验、感性活动，在某种程度上揭示人与世界总体关系的本质和规律，这样一来，它也就不是哲学思维，或者说，在哲学园地上就不可能有它的立足之地。

至于人类为什么要对本体论问题展开思辨性思维，其理由并不是某些论者所认为的是在于人的超越本性或人类理性所固有的形上追求，而是在于人的实在处境和生存需要。人生活在世界之中，人的生存依赖于世界。因此，人必须把握人与世界的总体关系，要研究其普遍本性及一般规律。只有这样，人才能自觉地改造世界。可见，对本体论问题采取拒斥态度是不现实，也是不可能的。与此相联系，本体论思维方式，即揭示人与世界总体关系的普遍本性和一般规律的哲学思辨性思维方式也是不可拒斥的。

什么是思辨性？从世界观层次上说，思辨性是指关于人与世界总体关系理解的抽象概括性。

任何具体科学都具有一定程度的思辨性，不过它是以实证性为主去统摄其思辨性。故而具体科学通常被称之为实证科学。而任何哲学也都具有一定程度的实证性，不过它是以思辨性为主去统摄其实证性。因此，在这个意义上可以说，思辨性是哲学思维的根本特性。正因为如此，所以黑格尔认为：“思辨的思维，亦即真正的哲学思维。”① 马克思也说，被“哲学意识……理解了的世界本身”，“当它在头脑中作为思想整体而出现时……是思辨地、理论地活动着”的“头脑的产物”②。列宁也十分看重黑格尔的这样一段论述：“思辨的观念本身就包含着辩证的因素和对有限东西的扬弃。”③ 他还极为深刻地指出：“物质的抽象，自然规律的抽象，价值的抽象等等，一句话，一切科学的（正确的、郑重的、不是荒唐的）抽象，都更深刻、更正确、更完全地反映着自然。”④

思辨性作为一般哲学思维方式的共性，很显然，这一规定对马克思哲学思维方式也是完全适用的。那么承认马克思哲学思维方式的思辨性与承认其实践性矛盾吗？不矛盾。因为思辨有两种：一是科学思辨，二是独断思辨。

所谓科学思辨，是指以实践为基础，以具体科学所提供的实证知识为前提，从个别到一般，从特殊到普遍，从有限到无限的抽象概括。

所谓独断思辨，是指脱离实践基础和人类认识过程的有机联系，把其中的某个片段抽象出来，歪曲夸大为独立的存在，并以此为原点去进行纯粹逻辑的推演建构。用马克思的话说，这是一种“运动的纯粹逻辑公式或者纯理性的运动”⑤。

在马克思看来，黑格尔的思辨性就是这样一种独断思辨。马克思指出：“黑格尔的《哲学全书》以逻辑学，以纯粹的思辨的思想开始，而以……超人的抽象精神结束，所以整整一部《哲学全书》不过是哲学精神的展开的本质。”⑥ 马克思哲学在思维方式上反对一切形式的独断思辨，反对那种“从天国降到人间”的思辨哲学，而坚持以实践性为根本特点的科学思辨，主张哲学应“从人间升到天国”⑦。即要在实践基础上，对实证科学的对象进行再思考，对事物的普遍本性进行再

① ［德］黑格尔：《小逻辑》，贺麟译，48 页，北京：商务印书馆，1980 年。
② 《马克思恩格斯选集》第 2 卷，19 页，北京：人民出版社，1995 年。
③ 转引自［俄］列宁：《哲学笔记》，336 页，北京：人民出版社，1974 年。
④ ［俄］列宁：《哲学笔记》，181 页，北京：人民出版社，1974 年。
⑤ 《马克思恩格斯全集》第 4 卷，142 页，北京：人民出版社，2002 年。
⑥ 《马克思恩格斯全集》第 3 卷，317 页，北京：人民出版社，2002 年。
⑦ 《马克思恩格斯选集》第 1 卷，73 页，北京：人民出版社，1995 年。

追问。这种思考和追问，在理论的表现形式上，虽然远离了现实生活，或者说，哲学是“高悬于空中”的，但如果它是正确的，那么就其内容来说，则是走进事物的深处，从而更深刻地揭示了事物的本质。

马克思坚持其哲学思维方式的实践性。在马克思看来，“关于思维——离开实践的思维——的现实性或非现实性的争论，是一个纯粹经院哲学的问题。”① 因此，他认为，必须把“对象、现实、感性”“当作感性的人的活动，当作实践去理解”②。不难看出，实践性是马克思哲学思维方式的根本特性。就此而言，把马克思哲学思维方式称之为实践论思维方式是完全可以的，但对此也不能作绝对化的理解。这是因为马克思除了坚持其哲学思维方式的实践性以外，还坚持其思辨性，即坚持此二者的统一。

这表现在马克思在坚持自己哲学思维方式的实践性的同时，并没有陷入经验主义或实证主义。不仅没有，而且还对其持一种严肃的批判态度。马克思认为：“日常经验只能抓住事物诱人的外观，如果根据这种经验来判断问题，那么科学的真理就会总是显得不近情理了。”③ 这是因为“规律同一切以表面现象为根据的经验显然是矛盾的”④。所以他说：“如果事物的表现形式和事物的本质会直接合而为一，一切科学就都成为多余的了。”⑤ 由此，马克思认为：要透过事物的表面现象去揭示其中的本质，就“既不能用显微镜，也不能用化学试剂。二者都必须用抽象力来代替”⑥。

由此可见，对马克思哲学思维方式的理解，必须坚持其实践性与思辨性的统一。那种离开了实践性的思维方式，不是马克思哲学的思维方式，而是先验主义、思辨哲学的思维方式；同样，那种离开了思辨性的思维方式，也不是马克思哲学的思维方式，而是经验主义、实证主义的思维方式。超越论以马克思哲学思维方式的实践性去排斥马克思哲学思维方式的形上性或思辨性，这实际是对马克思哲学思维方

① 《马克思恩格斯选集》第1卷，55页，北京：人民出版社，1995年。
② 《马克思恩格斯选集》第1卷，54页，北京：人民出版社，1995年。
③ 《马克思恩格斯全集》第16卷，143页，北京：人民出版社，2002年。
④ 《马克思恩格斯全集》第23卷，340页，北京：人民出版社，2002年。
⑤ 《马克思恩格斯选集》第25卷，923页，北京：人民出版社，1995年。
⑥ 《马克思恩格斯选集》第2卷，99—100页，北京：人民出版社，1995年。

式作了一种实证主义的误读、曲解，因而是不足为信的。

由于对马克思哲学思维方式的理解关系到对马克思哲学革命的实质和根本精神，以及在当代条件下发展走向的正确把握，因此，本文对那种关于马克思哲学思维方式所作的超越论理解，进行了反思和澄清。不当之处，乞望指正。

“存在”不是马克思主义哲学的逻辑起点*

——与谢斌先生商榷

谢斌先生在《江汉论坛》1991 年第 12 期上发表了《物质与存在的区别》一文（以下简称谢文）。该文认为：“物质与存在确实是两个完全不同的哲学范畴。”它把这种不同概括为三点：

一是存在比物质的抽象程度更高。“物质概念是对各种实物的高度抽象，而存在概念则是对包含着实物在内的一切事物的高度抽象，它抽象到了极点。”

二是存在比物质的外延更广泛，“它不仅包含着全部物质概念的外延，而且还包含着世界上所有存在着的一切万事万物。从内涵上来看，物质的内涵是客观实在，它有着确定的内涵，而存在概念却没有内涵”。

三是“物质是在认识的初级阶段，即在感性认识阶段就被人们所观察认识到，而存在则必须要上升到理性认识阶段才能被人们认识到，经过抽象思维后人们才能把握住它们的本质。”因此，在谢文看来，存在范畴大于和高于物质范畴。由此，它得出结论说：应以“存在范畴作为马克思主义哲学体系的起点”。

我认为，谢文关于物质范畴完全不同于存在范畴的观点，是缺乏具体分析的，是武断的。谢文在论述物质与存在的区别时所列的三点论据，特别是贯穿其中的关于存在范畴大于和高于物质范畴的观点，我认为是没有根据的，是不能成立的。由以上三点论据所引申出来的关于存在应作为马克思主义哲学逻辑起点的观点，也是不正确的。下面就上述诸点谈一些不成熟的意见，与谢斌先生商榷。

---

* 原刊于《江汉论坛》，1992（10）。

一、存在在马克思主义哲学中的涵义

在哲学史和现代哲学中，存在范畴是一个被广泛使用的具有多种涵义的范畴。《苏联哲学百科全书》在“存在”这一词条中就归纳了十一种主要涵义。在对“存在”范畴的这十一种理解中，被马克思主义哲学加以继承和运用的大体有以下两种涵义：

（一）存在的第一种涵义是与思维相对，是物质的同义语

比如，恩格斯在《路德维希·费尔巴哈和德国古典哲学的终结》一书中指出：“全部哲学，特别是近代哲学的重大的基本问题，是思维和存在的关系问题。”他又说：“思维对存在、精神对自然界（当时对物质的另一种说法，引者注）的关系问题”是“全部哲学的最高问题”①。可见，在这里，即哲学基本问题的范围内，在与思维相对的意义上，存在和物质是同等程度的概念，是通用语，都是标志着客观存在的哲学范畴。

列宁也曾在这种意义上多次使用“存在”范畴。比如，列宁在《唯物主义与经验批判主义》中说：“唯物主义认为自然界是第一性的，精神是第二性的，它把存在放在第一位，把思维放在第二位。”② 在这里，列宁也是把存在作为独立于人的意识之外又能被意识所反映的客观实在，即物质概念来使用的。

那么，既然在与思维相对的意义上，存在和物质是同义语，二者彼此等同，那为什么还要把这两个概念都保留下来，并加以混用呢？谢文也正是这样提出问题的。其实，这里并没有什么可奇怪的。语言的使用遵循“约定俗成”的原则。在哲学基本问题这一特定领域中，把存在与物质混同使用，这不仅在马克思主义哲学文献中，而且在哲学史上都是常见的现象。

比如，贝克莱认为“存在就是被感知”，黑格尔所谓“思维统摄了存在”，费尔巴哈所说的“存在是主体，思维是宾词”等。以上这些哲

---

① 《马克思恩格斯选集》第4卷，224页，北京：人民出版社，1995年。

② ［俄］列宁：《唯物主义和经验批判主义》，88页，北京：人民出版社，1960年。

学家虽然对存在与思维的关系作了或是唯物主义或是唯心主义的说明，但是，把思维与存在、精神与物质的关系问题看作哲学的基本问题，在与思维相对的意义上，把存在当作物质的同义语来使用，则是共同的。既然这种使用早已通行，就必须把它当作既成事实加以接受。当然，如果有一天，人们都赞成改变约定，则需另当别论。

（二）存在的第二种涵义是与无相对，是“有”，即对无的否定

在欧洲哲学史上，巴门尼德所说的存在与非存在，赫拉克利特所说的既存在又不存在，这里所说的存在就是“有”。黑格尔在《小逻辑》的“存在论”中，也是把“存在”当作“有”的同义语来使用的。黑格尔对这一涵义的有特色的表述方式就是“存在或有”。恩格斯在《反杜林论》中的一处地方，也是在与无相对的意义上使用存在概念的。他说：“当我们说到存在，并且仅仅说到存在的时候，统一性只能在于：我们所说的一切对象是存在的、实有的。”① 由此看来，恩格斯认为，存在就是实有。

基于存在范畴在马克思主义哲学文献中的上述两种涵义，我们既不能笼统地说存在范畴等同于物质范畴，也不能说存在范畴完全不同于物质范畴，而必须进行具体分析。即在哲学基本问题的领域内，在与思维相对的意义上，存在与物质是等同的；超出了哲学基本问题的领域，在与无相对的意义上，存在范畴与物质范畴则是不同的，二者不能互相替代。比如，在世界统一性问题上，就不能用存在取代物质来作为世界统一性的根据。因此，谢文不作具体分析，断定存在范畴完全不同于物质范畴，这是一种以偏概全的片面观点。

另外，如果仅就上述关于存在的第二种涵义的意义上来说，谢文把存在或有范畴说成大于和高于物质范畴，这也是不对的。

二、存在或有范畴不大于高于物质范畴

谢文为了证明关于存在或有范畴大于和高于物质范畴的观点，所提出来的三点论据，都是难以成立的。

---

① 《马克思恩格斯选集》第3卷，383页，北京：人民出版社，1995年。

(一) 存在或有范畴并非比物质范畴更抽象

存在或有，它只是对事物的现实肯定，并不是对事物的本质揭示。存在并不等于本质。谢文说："存在是一个比其他任何概念都更接近于反映事物本质的概念，世界上所有一切事物最根本的本质就是该事物的存在。"这里，谢文把存在与本质混为一谈了。

本质无疑是一种存在，但是事物除了有本质的存在以外，还有非本质的存在。或者换句话说，本质只是存在中最根本的东西。拿人来说，人作为存在，是肉体存在物，是理性存在物，是从事实践活动的社会存在物。必须坚持从人的存在去揭示人的本质。但不能认为存在就是本质。不能把人的本质归结为单纯的肉体，那是费尔巴哈所理解的自然的人，也不能把人的本质归结为纯粹的精神，那是黑格尔所理解的思辨的人。只能把人的本质归结为在实践基础上所形成的一切社会关系的总和，这才是对人的本质的科学说明，这才是马克思主义所理解的人。

大而言之，世界上一切事物的本质，并不在于所有这些事物的存在，而只能是贯穿于万事万物的普遍本性，即物质性。存在作为万事万物的"共同性"，即现实肯定性，这只是标志了万事万物存在这样一个"简单的基本事实"，至于这个基本事实的本质是什么，决不能根据"单纯的存在同样地加给一切事物这一点来作出判断的"[①]，必须具体地把握存在的各方面，进行分析、综合，抽象概括，才能揭示事物的本质。正如列宁所说："概念（认识）在存在中（在直接的现象中）揭示本质（因果、同一、差别等等规律）——整个人类认识（全部科学）的真正的一般进程就是如此。"[②]

诚然，我们这里所说的存在不是指某一事物的存在，而是作为万事万物"共同性"即实有的规定，因而这里的存在也是一种抽象。然而正如黑格尔曾经指出的："共同性也是一种普遍性，不过是普遍性的一种外在形式。"[③] 换句话说，存在作为万事万物的共同性，作为万事

① 《马克思恩格斯选集》第3卷，383页，北京：人民出版社，1995年。

② ［俄］列宁：《哲学笔记》，355页，北京：人民出版社，1974年。

③ ［德］黑格尔：《小逻辑》，贺麟译，71页，北京：商务印书馆，1980年。

万物普遍性和共同本质的一种外在形式，也只是为认识万事万物的普遍性和共同本质提供了某种前提。

正是在这个意义上，恩格斯指出："世界的统一性并不在于它的存在，尽管世界的存在是它的统一性的前提，因为世界必须先存在，然后才能是统一的……世界的真正的统一性在于它的物质性。"① 由此可见，认识万事万物的本质，即世界的物质性，相对于认识万事万物的存在来说，无疑更困难、更间接，需要更高的抽象能力。因此，不是谢文所说的，存在范畴比物质范畴更抽象，而是相反，物质范畴相对于存在范畴来说，抽象程度更高。

（二）存在或有范畴并非比物质范畴的外延更广泛

谢文的主要论据是，存在概念"不仅包含着物质现象，并且还包含着精神现象"。它说："我们将这两类存在称之为客观存在和主观存在。""对于客观存在我们稍作详细考察即可发现，除了物质的客观存在外，还有许多事物，诸如：物质的运动、时间和空间、客观规律、社会存在……这些都是客观存在，但它们不是物质。"

谢文在这段论述中谈了两层意思：其一，存在包含着客观存在（物质现象）和主观存在（精神现象），其二，客观存在包含着物质的客观存在和"非物质的客观存在"。关于第二层意思，这里涉及哲学界多年来争论不休的一个老问题，即物质的内涵到底是什么这样一个问题。对于这个问题需要另作专文论述。

笔者在这里只是概括指出，哲学作为世界观的学问，哲学囊括一切，至大无外。物质范畴作为对世界本质的反映，它是一个广泛已极的概念。物质即客观实在。把物质现象划分为物质的客观存在和非物质的客观存在是不妥的。谢文既说，世界上存在着物质和精神两类现象，又说，存在着"非物质的客观存在"，并把这种非物质的客观存在归入"物质现象"。我认为，这在逻辑上是很混乱的，是自相矛盾的。之所以会发生这种逻辑混乱，是因为把物质现象划分为物质的客观存在和非物质的客观存在，这本身就是一种杜撰。另外，物质是相对于精神而言的。物质不是精神，精神不是物质，不能把二者加以混淆。

① 《马克思恩格斯选集》第3卷，383页，北京：人民出版社，1995年。

唯心主义把物质归结为精神，庸俗唯物主义把精神等同于物质，此二者都是错误的。但是从起源和本质上说，精神又是物质发展到一定阶段的产物，是人脑的机能，是对物质的反映。

因此，在归根到底的意义上，物质决定精神，世界是物质的世界，世界统一于物质。可见，从世界统一性的意义上说，物质范畴是涵盖一切的。那么如果不是从世界的统一性，即精神统一于物质的意义上，而是在物质与精神相区别的意义上，能否说存在或有范畴比物质范畴的外延更广呢？我认为，也不能。

无疑，在存在或有范畴的外延中，是包含物质现象和精神现象。但是并不能如谢文那样由此断言，存在或有范畴比物质范畴的外延更广泛。如前所说，存在或有只是对事物的现实肯定，它是一个现实指向性的概念。比如说，我有钱，这里的有或存在是对钱的一种现实肯定，一旦钱花光了，有也就转化成了无。又比如，我有理想，这是对理想的一种现实肯定，即有，但当理想一旦丧失，有也就变成了无，存在变成了非存在。可见，存在范畴只包含了具有现实肯定性的物质现象和精神现象。至于历史上曾经存在过而现实中已经灭亡了的事物，以及现实中不存在而将来可能存在的事物，就其现实性来说，都是无，不是有，是不包含在存在或有范畴的外延之内的。

另外，我们所说的存在，即作为对事物现实肯定性的判断，只适用于那些人类已经知道的事物，而"在我们的视野的范围之外，存在甚至完全是一个悬而未决的问题"①。与存在范畴不同的是，作为客观实在的物质范畴，既包括现存的，也包括历史上曾经存在过的和未来可能产生的一切不以人们的意志为转移的事物，既包含我们所知道的，也包含尚未被人类所认识的一切客观事物。相比而言，物质范畴比存在范畴外延要广泛得多。

（三）存在或有概念并非没有内涵

谢文为了证明存在或有范畴比物质范畴更抽象、更基本，因而应以存在范畴代替物质范畴作为马克思主义哲学的逻辑起点，于是提出了这样一个观点，它说："物质的内涵是客观实在，它有着确定的内

---

① 《马克思恩格斯选集》第3卷，383页，北京：人民出版社，1995年。

涵，而存在概念却没有内涵”，“那么也就是说存在这个概念无法来进行定义。因为存在是一个最抽象最基本的概念，从而就无法在别的概念的基础上来对它进行定义”，它“不能以哲学体系的其他范畴作根据，相反，它倒是其他一切范畴的根据”。

存在概念的内涵就是前文所说的实有，就是对事物的现实肯定性的标示，而不是谢文所说的，存在概念一点内涵也没有。任何一个概念都不可能没有内涵，不然它就不能被称之为概念。即使是作为哲学体系的开端的最抽象、最基本的概念，也不可能抽象到没有内涵的程度，只是其内涵特别贫乏、特别稀薄而已。

谢文之所以会持有关于存在或有范畴没有内涵的观点，我推想，这可能是受了黑格尔关于存在的观念的影响，并且误解了黑格尔对存在概念的理解，继而又把这种误解作为正确的东西加以坚持造成的。

黑格尔在《大逻辑》中说：“开端必须是绝对的开端，或者用同样意义的话来说，必须是抽象的开端……因此，开端就是纯存在。”“作为开端的东西，不能是一个具体物，不能是包含一种关系在自身之内的东西。……因此，构成开端的东西，开端本身，就其单纯的、未被充实的直接性而言，必须被看成一个不可分析的东西，从而被看成是存在，被看成是完全空无的东西。”①

可见，黑格尔在这里把存在“看成完全空无的东西”，是就一定意义而言的，即“就其单纯的，未必充实的直接性而言”的。这是什么意思呢？在黑格尔看来，所谓“单纯的，未必充实的直接性而言”，也就是存在仅仅就存在而言，或者用黑格尔的话说，就“纯存在”而言，存在就是存在，既不规定什么东西存在，也不规定怎样存在。相对于什么东西存在和怎样存在来说，存在是“无规定性的直接性，先于一切规定性之直接性，最原始的无规定性。这就是我们所说的‘有’”②。

但黑格尔是一位辩证法大师，他所理解的存在，不是封闭于自身的，它要展开自身、发展自身，它潜藏着后继的一切范畴，这些范畴是以它为根据的。也就是说，黑格尔所说的“纯存在”也并不是完全空无的。正是在这个意义上，黑格尔说：“这个纯存在既是绝对直接的

① 转引自张世英：《论黑格尔的逻辑学》，228页，上海：上海人民出版社，1981年。

② ［德］黑格尔：《小逻辑》，贺麟译，190页，北京：商务印书馆，1980年。

东西，同时也是绝对地有间接性的东西。”① 这就是说，纯存在相对于具体的存在形态而言，是一种抽象，是无具体规定的存在，是无，而存在作为对现实肯定性的标志来说，它又是绝对直接的东西，即有。正因为“纯存在”标志着有，它才可能潜藏着有待展开的间接的东西。尽管存在在黑格尔哲学中是一个唯心主义的概念，并且在形式上他把存在置于其客观唯心主义体系的开端的地位（对此下文还将作进一步的考察），但黑格尔对“存在”内涵的理解中所体现的辩证精神是可取的，有借鉴意义的。如果我的上述推测不错的话，那么谢文也就是误解了黑格尔对存在内涵的理解，丢掉了黑格尔在这种理解上所体现的辩证精神，从而得出了存在无内涵的不正确结论。

（四）存在或有范畴并非比物质范畴在认识层次上更高

谢文为了抬高存在范畴，贬低物质范畴，竟然说：“物质是在认识的初级阶段，即在感性认识阶段就能被人们所观察认识到，而存在则必须上升到理性认识阶段才能被人们认识到。”这里的论述是很混乱的。

众所周知，物质和物质的具体形态是两回事，同样，存在与存在的具体形态也是两回事。从认识层次上说，物质的具体形态与存在的具体形态，在认识的感性阶段都是可以观察认识到的。物质作为一切具体物质形态的共同本质，与存在作为一切具体存在形态的共同性，此二者都是不能直接感知的，都是抽象思维的对象。所不同的只是抽象程度有所区别，具体说来就是，物质范畴比存在范畴的抽象程度更高。关于这一点，前文已经作了说明。

可见，谢文关于存在或有范畴在认识层次上高于物质范畴的观点，是没有任何根据的。

总之，谢文关于存在或有范畴大于和高于物质范畴的三点证明，都是不能成立的。

三、马克思主义哲学不能以存在或有为逻辑起点

既然谢文关于存在或有范畴大于和高于物质范畴的三点证明不能

① 转引自张世英：《论黑格尔的逻辑学》，229 页，上海：上海人民出版社，1981 年。

成立，那么谢文由这三点证明所引申出来的结论，即马克思主义哲学应以存在为逻辑起点的观点，自然也是不能成立的。笔者认为，任何哲学都不可能真正以存在范畴为逻辑起点，如果硬要以存在范畴作为马克思主义哲学的逻辑起点，那就必然会模糊马克思主义哲学的党性原则，而这是十分有害的。

如上所说，存在或有范畴只是对事物的现实肯定。在这里，事物是主词，“存在或有是一个绝对的谓词”①。谓词是说明主词，从属于主词的，不是自为的，而是为他的。因此，从存在或有的词性本身来说，它不能充当任何哲学的逻辑起点。

有人会说，黑格尔哲学不是以存在为逻辑起点的吗？笔者认为，这种认识只是从形式上看问题，而实质上并非如此。

在形式上，黑格尔是把“纯存在或纯有作为逻辑学开端的”②。但是黑格尔所理解的纯存在并不是对存在的现实形态的抽象反映，而是完全独立于存在的现实形态之外的纯粹的观念，用黑格尔自己的话说，纯存在或纯有，就是“纯思”，也就是关于绝对理念的第一个纯粹设定。所以黑格尔主张“以这种纯思作为逻辑学的开端”③。

由此可见，黑格尔虽然在形式上以存在为逻辑起点，但黑格尔意识到作为谓词的存在是不能真正作为逻辑起点的，为了解决这个矛盾，也为了使他的客观唯心主义体系获得一个最初的支点，于是黑格尔为谓词“存在”设立了一个主词“纯思”，来作为他的哲学的逻辑起点。所谓“纯思”就是客观地发展着的抽象理念。因此，在实质上，黑格尔是以抽象的理念为其哲学的逻辑起点的。

正因为存在只是一个谓词，所以不同的哲学派别或不同的哲学家可以为它设立不同的主词。比如黑格尔把存在理解为抽象的理念，主观唯心主义者贝克莱把存在说成是主观的感知，宗教神学认为上帝是唯一真实的存在，如此等等。正因为如此，存在概念也就成了一个装盛不同食品的盒子，成了一种调和各种哲学派别的杂拌汤。德国哲学家杜林就曾试图利用“存在”概念来调和他的形而上学唯物主义与他

① ［德］黑格尔：《小逻辑》，贺麟译，189页，北京：商务印书馆，1980年。
② ［德］黑格尔：《小逻辑》，贺麟译，189页，北京：商务印书馆，1980年。
③ ［德］黑格尔：《小逻辑》，贺麟译，190页，北京：商务印书馆，1980年。

的唯心主义杂质之间的矛盾，提出了“世界统一于存在”这个折中主义的命题。

对此，恩格斯在《反杜林论》中给予了有力的批判。在现代哲学中，也有一些哲学派别利用“存在”概念的谓词中性，偷运唯心主义。比如，存在主义标榜它所研究的存在，不是“存在者”是什么的问题，而是研究“存在”是怎样“在”，并且认为只有“在”才是一切存在者存在的基础和根源，存在主义就是一种追求“在”的本体论。由此，它们对唯物主义和唯心主义都一概持否定态度，认为无论是唯物主义还是唯心主义都是研究存在者，而不是研究存在本身。

那么存在主义所研究的存在是否真的超越了唯物主义和唯心主义呢？没有，也不可能。拿西方存在主义的主要代表之一的萨特来说，他把存在分为自在存在和自为存在。其所谓的“自在存在”就是外部对象，“自为存在”就是“自我意识”。在他看来，“自在存在”是原始偶然的、孤立自存的惰性实体。反之，“自为存在”具有纯粹的主动性、自为性。通过“自为存在”对“自在存在”的否定，使“自在”展示为一个世界，世界万物的意义是由“自为”赋予的。因此，在自在和自为相互联系的整体中，起决定作用的是自为。可见，萨特所说的存在，实质上仅仅是个人的主观存在。他的存在主义仍然是一种唯心主义。

由上可见，在哲学体系逻辑起点的选择问题上，贯穿了不同哲学派别之间的斗争，选择什么样的逻辑起点，体现了不同的哲学思想和体系。马克思主义哲学以物质为逻辑起点，体现了世界统一于物质这个唯物主义的基本观点，并为辩证唯物主义体系的展开提供了一个最初的逻辑根据。笔者认为，如果像谢文那样主张以存在作为马克思主义哲学的逻辑起点，那么在客观上就必然掩盖了在世界统一性问题上唯物主义和唯心主义的斗争，就必然模糊了马克思主义哲学的党性原则，这从而也就为唯心主义和宗教神学的浑水摸鱼开了方便之门。因此，这是绝不能允许的。

实践观与物质观的辩证统一*

如何认识与评价马克思主义哲学的实践观点，这是哲学研究中一个涉及多方面的重要问题。

比如，能否说，物质是旧唯物主义的基石，实践是辩证唯物主义的基石；讲实践的哲学，是否必定是马克思主义的；怎样在实践问题上，划清马克思主义与西方马克思主义的“实践一元论”的界限；能否说，物质源泉观是旧唯物主义的认识源泉观，实践源泉观是辩证唯物主义的认识源泉观；能否说，只有人化自然才是认识的对象；如何理解主体与客体的不可分割性，怎样在这个问题上与阿芬那留斯的“原则同格论”划清界限；等等。

正确回答这些问题，是一项很为严肃的任务，它是与能否坚持马克思主义哲学的基本原理密切相关的。对这些问题作出科学解答的关键在于：必须坚持实践观与物质观相统一的辩证思想。否则，就难免陷入迷误。为了说明这一点，本文想从下面四个方面来谈一些粗浅的认识。

一、辩证唯物主义的基石是物质而非实践

思维与存在的关系问题，是哲学的基本问题，首先是本体论的基本问题。虽然马克思主义哲学不再像以往哲学那样，在与认识论、逻辑学相分裂的意义上，来使用本体论这一概念，但哲学史上关于本体论问题的科学内容还是被吸收到马克思主义哲学中的。

所谓本体论，就是关于世界本质的学说。在哲学史上，对世界本质问题的回答尽管五花八门，但基本上可以分为两类：一类是唯心主义

---

* 原刊于《安徽师范大学学报》，1984（4）。

所主张的精神本质论，另一类是唯物主义所主张的物质本质论。前者是以精神为基石建立其唯心主义体系的，后者则是以物质为基石建立其唯物主义体系的。正因为如此，唯心主义总是千方百计地攻击唯物主义的物质基石。贝克莱就曾直言不讳地说过，一旦把物质基石抽掉，唯物主义的整个大厦就一定倒塌。

从这里，我们不难看到，物质这块基石对于唯物主义有着极端的重要性。因此，在维护唯物主义的物质基石这样一个根本问题上，绝不能有丝毫的动摇。那种把物质仅仅说成是旧唯物主义的基石，而把实践说成是辩证唯物主义基石的观点，只会在唯物主义阵营内部引起有利于唯心主义的混乱。

辩证唯物主义哲学把物质作为自己的基石，只是因为物质的唯一特性是它的客观实在性，它是自在自为、自我运动、自我发展的。广义理解的自然界即整个物质世界，因此，马克思主义经典作家，有时也在与物质相同的意义上来使用自然界这一概念。除此以外，能否用别的什么来作为辩证唯物主义所理解的世界本质呢？不能。因为物质即客观实在，“除了它，没有而且也不能有别的客观实在”①。

有人说，实践不是也具有客观性吗？为什么不能用实践来说明世界的本质呢？这是因为：实践是客观物质活动，但其中有精神因素的参与，马克思指出，实践首先是生产劳动实践，是人发挥自然力去改变外部自然界的活动，人在改变外部自然界的同时，也改变了人自身的自然。在这个意义上，实践是一种客观的物质活动。但作为实践最基本形式的生产劳动又不同于一般的本能活动，它始终是和人的意识相联系而存在的，人以主体的身份同自然界相对立，不仅在生产劳动之前就规定好自己的目的，而且在生产过程结束时实现这个预定的目的。因此，实践是以一定的物质为前提，借助物质条件，把参与实践的精神性因素加以外化、物化的活动。也就是说，实践的客观性是以物质的客观性为前提，是物质的客观性所派生和展示的客观性。

因而，辩证唯物主义只能把物质而不能把实践作为自己的基石。另外，正因为实践活动中有精神因素的参与，因而唯心主义者就片面抓住这一点，对实践作主观化的解释，来宣扬其唯心主义。实际上，

① 《列宁全集》第18卷，129页，北京：人民出版社，1988年。

主观性只是作为实践的一个参与因素：人的主观性。不能把一个要素的主观性说成是多种因素所构成的作为系统的实践的主观性。如同不能把构成水的一个要素的氧原子的性质说成水的性质一样。由此看来，如果以实践代替物质来作为世界的本质，也就不利于和唯心主义划清界限。所以，物质，只有物质，才是一般唯物主义，包括辩证唯物主义的基石。

有人担心，以物质作为辩证唯物主义的基石，能不能划清它和旧唯物主义的界限呢？这种担心是没有必要的。辩证唯物主义的物质观与旧唯物主义的物质观还是有原则区别的。旧唯物主义在本体论上的优点在于它以物质来说明世界，但是它所理解的物质有两个缺陷，一是它把世界的统一性归结为某种具体的物质形态及其属性，另一个是它把物质看成绝对不动的实体。马克思主义创始人克服了旧唯物主义物质观的缺陷，建立了辩证唯物主义物质观，即辩证的客观实在的学说。马克思主义认为，世界的本质就是运动着的物质。所以，这里不存在和旧唯物主义物质观相混同的问题。

如此说来，会不会贬低马克思主义创始人把实践概念引入哲学，并以此为基础所实现的哲学变革的意义呢？不会的。马克思恩格斯在创立自己哲学体系的过程中，为了把唯物主义推向前进，特别注重的是唯物主义历史观以及辩证法在唯物主义认识论中的运用。社会生活在本质上是实践的，只有在实践基础上，才能科学说明社会的存在和发展以及认识的产生和发展。马克思恩格斯特别强调实践的地位和作用，但他们在阐述实践的能动作用和意义时，是始终把物质第一性这个唯物主义的立场当作前提的。

马克思在《1844年经济学哲学手稿》中，一方面指出，只有经过人类劳动改造过的自然界，才是“人的现实的自然界”，“人类学的自然界”，另一方面又强调：“没有自然界，没有感性的外部世界，工人什么也不能创造。”① 马克思在《神圣家族》中也指出，劳动“只创造了物质的新的生产能力……人并没有创造物质本身。甚至人创造物质的这种或那种生产能力，也只是在物质本身预先存在的条件下才能进行”②。

① 《马克思恩格斯全集》第42卷，128、92页，北京：人民出版社，1979年。

② 《马克思恩格斯全集》第2卷，58页，北京：人民出版社，1957年。

列宁也曾指出，作为实践要素之一的“人的目的”，也“是客观世界所产生的，是以它为前提的”，所以，“人在自己的实践活动中面向着客观世界，依赖于它，以它来规定自己的活动”①。

很显然，不是物质统一于实践，而是实践统一于物质。物质自然界作为整体先于实践而存在，它是实践及实现实践的人的前提和基础。实践只是物质运动的一种特殊表现形式，即物质发展的高级形态——社会人与自然界之间进行的物质变换的一种形式。正因为人类的实践归根到底是与自然界一致的，人类才能通过实践改造自然界，承认物质是辩证唯物主义的基石，并不会贬低实践观点在马克思主义哲学中的地位和作用而恰恰是为实践的客观地位和作用，提供了坚实的物质基础和科学的说明。

二、物质第一性是唯物主义认识论的逻辑前提

既然在本体论意义上，不能用实践代替物质来说明世界的本质，那么在认识论领域中，是不是可以离开物质观点去谈论实践观点的作用呢？也不能。本体论与认识论是密切联系的。坚持唯物主义的本体论，在认识论领域中，也就相应地要求贯彻唯物主义反映论的原则。即承认知识来源于客观实际，知识的真假取决于是否符合客观实际。马克思主义经典作家关于认识的辩证性的观点，关于认识中实践作用的观点，都是建立在这个基本前提之上的，即“辩证唯物主义认识论的基础是承认外部世界及其在人脑中的反映”，必须“认真地坚决地以承认外部世界及其在人们意识中的反映为其一切论断的基础”②。

另外，只有承认这个基础，才能在认识论上划清辩证唯物主义与唯心主义和不可知论的界限。唯心主义反对唯物主义的物质本质说，它必然反对认识依赖并反映物质的观点。在欧洲哲学史上，从柏拉图的“理念”论到黑格尔的“绝对精神”说，从贝克莱的“存在就是被感知”到马赫主义的“物是感觉的复合”，等等，其中都贯穿着一条从思想到感觉到物的认识路线。与唯心主义相同，不可知论也是否认反

---

① ［俄］列宁：《哲学笔记》，200 页，北京：人民出版社，1974 年。

② 《列宁选集》第 2 卷，10、24 页，北京：人民出版社，2012 年。

映论的。不可知论者休谟把感觉看成是认识的唯一源泉，至于物质的本性对人而言是“无知的领域”，康德也把人的感觉和客观世界割裂开来，把客观世界称为“不可捉摸”的“自在之物”，断言人类对它“一无所知”。不难看出，坚持了反映论，也就在认识论领域内坚持了唯物主义的物质一元论。

能不能以是否承认实践的观点，来作为划分辩证唯物主义认识论与唯心主义认识论以及不可知论的标准呢？不能。关于这一点，列宁早就有远见地指出：“人类的实践不仅具有（休谟主义和康德主义所谓的）现象的意义且还具有客观实在的意义。”① 列宁这里所指的现象的意义，也就是感性经验的意义。正因为实践本身具有这两方面的意义，所以列宁认为，对于实践有两种可能的理解，即“可以作客观的解释，也可以作主观的解释”②。

哲学史上，黑格尔主义和现代西方马克思主义，就是对实践作了主观的解释，从而来宣传其唯心主义的。这说明，要区别辩证唯物主义和唯心主义两条认识路线，还是取决于是不是把实践对于认识的作用建立在“承认外部世界及其在人脑中的反映”这一基础之上。

如果认为外部世界是人类感性活动的物质前提，实践是人们的一种能动的物质性活动，人们通过实践获得对客观世界的反映，并通过实践检验这些反映是否正确，那么这就是坚持了辩证唯物主义的认识路线，同时也是坚持了辩证唯物主义的实践观。我国理论界所进行的关于实践是检验真理的唯一标准的讨论，就是以承认实践的物质性，承认物质世界是实践的基础为前提的。反之，如果认为“物是人的主体活动的附属品”，实践是一种精神性的创造性活动，实践与认识论无关，那么，这种观点就是唯心主义的实践观，换句话说，也就是挂着实践招牌的唯心主义。

总之，只有坚持物质第一性的唯物主义基本原理，才能进一步解决在实践中主体如何反映客体，“不知”如何转化为“知”的矛盾。这是统一的但又是不同层次的两个问题。我们绝不能离开辩证唯物主义认识论的基础层次，去不适当地夸大作为派生层次的实践观点在马克

① 《列宁选集》第2卷，81页，北京：人民出版社，2012年。

② ［俄］列宁：《唯物主义与经验批判主义》，292页，北京：人民出版社，1960年。

思主义认识论中的作用。

联系到认识源泉问题的讨论，我认为，必须把物质源泉观和实践源泉观做统一的理解。物质源泉观实际是从辩证唯物主义认识论的基础，即反映论意义上说的；而实践源泉观则是从如何获得反映这个意义上说的。以上这两个原理，本来应该联系人类认识的整个过程，应该放到辩证唯物主义认识论的完整体系中，去做统一的说明。可是有些论者不是这样，他们把这两个本来是不同层次的原理，平列起来，对立起来，在康德二律背反的形式中进行思维，片面地用一个原理去否定另一个原理，结果各持一端，谁也没有在这个问题上坚持真理的全面性。

与认识源泉问题的讨论相联系，有人还对客观实在是认识的对象这一观点提出异议，认为人化自然才是认识的对象。我认为，按人类认识的本性、使命、可能和历史的终极目的来说，应该承认客观世界是人类的认识对象。认识的本性说明，人类认识是客观世界长期发展的产物。正是这一点决定了人类认识与客观世界的根本一致性，因此，在其间根本不存在任何把两者分割开来的鸿沟。认识的使命也就是对客观世界进行反映。坚持反映论，就必须坚持承认客观世界是人类认识对象的观点。

人类思维具有能够彻底认识世界的可能性，即使对于个人或某一代人来说，成为他们认识对象的，也不限于人化自然，应该说，除了那些通过直观的感性经验所认识的事物以外，主要的是在不同程度上与人类当时的实践相联系的那些事物。在理论上、可能性上，人类认识是以整个世界为自己的对象的，从现实性上说，认识不脱离实践，是在实践基础上进行的。认识的辩证法就是要求我们“去分析怎样从不知到知，怎样从不完全的不确切的知识到比较完全比较确切的知识”[①]。人化自然无疑可以作为认识的对象，但人化自然本身首先是作为人们对客观世界进行认识并进而改造的产物而存在的。可见，把认识对象圈定在“人化自然”的范围内也是非辩证的。

在主客体的关系问题上，有人不加分析地讲主体与客体的不可分割性，这一认识也是值得研究的。什么是主体？主体就是从事认识和

① ［俄］列宁：《唯物主义和经验批判主义》，62页，北京：人民出版社，1960年。

实践的社会人。什么是客体？客体就是进入人的认识和实践领域的那一部分客观世界。我们认为，只有在这个认识论的意义上，才能承认主体与客体的不可分割性。离开了这一意义，而把客体等同于整个物质世界，认为物质世界与主体不可分割，甚至进一步把主体等同于主观，认为物质世界和主观精神不可分割，那就大错特错了。阿芬那留斯的“原则同格”论实际上也就是在本体论的意义上宣扬主客体的不可分割性，当代西方马克思主义亦步其后尘，只不过它是在“实践”字眼的掩护下进行的。

三、“实践一元论”并未超越唯物唯心的对立

正像“经验”曾经在一段时间内成为哲学上的时髦概念，被一些西方论者，特别是实证主义者运用来反对辩证唯物主义一样，在当今，“实践”概念也成为西方许多哲学派别经常搬弄的字眼，有的干脆声称其哲学是“实践哲学”，或“实践一元论”。但是他们所说的实践观点是和物质观点根本对立的，他们用所谓的“实践一元论”来反对物质一元论，实质上陷入了精神一元论。他们攻击物质一元论是“形而上学的唯物主义”和“神秘主义”，说什么“‘宇宙本身’的观点……是一个未知的上帝的神秘的观念的残余”、“崇拜所谓的客观的物质世界是错误的”。他们在否认唯物主义物质一元论的同时，又大肆鼓吹其“实践一元论”。说什么“一元论”这个术语有什么意义呢？“当然不是唯物主义一元论，或者唯心主义一元论，而是具体的历史行为中的对立物的同一性，换句话说就是与某种有组织的（历史化的）物质，人所变革的自然不可分割地结合在一起的具体意义上的人的活动。”

不难看出，他们所谓的“实践一元论”，就是把实践理解为物质和精神、人和自然的“对立统一性”，这就是说物质、自然和精神、意识在实践中“互相溶解”了。在他们看来，似乎只要一提“实践”，哲学的基本问题就不存在了，唯物和唯心的斗争也就泯灭了。然而这一套并不是什么新东西，它不过是打着实践旗号的阿芬那留斯的“原则同格”论。两千多年来，哲学斗争的历史说明，在唯物唯心两条基本的哲学路线之外，第三条路线是从来没有的。在哲学基本问题上，任何形式的“中立”把戏都是不可能演下去的。西方马克思主义也不会例

外。它既然否定了世界的物质本质性，否定了客观世界和客观规律对于人类实践的决定性，那么这也就从根本上否定了被物质所决定的实践本身的客观性。所以他们必然要反对恩格斯对实践的唯物主义理解，说什么“恩格斯的最大错误在于他相信辩证哲学意义上的实践就是工业技术和科学实践”。

既然他们否定了实践的客观性，那么也就必然主张实践的纯粹主观性了，他们自己确实也是这样宣扬的。说什么“把我们的哲学建立在‘意志’的基础之上”，什么“实践”的真正含义是“人的活动的内部原则”，意志就是一种“实践”，如此等等，不难看出，西方马克思主义所讲的“实践”，指的就是一种主观的心理活动，是一种精神创造物质的活动，他们所谓的精神和物质统一于实践，实际也就是统一于精神的自我创造。这种同一性和黑格尔所讲的思维和存在的同一性也就没有什么区别可言了？关于这一点，他们中有人就曾公开承认说：“思维与存在的黑格尔式的同一，即辩证的同一，也就是历史唯物主义的历史——哲学观念的实质。”至此我们可以得出结论说，西方马克思主义的实践一元论实际是在“中立”幌子下的主观唯心论。

西方马克思主义反对物质一元论，在认识论上也就必然要反对辩证唯物主义反映论。他们攻击反映论是机械论，是“照相理论”。他们认为物质和意识之间不存在谁反映谁的问题。说什么意识不是反映什么，而是“反省”，又说“没有任何事物是意识的原因”，“意识由自身而存在”，“意识是它自己的‘存在’的方式的原因”。总之，在他们看来，意识是独立的、自为的、能动的。认识的任务不是“反映”，而是“创造”“规定”。创造、规定什么呢？那当然是物质。可见，他们所说的只要创造，其实质也不过是只要精神对物质进行创造的能动性，而不要物质对于精神的客观决定性。很显然，西方马克思主义的认识路线是唯心主义的。它失足的地方就在于，否定了实践的物质前提和它的客观性，并把实践的主观性、精神的能动性夸大到了极端，从而陷入了主观唯心主义的泥坑。

四、实践观点是辩证唯物认识论的首要观点

要坚持辩证唯物主义认识论，必须坚持物质的观点、反映的观点。

但是，如果仅仅做到这一点，又是很不够的。离开实践的观点，只讲物质的观点、反映的观点，就难以在认识论上和直观唯物主义划清界限，直观唯物主义不仅不能把唯物主义贯彻到底，它自身的缺陷还为唯心主义的进攻提供了某种条件。所以，在坚持物质观点的前提下，坚持实践的观点，对于辩证唯物主义认识论也是极为重要的。

从辩证唯物主义认识论的完整体系来说，承认外部世界及其在人脑中的反映，作为它的基础，这一方面是为了和唯心主义及不可知论划清界限；另一方面，也是为了在这个基础上继续前进，建立起辩证唯物主义认识论的大厦。人的认识本来就是能动的，它一开始就是社会的产物，具有目的性和选择性，能够透过现象揭示事物的本质和发展的规律。更加重要的是，人们认识世界的目的，只是为了改造世界。人类认识的这些基本特征，都是与实践密切联系的。实践作为人们主观见之于客观的活动，它提供了解决认识中主观和客观、思维和存在、知与不知等矛盾的途径，实践是人的认识产生的基础和发展的动力，是检验认识是否是真理的标准，是认识的目的。正因为如此，马克思恩格斯特别重视实践在认识中的作用。列宁也认为："生活、实践的观点，应该是认识论的首先的基本的观点。"① 毛泽东的《实践论》一书，全面而又系统地阐明了这个问题。

马克思主义在唯物主义基础上把实践引入认识论，这是认识论发展史上的一场革命。从前的一切旧唯物主义的一个主要缺陷就是，只看到自然界作用于人，而看不到人对自然界的改造作用，于是在认识论上，它们"对对象、现实、感性，只是从客体的或者直观的形式去理解，而不是把它们当作人的感性活动，当作实践去理解"②。因此，旧唯物主义认识论不了解实践对于认识的意义，因而带有机械的直观的性质。旧唯物主义认识论忽视的这一面，恰恰被唯心主义抽象地发展了。马克思主义把实践引入认识论的根本意义就在于，既克服了旧唯物主义认识论的局限性，又把能动的活动方面从唯心主义那里夺过来，从而创立了马克思主义的能动的革命的反映论。

总之，辩证唯物主义认识论坚持唯物主义反映论，首先要承认外

---

① ［俄］列宁：《唯物主义和经验批判主义》，134页，北京：人民出版社，1960年。

② 《马克思恩格斯选集》第1卷，58页，北京：人民出版社，1995年。

部世界及其在人脑中的反映是辩证唯物主义认识论的基础这一观点，但它又是能动的革命的反映论，所以又必须充分肯定实践观点的作用。历史的经验和现实的斗争都说明，只有坚持实践观与物质观相统一的辩证原理，才有利于我们正确进行哲学研究，更好地坚持实践是检验真理的唯一标准，坚持马克思主义哲学的基本原理。

也谈“实践”在马克思主义哲学体系中的地位*

——与杨春贵先生商榷

一、逻辑上的自相矛盾

杨春贵先生在2006年5月23日的《光明日报》上发表了《论实践范畴在马克思主义哲学体系中的地位》一文（以下简称杨文）。文章视野开阔，所论问题重要，读后很受启发。不过，杨文既肯定：“物质是世界的本原”，“不能离开唯物主义前提去强调实践的首要地位”，不能“否认实践活动的唯物主义前提和基础”；又肯定：“实践的观点是马克思主义哲学的首要的基本的观点”。原因在于“马克思主义哲学产生过程中科学实践观的形成……具有……决定性的意义”，所以“马克思主义哲学体系的阐述也就应当以科学实践观的阐述为逻辑起点”。我认为，杨文的这前后“两个肯定”是难以统一，不能自圆其说的。

杨文的“前一个肯定”认为，唯物主义是实践活动的前提和基础（准确地说，应该是，唯物主义是实践获得成功所必须遵循的前提性和基础性原则，因为那种脱离实际的盲目的实践是违背唯物主义，是必然要失败的），那么很明显，在马克思主义哲学中，唯物主义是比实践观点更优先、更基本的观点。肯定了这一点，也就不能再认为实践的观点是马克思主义哲学的首要的基本的观点（当然，实践观点作为马克思主义哲学的一个基本观点还是应该承认的）。由此也就不难推知：物质作为唯物主义的最基本范畴，应该比实践范畴更优先、更基本。

那么进一步引出的结论也就只能是：马克思主义哲学应以“物质”

---

* 原刊于《学术界》，2007（1）。

为逻辑起点，而不能以“实践”为逻辑起点。如果这个推论不错的话，那么杨文的这“后一个肯定”实际是对“前一个肯定”的否定。这样一来，也就在逻辑上自相矛盾了。

由此看来，马克思主义哲学体系到底是以“物质”为逻辑起点，还是以“实践”为逻辑起点，这个争论了二十多年的重要问题，一时还难以了结。这也从一个方面说明，此问题的解决颇为不易。为了有助于把讨论进一步引向深入，本文不惴冒昧，想就此谈谈自己的一些想法，以求得到指正。

二、唯物主义是马克思主义哲学的第一原理

对于杨文的上述“前一个肯定”，我深表赞同，但需要进一步加以说明。

我认为，从世界观的高度来说，本体论是任何一种哲学理论体系的最一般的基础或前提，这个基础动摇了，这个哲学体系也就会动摇。“本体论”原是一个旧哲学的用语，从其实际内容来看，就是哲学体系中的一般世界观，即对世界一般本质的看法这一理论部分。马克思主义经典作家没有用“本体论”这个术语来称谓自己的有关理论，但马克思主义哲学有一般世界观，其基本观点是：世界是物质的，物质世界处于普遍联系和运动发展变化之中，物质的运动是有规律的，物质运动的规律是可以认识的。

可见，唯物主义观点是马克思主义哲学的最基本观点。“世界统一于物质”是马克思主义哲学唯物主义的最基本原理（不过需要指出的是，杨文所提到的关于“物质是世界的本原”这一命题似难成立。从马克思主义观点看来，世界无本原可言。世界作为整体无所谓起源和灭亡，它无始终，无边界，是本来就存在的。这样，也就根本不存在所谓万物的“始基”“本原”。因此，马克思主义哲学从来就没有提出过世界的本原是什么这样的虚假问题。当然，在物质与精神的关系问题上，马克思主义哲学承认物质是精神的本原。但也只能限于在认识论的范围之内来谈论。诚如列宁所说，物质与精神何者为第一性的问题只有在认识论的范围内才有绝对的意义，超出这个范围就是相对的）。“物质”是马克思主义哲学唯物主义的最基本范畴。马克思经常

使用“物质”、“自然”（广义理解的）这些本体论范畴，离开这些本体论范畴，他的哲学的一般唯物主义性质就不能得到表现，他的唯物主义的实践观、历史观、人学观、认识观就不能得到表述。

虽然我们很难从马克思恩格斯的论述中确定一个关于“物质”的清晰、完整的定义，但他们对“物质”的理解却是明确的、深刻的。马克思恩格斯所理解的“物质”是相对于意识而言的关于一切具体物质形态的共同本质的哲学概括。恩格斯认为“物质”作为“抽象”和“简称”，“用这种简称把感官可感知的许多不同的事物依照其共同的属性概括起来”①。马克思恩格斯指出：物质相对于意识具有本原性或第一性，它是“不受”人“任意支配的”，而人的意识却是“与物质前提相联系的物质生活过程的必然升华物”，“意识……在任何时候都只能是被意识到了的存在”②。马克思还说：“观念的东西不外是移入人的头脑并在人的头脑中改造过的物质的东西而已。”③ 在这些论述的基础上，后来列宁进一步概括指出，物质是“不依赖于人的意识并且为人的意识所反映的客观实在”④。

物质的具体形态大体可分为三类：一是以自在自然为形态表现的自在态物质，二是以实践主体人为形态表现的自为态物质，三是作为人的活动生成物的人工态物质。它包括在人类实践活动中所产生的各种人工自然物所形成的社会关系、社会组织，所建构的虚拟世界，以及生成着的人本身。

自在态物质、自为态物质、人工态物质尽管各有其特点，但它们都是物质的具体表现形态，都统一于物质，即客观实在性。

把自在态物质、自为态物质、人工态物质之间的统一，理解为辩证的、历史的、实践的物质统一，这是马克思主义哲学物质观的必要要求，也是马克思主义的辩证的、历史的、实践的唯物主义在自在态物质、自为态物质和人工态物质三者统一问题上的具体体现。

由此可见，在世界物质统一性意义上，物质是一般，实践作为自

① 《马克思恩格斯选集》第4卷，343页，北京：人民出版社，1995年。
② 《马克思恩格斯选集》第1卷，72、73页，北京：人民出版社，1995年。
③ ［德］马克思：《资本论》第1卷，24页，北京：人民出版社，1975年。
④ ［俄］列宁：《唯物主义和经验批判主义》，261页，北京：人民出版社，1960年。

为态物质的人的存在方式，只是物质个别。从一般与个别的辩证关系来说，一般存在于个别之中。世界的物质性存在于作为具体物质形式之一的人的实践活动之中。对人来说，我们可以通过特殊把握一般，通过实践把握世界的物质统一性。

物质或客观实在这是马克思主义哲学对世界的最一般的抽象。作为一个科学体系的表述，必须遵循从抽象到具体的原则，因而这个科学体系的起点应该是整个体系最抽象的范畴。对于马克思主义哲学体系来说，在逻辑展开过程中，也就只能以“物质”为逻辑起点，而不能以“实践”为逻辑起点。

有人担心，以“物质”为马克思主义哲学的逻辑起点，这样能不能划清它与旧唯物主义的界限呢？这种担心是没有必要的。马克思主义哲学物质观与旧唯物主义物质观是有原则区别的。

旧唯物主义在世界观上的优点在于它以物质来说明世界。但是它所理解的物质有以下几个方面的缺陷：一是形而上学性。它把在质上无限多样的物质形态，仅仅归结为某种或某几种自然物质在组合数量上的不同，没有看到各种物质形态的质的多样性、复杂性。二是非科学性。它把某些特殊的物质形态误认为是物质一般，这样只能是牵强的、臆断的。三是直观性。它直观地而不是实践地理解世界，因而难以说明作为社会存在物的人本身和人类社会的物质性，在历史观上，必然陷于唯心主义，从而也就必然割裂自然界和人类社会的物质统一性，也就是说，旧唯物主义物质概念在内容上是局限于自然观上的物质概念的。

马克思主义哲学物质观克服了旧唯物主义物质观的缺陷。它是涵盖一切具体物质形态的科学抽象，是多样性的统一；它是关于运动和发展着的，并通过实践不断向人生成和展示着的世界客观实在的学说。由此可见，马克思主义哲学以科学的物质范畴为逻辑起点，并不存在与旧唯物主义相混同的问题。

三、科学实践观支撑了科学物质观的形成

肯定马克思主义哲学应当以“物质”为逻辑起点，会不会贬低马克思主义创始人在马克思主义哲学形成过程中创立科学实践观的意义

呢？我认为不会。

先来说说杨文的上述“第二个肯定”。对于这“第二个肯定”，我不敢苟同。

杨文的“第二个肯定”认为，马克思主义哲学产生过程中科学实践观的形成具有决定性意义。我认为，这一论断不能成立，至少是很不准确。正确地说，应该是科学实践观的形成对马克思主义哲学的社会历史观、人学观和认识论等的形成具有决定性意义。或如杨文所言，科学实践观创立的意义，“在于它指明实践是人的最本质的存在方式，社会生活在本质上是实践的，实践是全部社会生活的基础，从而也是认识的基础”。杨文在这里的论述是对的。但是，马克思主义哲学的社会历史观、人学观、认识论等，尽管都很重要，特别是马克思主义哲学的历史观十分重要，但它们毕竟只是马克思主义哲学的一些构成部分，而不是马克思主义哲学世界观所体现的整体。

因此，杨文把科学实践观形成对上述这些构成部分创立的决定性意义，说成是或夸大为对作为整体的马克思主义哲学世界观形成的决定性意义，这就不妥了。当然，进行这种“夸大”或“拔高”，在我国理论界已非一日，也非一人，已经形成为一种潮流。因此，杨文在这里的不妥之处只在于，他对这种“夸大”或“拔高”不加分析地予以了肯定，并以此作为推论的前提。既然这个前提本身是错误的，那么，由此所引出的结论自然也是不能成立的。也就是说，杨文的“第二个肯定”所认为的，实践观点是马克思主义哲学的首要的基本的观点，以及所引出的马克思主义哲学体系应以实践为逻辑起点等的结论是不能成立的。

当然，否认科学实践观的形成对马克思主义哲学创立的决定性意义，并不能否认科学实践观的形成对马克思主义哲学创立所具有的关键性支撑意义。关于这一点，不仅不能否认，而且应该予以充分的肯定。

科学实践观的内涵是多方面的，但从根本点来说，就是把作为人的存在方式的实践从唯心主义手中夺过来，导入辩证的历史的唯物主义体系中，并赋予人的实践以唯心主义所不能承认的、旧唯物主义所不能理解的那种客观的、批判的、革命的意义。科学实践观就是辩证的历史的唯物主义实践观。否认了唯物主义的优先地位和基础作用，也就不成其为科学实践观，而成了单纯肯定、推崇实践的唯实践主义或实践至上主义。这是前些年关于实践唯物主义讨论中的一个理论误区。因此，科学实践观在本质上统一于科学物质观。

但是，在承认这一点的同时，也必须承认，正因为有科学实践观的形成，所以，作为物质两种具体形态表现的自为态物质和人工态物质，以及它们与自在态物质之间的统一关系，才获得了唯物的、辩证的、实践的说明。在这个基础上，通过逻辑的提升，才最终形成了涵盖万事万物的最普遍概念，即科学的物质概念。

毫无疑义，科学的物质观的形成得益于科学实践观的形成。没有科学实践观理论的依托，也就不可能有科学物质观的产生。由此也可以说，肯定科学的物质概念形成的意义，也就从世界观的高度上涵盖和肯定了科学实践观形成对马克思主义哲学创立所具有的关键性支撑意义。

四、科学物质观是马克思主义哲学的基石

如果说，物质概念是唯物主义的基石，那么也可以说，科学的物质概念是马克思主义哲学唯物主义的基石。马克思恩格斯所完成的最深刻的革命变革，导致唯物主义最高形态的确立，其基本的前提就是科学的物质概念的形成。由此，也可以说，科学物质观的形成对马克思主义哲学世界观的形成具有决定意义。

因此，马克思恩格斯在肯定实践的能动作用和革命意义时，也总是把世界的物质性这个唯物主义原则，以及作为这个原则具体体现的自然界的客观实在性和优先性原则，当作基本的前提加以强调。需要指明的是，在我国理论界没有人，至少没有人在口头上公开否定自然界的优先性原则？那些持不同哲学见解，甚至相反见解的论者都在引用马克思的有关论述。这种情况的存在，至少说明有些论者并没有真正理解这一原则，或者在某些论者那里引用马克思的有关论述只是做做样子，作为装饰门面的一种幌子，或者是作为堵住批评者嘴巴的一种遁词。然而，无论如何，弄清自然界的优先性原则的涵义是十分必要的。

什么是自然界的优先性原则？对此马克思恩格斯并没有进行明确

具体的规定，但是他们有关的论述还是大量的、丰富的。透过这些论述，其主要内涵可以归纳为以下几点：

一是，自然界是人类的母亲，人是自然界发展的最高产物。人一刻也不能离开自然，因而不能不受自然的约束，不能不适应自然。

二是，自然界是人类赖以生存、发展的物质资料的源泉。人的活动只是改变物质资料的具体形态，而没有改变其客观存在的本性。

三是，自然界是包括人类社会在内的一个有机统一的整体，人类社会是这个有机整体中能动的、发挥巨大作用的一部分，它必须保持与有机整体的平衡与协调。也就是说，自然界不光以其某些部分作为物质要素参与经济活动，而且整体地与人类协同完成其经济活动。如果人类自以为是，不借助或违背了这种协同，那么任何经济活动都只能落得可悲的结局。

四是，人类活动除了要服从社会发展的规律外，还必须服从自然界的整体规律，服从整体的自然界与作为其构成部分的人类社会之间相互作用的规律。

坚持世界的物质性和自然界优先性的唯物主义原则，是极为重要的。它不仅是我们党实事求是思想路线的理论基础，而且也是人类一切实践活动取得成功的基本准则。

从认识角度说，只有坚持世界的物质性和自然界优先性的原则，才能使人类实践获得科学的说明，或者说，才能形成科学实践观。换句话说，真正坚持科学实践观，也就必然要引导到承认世界的物质性和自然界优先性的唯物主义原则。

首先，实践是改造世界而不是从虚无中创造世界。因此，实践对世界的改造作用，是以世界本身的预先存在为前提的。

其次，人为什么要通过实践改造世界，是因为客观世界独立于人的意识之外，按照其固有的本性运动、变化，因而它并不必然适合于人的需要。所以，人要通过实践去解决人的需要与外部世界的矛盾。

再次，人为什么能通过实践改造世界，从客观方面来说，世界本身是运动的，是可以变化的，而不是僵死的，这就给人类改造世界提供了广阔的空间。从主观方面来说，是因为人具有社会地组织起来的、自觉的能动性。人本来就是自然界的一部分，因而人的能动性不是神秘的精神力量在人身上的体现，而是物质固有的本质力量在作为“自然存在物"的人身上的特殊表现形式。马克思指出："一个存在物如果在自身之外没有自己的自然界，就不是自然存在物，就不能参加自然界的生活。一个存在物如果在自身之外没有对象，就不是对象性的存在物。"① 作为人的主观情感的感觉、激情也是对人所依存的物质世界客观性的肯定。对此，马克思说："如果人的感觉、激情等等不仅是［本来］意义上的人本学规定，而且是对本质（自然）的真正本体论的肯定。"② 因此，人发挥能动性，对世界的改造作用，不过是物质世界内部相互作用的一种能动形态表现。

最后，这种能动性要得到正确发挥，还必须尊重受动性，即尊重主体人物质自身的客观需要、现实状况和实践的物质环境、对象、工具，以及客观规律等对人的活动的制约性。人通过实践改造世界，不过是认识和利用客观条件和客观规律，使自然物按照人的需要的方式相互作用，以实现人的目的。

总之，从根本上说，世界统一于物质，自然界对于人类实践和人类社会具有优先性。实践是客观的物质活动，是自为态物质——人的存在方式，是自在态物质转化为人工态物质的中介基础，这就是实践在客观世界中的地位。这也是我们确认实践范畴在马克思主义哲学体系中逻辑地位的客观根据。因此，不能用实践范畴取代物质范畴来作为马克思主义哲学体系的逻辑起点。只有以科学物质观为前提和基础，实践范畴才能获得科学说明和在马克思主义哲学体系中找到恰当的逻辑定位。

二十多年来，一直有人试图以实践范畴为逻辑起点来阐述马克思主义哲学体系，但是这种努力至今没有成功，可以斗胆预言，今后也不可能成功。因为这样做违背了马克思主义所要求的历史与逻辑相统一的原则。

---

① 《马克思恩格斯文集》第1卷，210页，北京：人民出版社，2009年。

② 《马克思恩格斯文集》第1卷，242页，北京：人民出版社，2009年。

关于实践唯物主义讨论的反思*

一、实践唯物主义讨论的成就与不足

实践唯物主义的讨论，始于上世纪80年代中期，至今已有20多年的历史了。这一讨论打破了弥漫于我国哲学界的教条主义空气，一时间人们倍感新鲜、兴奋，其参与人数之多、延续时间之长，是空前的。这一讨论的结果，大体可以用瑕瑜互见、妙败并存来形容。

其妙处在于，通过实践唯物主义的讨论，深化了实践范畴在马克思主义哲学体系中的重要地位和作用的认识，从而把实践原则确立为贯穿马克思主义哲学的主导原则。与此相联系，主体原则、价值原则也被提升到马克思主义哲学基本原则的高度。由此也就实现了关于马克思主义哲学理解的三个方面的转折：一是由片面注重唯物主义原则，到坚持唯物主义原则与实践原则的辩证统一；二是由片面注重客体原则，到坚持客体原则与主体原则的辩证统一；三是由片面注重真理原则，到坚持真理原则与价值原则的辩证统一。

由于实现了上述三个方面的转折，于是也就使作为马克思主义哲学世界观的辩证唯物主义，由以往教科书的较为片面的理解，而进展到当代较为全面的理解。

辩证唯物主义作为一种称谓，实际有两种涵义：一是标示马克思主义哲学本质精神的辩证唯物主义；二是作为马克思主义哲学教学体系的辩证唯物主义。前者是一种对象性、文本性存在。它具有唯一性。后者则可以有不同版本，更多地体现了教材作者对马克思主义辩证唯物主义思想内容的理解和对不同教育对象的适应，因而具有多样性。

---

* 原刊于《中共杭州市委党校学报》，2012（4）。

虽然马克思主义哲学的创始人马克思恩格斯没有把自己的哲学命名为辩证唯物主义，这是后人对他们哲学的一种指称，但这一称谓还是有根据的。其根据在于：马克思恩格斯都把辩证唯物的观点和方法视为自己哲学与唯心主义，特别是黑格尔辩证唯心主义和旧唯物主义，特别是直观唯物主义的根本区别之所在。

马克思在批判黑格尔唯心辩证法时曾肯定："黑格尔辩证法……无疑是整个哲学的最新成就。"① 但同时他又指出，自己的"辩证方法，从根本上来说，不仅和黑格尔的辩证方法不同，而且和它截然相反"②。"因为我是唯物主义者，黑格尔是唯心主义者"③。马克思在这里以斩钉截铁的语言表达了自己的唯物辩证法与黑格尔唯心辩证法的根本区别。另外，马克思在以辩证唯物主义批判和否定黑格尔辩证唯心主义的同时，也批判和否定了形而上学唯物主义，特别是作为其一种具体表现形态的直观唯物主义。这种唯物主义对人和人的世界都限于消极无为的理解，"不了解'革命的'、'实践批判的'活动的意义"④，这就从根本上背离了辩证法。在马克思看来，辩证法不仅在于承认客观世界的联系和运动，而且更在于承认人作为主体对客观世界的实践改造，所以他说："辩证法不崇拜任何东西，按其本质来说，它是批判的和革命的。"⑤

与马克思的观点根本一致，恩格斯也曾用明白无误的语言来说明唯物辩证法是他们哲学的根本精神。恩格斯曾在与"18世纪的纯粹形而上学的、完全机械的唯物主义"相区别的意义上，公然声称马克思的"现代唯物主义本质上……是辩证的"⑥。他说："马克思和我，可以说是把自觉的辩证法……用于唯物主义的自然观和历史观的唯一的人"⑦，并指出："唯物主义辩证法""多年来已成为我们最好的工具和最锐利的武器"⑧。

---

① 《马克思恩格斯全集》第29卷，540页，北京：人民出版社，1972年。
② 《马克思恩格斯选集》第2卷，111—112页，北京：人民出版社，1995年。
③ 《马克思恩格斯选集》第4卷，578—579页，北京：人民出版社，1995年。
④ 《马克思恩格斯选集》第1卷，58页，北京：人民出版社，1995年。
⑤ 《马克思恩格斯选集》第2卷，112页，北京：人民出版社，1995年。
⑥ 《马克思恩格斯选集》第3卷，363、364页，北京：人民出版社，1995年。
⑦ 《马克思恩格斯选集》第3卷，349页，北京：人民出版社，1995年。
⑧ 《马克思恩格斯选集》第4卷，243页，北京：人民出版社，1995年。

由上可见，将马克思主义哲学命名为“辩证唯物主义”，不仅有令人信服的经典文本根据，而且是对马克思主义哲学世界观的一种简明而科学的概括。

然而在过去很长一段时间内，我国哲学界并没有把作为马克思主义哲学本质精神的辩证唯物主义与作为马克思主义哲学教学体系的辩证唯物主义区别开来，而是把后者等同于前者，并人为地赋予其某种绝对性，使之凝固化，这是很不妥的。后来，当作为以往教科书的“辩证唯物主义”或“辩证唯物主义和历史唯物主义”的缺陷被揭露以后，又有一些论者以此作为理由，去否定作为马克思主义哲学本质精神的辩证唯物主义，这实际上是上述“等同论”的错误在另一个极端的延续和形式表现。

以往教科书体系从国别来源说，有苏联版本和中国版本（以下简称苏版和中版）。我国有些论者对这样两个版本不加区别，并且把它们都贬斥为斯大林体系，即1938年苏联出版的由斯大林主持和修改定稿的《联共（布）党史简明教程》第四章第二节的“辩证唯物主义和历史唯物主义”体系。这一说法与事实不符。

首先，斯大林体系是有不少缺点，但也不能一概否定，而要辩证分析。另外，斯大林体系只是斯大林对马克思主义哲学的一种理解体系，并非教科书意义上的教学体系。附带说一句，这本党史教程在苏共二十大作为个人迷信的代表作被粗暴批判以后，曾长期停止出版，但到2004年7月，其历史价值又重新得到肯定，被俄罗斯教育部再版发行。

其次，苏版教科书体系并非源于斯大林体系，而是上世纪20年代末30年代初，为了满足大学哲学教学的需要，由苏联哲学家通过集体创作而形成的。苏版教科书将马克思主义经典作家分散的哲学概念、范畴、原理加以条理化、系统化，逐步形成了唯物论、认识论、辩证法、历史唯物论等所构造的辩证唯物主义或辩证唯物主义与历史唯物主义框架，并根据俄国革命和建设的经验加以阐释。苏版哲学教科书是马克思主义哲学发展史上第一个比较完整的马克思主义哲学范畴和原理体系，它对关于马克思主义哲学的学习、宣传和普及发挥了巨大作用。

最后，中版教科书体系也并非苏版教科书体系的简单延续，它是在借鉴苏版教科书体系的基础上，加以了改进、丰富和创新，是具有中国特色的马克思主义哲学教科书体系。从体系框架来说，更加突出了马克思主义哲学的方法论功能，在内容上吸收了中国传统哲学的某些肯定性成果，特别是加进了毛泽东哲学思想和中国一些专业哲学家的理论成果。对于中版教科书的中国特色，必须充分肯定，而不能妄自菲薄，更不能把它与苏版教科书混为一谈，用所谓“传统教科书”一言以蔽之。

无论苏版还是中版教科书体系，到目前为止，还没有哪一个基本范畴、哪一个基本原理被证伪，被否定。这说明以往的教科书体系在总体上或基本上是应该肯定的。当然这样说，并不否认其有局限性，并不否认要对其加以丰富和发展。

以往教科书体系的缺陷集中表现在对实践问题重视不够，没有把实践提到马克思主义哲学主导原则的高度予以阐明。另外，对主体人问题、价值问题，尤其是人的自由和发展问题比较忽视。需要指明的是，这种缺陷不是作为马克思主义哲学本质精神的辩证唯物主义的缺陷，而是作为教学体系的辩证唯物主义对马克思主义哲学本质精神在理解上的缺陷，因而这种缺陷是完全可以通过后续的补充、丰富，来加以克服的。

如前所说，实践唯物主义讨论的一个重要成就，就在于在上述问题上补充、丰富和深化了对马克思主义辩证唯物主义的理解。比如在世界的物质统一性问题上，物质被理解为自在态物质、自为态物质和人工态物质在辩证的联系中、在历史的运动中、在人的能动活动中所实现的统一，而不是单纯抽象的统一。[①] 世界的辩证运动也被理解为以自然的辩证运动为基础、以人的实践的辩证运动为中介，所创造的社会历史的辩证运动及其统一。

需要指明的是，实践唯物主义讨论所作出的上述理论贡献，只是其正面意义的产品。除此以外，还有其负面意义的产品。这表现在，在有些论者那里，一是脱离辩证唯物主义来谈论实践唯物主义，把实践唯物主义解读为与辩证唯物主义相对立的另一种理论体系；二是脱离唯物主义来谈论实践，把实践唯物主义曲解为实践本体论或实践超

① 参见陶富源：《实践主导论》，81—82 页，合肥：安徽人民出版社，2001 年。

越论；三是实践本体论或实践超越论都从根本上歪曲和消解了人的实践活动的本性，即实践作为人所特有的能动改造客观世界的物质活动这一根本性质。于是，实践本体论或实践超越论也就成为具有实践唯心主义倾向的哲学观点。这样一来，实践唯物主义的讨论，在某些论者那里，也就陷入了一个疏离和败坏实践唯物主义的误区。这是实践唯物主义讨论在近些年陷于沉寂和清冷的一个重要原因，也是实践唯物主义讨论中的一个败笔。

二、实践唯物主义与辩证唯物主义并非对立

能否用实践唯物主义来称谓马克思主义哲学，这是实践唯物主义讨论中要涉及的一个前提性问题。对这个问题至今在理论界还没有达成共识。我认为，实践唯物主义是一个好名称，用它来称谓马克思主义哲学是完全可以的，但不能如某些论者那样，对实践唯物主义作与辩证唯物主义相对立的理解，即不能认为马克思主义哲学就是实践唯物主义，而非辩证唯物主义。

马克思恩格斯没有使用过“实践唯物主义”概念，但使用了“实践活动的唯物主义”和“实践的唯物主义者”[①] 这样的用语，并主张要坚持“实践活动的唯物主义”，要去做“实践的唯物主义者”。如果把“实践唯物主义”视为“实践活动的唯物主义”的简称，那么不妨认为，“实践唯物主义”称谓是符合马克思恩格斯所赋予它们的哲学涵义的。

“实践唯物主义”或“实践活动的唯物主义”的涵义如何呢？根据马克思的相关论述，其涵义可以概括为两个层次：

一是指通过实践方式达于对对象的唯物主义理解。在对直观唯物主义的批判中，马克思主义哲学主张“对对象、现实、感性”不仅要“从客体的或者直观的形式去理解”，而且要“把它们当作人的感性活动，当作实践去理解”[②]。这里的当作实践去理解，不是当作唯心主义所认为的抽象能动活动去理解，而是当作唯物主义所认为的“现实的、

① 《马克思恩格斯选集》第1卷，75页，北京：人民出版社，1995年。

② 《马克思恩格斯选集》第1卷，58页，北京：人民出版社，1995年。

感性的活动”去理解。也就是说，马克思主义哲学的实践唯物主义理解方式，既区别旧唯物主义的直观受动方式，也区别唯心主义的抽象能动方式，它主张在改造感性对象的活动中获得关于感性对象的本来面目的认识，即通过实践方式达于对对象的唯物主义理解。

那么这种实践唯物主义理解方式的根据何在？其根据在于，在存在论或本体论意义上，实践是人与环境、自然与历史、主体与客体、主观与客观相互联系、相互作用的中介。因此，实践内在地包含了人与自然、人与社会、人与意识等多种关系，这些关系的总和构成了现有世界的基本关系。可以说，实践以缩影的形式映现着现存世界，它蕴含着现存世界的全部秘密，是人类所面临的一切现实矛盾的交汇点。因此，实践及其所创造的对象世界虽然是有限的，但实践所联系和表现的世界是无限的。正因为如此，马克思主义哲学主张以实践为基础去反观、透视和理解现存世界，把现存世界当作实践去理解。

二是指通过实践方式对对象进行唯物主义改造。相对于单纯理解世界的唯物主义或解释世界的唯物主义，马克思主义哲学主张改造世界的唯物主义，或者说按照唯物主义的要求去对世界进行改造。马克思说：“哲学家们只是用不同的方式解释世界，而问题在于改变世界。”① 对马克思主义哲学来说，也就是不仅要对世界进行实践唯物主义的解释，而且要把这种解释成果用来指导对世界的改造。在马克思主义哲学看来，在改造世界中践行唯物主义的人，也就是共产主义者，因而“对实践的唯物主义者即共产主义者来说，全部问题都在于使现存世界革命化，实际地反对并改变现存的事物”②。

对对象进行实践唯物主义的理解和对对象进行实践唯物主义的改造，二者是紧密联系、辩证统一的。这个统一的基础是实践，人们是在实践中认识和改造对象的，是在实践上获得对对象的本来面目的理解，即唯物主义理解，并以这个理解成果为前提和指导，去改造对象的。

综合实践唯物主义的上述两个层次的涵义，可以把实践唯物主义定义为“以实践为基础来理解和改造对象的唯物主义”③。

---

① 《马克思恩格斯选集》第1卷，61页，北京：人民出版社，1995年。

② 《马克思恩格斯选集》第1卷，75页，北京：人民出版社，1995年。

③ 陶富源：《世界观·人类史观与历史唯物主义》，《马克思主义研究》，2009（6）。

对马克思主义哲学加上了实践唯物主义这样一个新的称谓，其意义并不是如某些论者所理解的，在辩证唯物主义体系之外，另立一个不同于辩证唯物主义体系的实践唯物主义体系。应该承认，某些论者对此进行了多年的努力，但至今没有成功。其实这是预料中的。

从本体论意义上说，辩证唯物主义和实践唯物主义有其共同的基础，即都坚持唯物主义，都承认世界的物质统一性。辩证唯物主义认为物质世界是普遍联系、永恒运动的；实践唯物主义强调人的实践活动在世界普遍联系和永恒运动中的作用，指明人通过实践改造着自在自然、创造了人化自然，创造了人类历史，并在这种改造外部世界的过程中，形成和发展了人自身，包括形成和发展了人的认识能力及其认识成果。因此，实践唯物主义的提出是很有意义的，它深化了对马克思主义辩证唯物主义的理解，对辩证唯物主义的唯物性和辩证性作出了新的具体形态的阐述，即能动形态的阐释。这种阐释不仅使马克思主义辩证唯物主义自然观、辩证唯物主义历史观，以及二者的统一获得了全面的科学的说明，而且使涵盖辩证唯物主义自然观和历史观的马克思主义辩证唯物主义世界观的形成获得了关键支撑。可见，在本体论意义上，实践唯物主义与辩证唯物主义不是非此即彼，而是相辅相成的。

从认识论意义上说，实践唯物主义是侧重从理解方式的维度对马克思主义哲学所作的规定，而辩证唯物主义则是侧重从思想成果的维度对马克思主义哲学所作的规定。马克思主义哲学的理解方式与其思想成果也是辩证统一的。如上所说，实践唯物主义是以实践为基础来理解和改造对象的唯物主义。这个对象如果是指人与世界的总体关系，那么其哲学理论成果就是作为马克思主义世界观的辩证唯物主义。以此类推，如果这个对象是指人类历史，那么其哲学理论成果就是人类历史观上的历史唯物主义；这个对象如果指的是人，那么其哲学理论成果就是科学的人观，即现实的人及其历史发展的科学；如果这个对象是指人的认识，那么其哲学理论成果就是辩证唯物主义认识论。因此，在认识论意义上，实践唯物主义与辩证唯物主义也是统一的，那种把二者对立的观点是不能成立的。

从方法论意义上说，辩证唯物主义既是世界观也是方法论。世界观是方法论的理论基础，方法论是世界观的具体运用。马克思主义哲学世界观向方法论的转化过程，也就是世界观掌握群众，变为群众手中武器，变成物质力量的过程，即实践力量的过程。辩证唯物主义作为方法论，必然要坚持对现实世界进行批判和革命，而革命实践是人的真正的批判活动，是推动现存事物和人本身辩证发展的手段。因此，发挥辩证唯物主义的方法论功能，也就内在地要求通过革命实践推动客观世界和人本身的辩证发展，必然要肯定实践唯物主义的合理性及其重大意义；同样，承认实践唯物主义，也就必然会承认通过实践所展示、所推动的物质世界的辩证发展，即承认辩证唯物主义的合理性及其重大意义。

总之，实践唯物主义与辩证唯物主义是统一的，它们是从不同维度对马克思主义哲学所作的概括。如果把二者对立起来，除了陷于谬误以外，没有别的出路。

三、实践本体论与实践超越论不能成立

某些论者把实践唯物主义与辩证唯物主义对立起来，这种所谓对立是建立在他们对实践唯物主义和辩证唯物主义双重误读基础上的。这表现在，他们脱离辩证唯物主义的辩证论，而把唯物主义从其中抽象出来，并进而误读为单纯的物质决定论；它脱离实践唯物主义的唯物论，而把实践从其中抽象出来，并进而误读为实践本体论或实践超越论。经过这样一番抽离、变换，实践唯物主义与辩证唯物主义的所谓对立，在某些论者眼中也就成了从物质出发还是从实践出发、以客体为坐标还是以主体为坐标、是坚持科学导向还是坚持人文导向的对立。其实，这种对立在实践唯物主义与辩证唯物主义之间是根本不存在的。

就辩证唯物主义来说，它既反对世界观上的片面物质决定论，也反对历史观上的单纯经济决定论。辩证唯物主义坚持物质对精神、经济对政治的最终决定作用，但并不否认精神对物质、政治对经济的反作用，并不否认这种作用在一定条件下的决定性。精神的反作用、政治的反作用在现实中都是作为主体人的能动作用的表现，也就是说，都是通过人追求自身价值的活动实现的。可见，在辩证唯物主义那里，并不存在某些论者所认为的那样一种排斥实践、排斥主体、排斥人文

价值的劣根性。

就实践唯物主义来说，它是在实践中认识和改造世界的唯物主义。而无论是对世界的认识还是改造，都是主体与客体通过实践相互生成、相互作用的过程。以实践为基础的认识过程使主体趋近于客体，从而使主体获得关于客体的真理性认识；以实践为基础的改造过程，是使客体趋近于主体，满足主体的需要，这是一个创造价值的过程。为了正确进行实践活动，就必须既坚持真理原则又坚持价值原则，即实现马克思所说的内在尺度与外在尺度的统一。可见，在实践唯物主义那里也并不存在某些论者所认为的那样一种关于实践原则、主体原则、价值原则等获得片面高扬的优越性。

不难看出，建立在上述误读基础上的所谓实践唯物主义与辩证唯物主义的对立，只是人为的虚设和附加，是没有根据的。某些论者这样做的结果：是把实践唯物主义曲解成了实践本体论或实践超越论。

实践本体论否认自在自然是人的现实世界的一部分，认为人的现实世界就是人化自然。这一观点是片面的，也是与当代突显的生态文明建设的理论与实践相违背的。人生活在人化世界中，也生活在大自然生态圈中。人化世界只是大自然生态圈的一部分。人化世界与作为其生态环境的大自然生态圈的协调统一，构成了人所生活的现实世界。

实践本体论否认自在自然对人的意义，认为自在自然对人来说是“无”。这一观点也很武断。洒到地球上的阳光不属人化自然，当属自在自然，但谁又能否认阳光对万物的作用和对人的意义？万物生长靠太阳，这是小学生都懂的真理。可实践本体论者却在作那种违背常识的侃侃之谈。

实践本体论否认人类社会的自然基础，而把实践视为其唯一基础。这一观点也是没有根据的。没有自然，哪有人类实践对自然的改造，又哪有社会的产生？用马克思的话说：“社会是人同自然界的完成了的本质的统一。”[①] 社会历史“是人通过人的劳动而诞生的过程，是自然界对人来说的生成过程”[②]。

实践本体论否认实践的物质性，否认实践的物质内容，而把实践

① 《马克思恩格斯文集》第1卷，187页，北京：人民出版社，2009年。

② 《马克思恩格斯文集》第1卷，196页，北京：人民出版社，2009年。

与物质对立起来。这样一来，实践也就成了“想象主体的想象活动”，而不是马克思所认为的“物质实践”活动。也就是说，实践本体论对实践的理解最终滑向了唯心主义。

应该承认，实践超越论在某种程度上觉察到了实践本体论的理论困境，觉察到了其唯心主义倾向，但又不屑于回到唯物主义，于是以拒斥形而上学为名，把实践“中立”化。其理由是，实践既是人的物质活动，又是人的精神活动，因而实践是一个融合了物质和精神的总体范畴，于是认为，坚持所谓实践论思维方式也就超越了唯物唯心的片面性。

实践超越论与实践本体论的相同之处在于：一是都认为辩证唯物主义没有体现和概括马克思主义哲学的本质，而实践唯物主义才是对马克思主义哲学的科学指谓。二是都脱离实践唯物主义的唯物论来谈论实践。其区别在于：实践本体论把实践本体化、抽象能动化，最终陷入唯心主义；而实践超越论则把实践中立化，以折中主义冒充辩证法，给人以貌似全面之感，实际也没有能真正超越对实践的唯心主义理解。

人的一切活动，包括物质活动和精神活动，都既有精神因素的参与，又有物质因素的参与。人的物质活动与精神活动的区别在于：人的精神活动是凭借参与活动的精神因素，使参与活动的对象性物质因素摆脱其外在的客观形式获得内化、主观化，而成为精神的一个环节的活动；相反，人的物质活动则是凭借参与活动的物质因素，使参与其中的对象性精神因素加以外化、物化而获得客观形式的活动。

人的实践活动就是这样一种凭借一定的物质条件和手段，使参与其中的精神因素获得外化、物化的活动。

实践超越论的失足在于：它停留于现象的层面，以为人的实践活动有精神因素的参与就是精神活动，有物质因素的参与就是物质活动，这样一来，它也就把参与实践活动的精神因素和物质因素作了完全孤立的理解。与此相联系，人的精神活动就成了没有物质因素参与的纯精神因素的活动，如同想象中的神灵和鬼怪的活动。同样，人的物质活动也就成了没有精神因素参与的纯粹物质活动，如同动物的本能活动。由此可见，超越论所理解的既作为人的物质活动又作为人的精神活动的实践并不是真正的人的实践，即不是人所特有的能动改造客观世界的物质活动，而是主观设立的虚幻的实践，因而实践超越论最终并没有能超越对实践的唯心主义理解。

诚然，把马克思主义哲学解读为实践本体论或实践超越论，并非我国学者的首倡。追溯起来，它只是现代西方哲学，特别是现代西方马克思主义哲学的主流观点在我国学界的一种延续，因而也是唯西是从的教条主义在我国学界的一种表现。

总之，这场由众多学者参与、延续时间颇长的关于实践唯物主义的讨论，现在已经落下帷幕，或暂时告一段落。但历史不能白白走过，需要以马克思主义哲学为指导，对这一讨论的是非得失进行认真反思。要通过反思，把其中的经验教训作为建设中国马克思主义哲学新形态的宝贵资源。这些经验教训主要是：必须坚持唯物主义原则与实践原则、主体原则与客体原则、真理原则与价值原则等的辩证统一。

走出“以往哲学教科书”批判的误区*

一、必须克服一种不良倾向

对以往马克思主义哲学基本原理教科书（以下简称“以往教科书”）进行批判，这对促进马克思主义哲学基本原理课的教材建设、教学工作，以及马克思主义哲学基本原理的深入研究、科学理解和准确表述，都是很有意义的。[①]但其中也存在一种主观武断的倾向，即给以往教科书贴上“传统”的、“斯大林体系”的、“近代哲学”的、“缺根少据”的，以及“板块结构”等标签。这些标签有的无的放矢，有的牵强附会，有的夸大其辞。这样一来，也就使上述批判陷入了种种误区。因此，必须予以系统的、根本的澄清。这样才有助于科学总结以往教科书建设的经验教训，从而促进当代教科书建设和马克思主义哲学的发展。

二、“传统教科书”论不能成立

在否定以往教科书的标签或观点中，流传最广的是把以往教科书称之为“传统教科书”。我认为这一观点不能成立。

以往教科书所阐述的马克思主义哲学基本原理，是经过长期实践证明了的科学理论。因而后来者对这些原理可以加以丰富发展、深化理解和精确表述，但不能推翻它，或消解它。否则作为教科书，在性质上，也就不成其为马克思主义哲学原理教科书了。以往教科书，尽管

---

* 原刊于《马克思主义研究》，2013（5）。

① 参见陶富源：《关于实践唯物主义讨论的反思》，《中共杭州市委党校学报》，2012（4）。

存在这样那样的不足和缺陷，但它并没有推翻或消解马克思主义哲学的任何一个基本原理，就这一点来说，把以往的教科书称之为马克思主义哲学原理教科书，是名副其实的。

既然以往教科书所阐述的是马克思主义哲学的基本原理，那么这些基本原理也就不仅属于马克思恩格斯时代，而且也属于现代和未来，即具有现代和未来的价值。因此，现在和未来的任何一种新版马克思主义哲学原理教科书，尽管会带有各自的时代特征和民族特色，并且会用一些新原理去丰富和充实以往教科书所阐述的原理体系（这是无疑的），但都不可能用一套新原理去完全取代以往教科书所阐述的马克思主义哲学原理体系。这也就是说，马克思主义哲学原理教科书，就版本而言，有新老之分，但在内容上并无传统与现代之别。真理无新旧，老祖宗不能丢。如同牛顿力学的基本原理，在其创立以后的300多年中，发展产生了刚体力学、流体力学、机械振动机械波动力学等多门分支学科，但牛顿力学的基本原理体系至今还没有被证伪的迹象，也就是说，仍然适用于当代。因而只要是阐述牛顿力学基本原理的教科书，任何新版本相对于老版本，在内容上也必然是一脉相承、一以贯之的。

那么一些论者为什么要给以往教科书贴上“传统”的标签呢？其潜台词是，以往教科书在内容上陈旧、落后、失效了，可他们又从来没有指明以往教科书在哪些方面陈旧、落后、失效了。于是“传统”一词在他们那里也就成了一种虚言、一个标签。给以往教科书贴上这个标签，意在用他们所谓的新原理去取而代之。然而这种取代至今没有成功。

除了把以往教科书称之为传统教科书以外，在一些论者那里还把以往教科书说成是斯大林体系去加以否定。我认为，这一观点言而无据。

三、“斯大林体系”论言而无据

之所以说这一观点言而无据，是因为它与历史真相完全不符。

作为马克思主义哲学教学体系的辩证唯物主义，或历史唯物主义，或辩证唯物主义与历史唯物主义，是以教科书的形式来解释和宣传马克思主义哲学。这是苏联人的首创。它开启于1916年出版的德波林的

《辩证唯物主义纲要》和1921年出版的布哈林的《历史唯物主义理论》，基本形成于1932年、1934年出版的米丁和拉祖莫夫斯基主编的《辩证唯物论与历史唯物论》。[①] 如何看待苏版教科书，它与中版教科书，及它们与斯大林体系的关系呢？

第一，苏版教科书是上世纪20年代前后到30年代初，由苏联哲学家将马克思主义经典作家分散的哲学概念、范畴、原理加以条理化、系统化，逐渐形成了唯物论、认识论、辩证法、历史唯物论所构建的辩证唯物主义或辩证唯物主义与历史唯物主义框架，并根据俄国革命和建设的经验加以阐述。如前所说，这是一个创举。其义有二：一是为那些没有钱买马克思主义哲学原著，买了也没有时间和精力去一本本阅读的大学生和干部，提供了一个了解和学习马克思主义哲学的方便途径、一个简要读本，从而极大地推动了马克思主义哲学的学习、宣传和普及。二是苏版教科书作为马克思主义哲学发展史上第一个比较完整的马克思主义哲学范畴和原理体系，作为一个最初的尝试，极大地促进了马克思主义“哲学思想体系”向结构完整而严密的“哲学逻辑体系”的提升。应该说，一门科学的逻辑体系化，这通常是该门科学走向成熟和完善的必经之路。

第二，苏版教科书不能像有些论者那样，把它归结为斯大林体系。即1938年苏联出版的由斯大林主持和修改定稿的《联共（布）党史简明教程》第四章第二节的“辩证唯物主义和历史唯物主义”体系。这不仅因为在时间上不能作前后颠倒的处理，而且还因为二三十年代苏联教科书体系内容丰富、具体，是原本，而斯大林体系则是这个教科书体系的缩写与简化，是副本。不仅如此，这个副本相对于原本还带有某些绝对化和片面化的缺陷。诚然，对斯大林体系也不能一概否定（有些论者把斯大林体系说成是马克思主义的赝品，其实这是乱扣帽子，是与事实根本不符的），它所阐述的大部分观点还是正确的，尤其，它比较注重原理和方法的统一，这是可取的。附带说一句，虽然斯大林在苏共二十大以后曾遭到全盘否定，但作为一种迟来的肯定，2008年出版的俄罗斯新历史教科书称“斯大林被视为苏联最成功的领

① 参见袁贵仁、杨耕：《马克思主义哲学教学体系的形成与演变》（上），《哲学研究》，2011（10）。

导人”[1]。以“斯大林体系”为其部分内容的这本联共（布）党史教程，在苏共二十大作为个人迷信的代表作遭到粗暴批判以后，曾长期停止出版，但到2004年7月，其历史价值重又得到肯定，被俄罗斯教育部再版发行。[2]

第三，苏版教科书既然基本体现了马克思主义哲学的本质精神，因而中版教科书对其加以借鉴和继承，也就成为最自然不过的事情。正是在苏版教科书的影响下，瞿秋白于1924年出版了《社会哲学概论》和《现代社会学》，从而在中国开启了编写马克思主义哲学教科书的先河。如果说，这是中国第一本马克思主义哲学教科书，那么李达于1937年出版的《社会学大纲》则是中国第二本马克思主义哲学教科书。1961年，艾思奇主编的《辩证唯物主义历史唯物主义》则是新中国成立后出版的第一本马克思主义哲学教科书（以下简称艾本教科书）。相对于前两本教科书，它是在中国影响最广、发挥作用最大的一本教科书，因而艾本教科书也就成为中版教科书的典型代表。[3]

那么，艾本教科书与斯大林体系的关系如何？是否如某些论者所认为的，它所表述的是斯大林体系。[4] 不是的，这与事实不符。在时间上艾本教科书是写于斯大林体系之后，这一体系在新中国成立初期来华的苏联专家确实也在讲课时一度采用过，不过，这个体系并没有影响艾本教科书的编写。因为毛泽东早在1956年《论十大关系》的报告中，就已经提出要“以苏为诫”，独立探索一条有别于苏联模式的中国社会主义建设道路。他还在1957年1月27日的讲话中尖锐批评“斯大林有许多形而上学，并且教会许多人搞形而上学”[5]。正是在这样的背景下，1960年中共中央书记处委托中宣部教育部，决定组织力量编写两本体现中国共产党经验的教材：一本是马克思主义政治经济学教科书，另一本就是艾思奇主持编写的马克思主义哲学教科书。

---

① 吴恩远：《俄罗斯最新历史教科书关于苏联历史评价的一些新观点》，《马克思主义研究》，2009（4）。

② 参见周新城：《必须尊重历史》，《安徽师范大学学报》（人文社会科学版），2006（3）。

③ 参见袁贵仁、杨耕：《马克思主义哲学教学体系的形成与演变》（上），《哲学研究》，2011（10）。

④ 参见冯景源：《探寻马克思哲学“原生态”的意义》，《清华大学学报》（哲学社会科学版），2012（3）。

⑤ 《毛泽东文集》第7卷，194页，北京：人民出版社，1999年。

这本教科书不负所望，它在借鉴苏版教科书体系的基础上，加以了改进、丰富和创新，从而在整体面貌上所呈现的，是一本具有中国特色的马克思主义哲学教科书体系。这主要表现在：

一是使用了许多中国哲学史的相关思想材料，特别是结合中国共产党领导中国人民进行革命和建设的实际，来阐明马克思主义哲学的基本原理。

二是充分反映了毛泽东和中国一些专业哲学家对丰富和发展马克思主义哲学基本原理的理论贡献。书中关于对立统一规律、认识与实践、真理等的阐述，基本采用了毛泽东的《矛盾论》《实践论》的体例。另外，关于社会主义社会的矛盾、基本矛盾、“两类不同性质的矛盾”等的论述，所采用的也基本是毛泽东哲学思想的理论成果。

三是以概括总结中国共产党人把马克思主义哲学中国化、时代化、大众化的经验为依据，突出和彰显了马克思主义哲学的方法论功能。即在阐述每个哲学原理时都力图说明它作为思想方法、工作方法、领导方法的意义所在，从而使之成为实践的指南。

总之，对于艾本教科书的中国特色，必须充分肯定，既不能像有些论者那样毫无根据地把它归结为斯大林体系，也不能妄自菲薄，自我矮化，把它与苏版教科书混为一谈。

为了达到否定以往教科书的目的，有的论者还给它贴上了“近代哲学”的标签。我认为，这种“近代哲学”论不可听信。

四、“近代哲学”论不可听信

在一些论者看来，以往教科书把“世界是物质的，物质是运动的，运动是有规律的”等18世纪旧唯物主义的命题，直接当成了马克思唯物主义的命题，把黑格尔唯心辩证法的命题直接当成了马克思辩证法的命题，力图用旧唯物主义和黑格尔的唯心辩证法组装出马克思的“辩证唯物主义”。但是旧唯物主义在本性上是反辩证法的，而黑格尔的辩证法在本性上是反唯物主义的。因而它们本属于不同的“血统”，是无法进行“拼装”的。[①] 以上这种关于以往教科书是近代哲学的指

① 参见刘福森：《马克思哲学研究中三个不可回避的重要问题》，《哲学研究》，2012（6）。

责，看似振振有辞，其实无异于唐·吉柯德与风车作战。

这里涉及三个问题：一是以往教科书是彻底划清了马克思唯物主义与18世纪旧唯物主义的界限，还是把二者混为一谈；二是以往教科书是把18世纪旧唯物主义命题和黑格尔辩证法的命题直接当成了马克思哲学的命题，还是体现了后者对前者的批判继承；三是“辩证唯物主义”是以往教科书凭借旧哲学的人为组装，还是马克思主义哲学精神的简要概括和本质体现。就此下面谈三点看法。

第一，以往教科书科学指明了马克思唯物主义与18世纪旧唯物主义的原则区别。如艾本教科书所言，18世纪旧唯物主义物质观是自然观上的形而上学原子论物质观。与此相联系，18世纪旧唯物主义所谓世界是物质的，实际是指自然界统一于原子；物质是运动的，是指原先静止的事物在外力作用下的位置移动或数量增减；运动是有规律的，是指自然界的事物具有机械运动的规律。①

与之相反，马克思唯物主义物质观是世界观上的辩证客观实在论物质观。② 因此，马克思唯物主义所谓世界是物质的，是指包括自然界、人和人类社会在内的整个世界都统一于物质，即客观实在；③ 物质是运动的，是指运动是物质的根本属性，物质以其多种多样的运动作为自己的存在方式；④ 运动是有规律的，是指“世界上的一切事物和现象都依循着物质本身所固有的规律运动着、变化着和发展着”⑤。

由上可见，不能把以往教科书所阐述的辩证唯物主义混同于18世纪旧唯物主义去加以贬斥。

第二，以往教科书科学体现了马克思主义哲学对近代哲学的批判继承原则。用艾本教科书的话说：“马克思主义哲学继承和发展了哲学史上唯物主义的传统和辩证法的传统。马克思和恩格斯直接继承了19世纪德国古典哲学的优秀成果。他们抛弃了黑格尔的唯心主义体系，批判地采取了他的辩证法的‘合理内核’；抛弃了费尔巴哈哲学中的唯

---

① 参见艾思奇主编：《辩证唯物主义历史唯物主义》，13、38页，北京：人民出版社，1961年。
② 参见艾思奇主编：《辩证唯物主义历史唯物主义》，33—34页，北京：人民出版社，1961年。
③ 参见艾思奇主编：《辩证唯物主义历史唯物主义》，31、32页，北京：人民出版社，1961年。
④ 参见艾思奇主编：《辩证唯物主义历史唯物主义》，36、41页，北京：人民出版社，1961年。
⑤ 艾思奇主编：《辩证唯物主义历史唯物主义》，51页，北京：人民出版社，1961年。

心主义的宗教的伦理的杂质，批判地采取了他的唯物主义思想。”[①] 在艾本教科书各章的论述中，无不体现了马克思主义哲学对旧哲学的这一批判继承原则。对于艾本教科书的这一正确做法，有的论者视而不见，硬是把以往教科书所体现的马克思主义哲学对旧哲学所采取的批判继承原则说成是简单照搬，这是一种不实之辞！

第三，“辩证唯物主义”是马克思主义哲学本质精神的体现。在马克思主义哲学史上最新使用“辩证唯物主义”这一概念的是德国工人哲学家狄慈根。最新把马克思主义哲学指称为辩证唯物主义的是普列汉诺夫。[②] 继普列汉诺夫之后，列宁也指出：“辩证唯物主义”是马克思的“世界观”[③]，“辩证唯物主义即马克思主义”[④]。把马克思主义哲学的本质精神概括和指称为辩证唯物主义，是言而有据的。这依据就是：马克思和恩格斯都把唯物辩证的观点和方法视为自己哲学与以往一切旧哲学相区别的根本所在。

恩格斯曾批评18世纪唯物主义是“纯粹形而上学的、完全机械的唯物主义”。与之相区别，他公然声称马克思的“现代唯物主义本质上……是辩证的”[⑤]。马克思也曾批判那种对人和人的世界陷于消极被动理解的直观唯物主义，说它“不了解‘革命的’、‘实践批判的’活动的意义”[⑥]，这样它也就从根本上背离了辩证法。在马克思看来，辩证法不仅承认客观世界的联系和运动，而且更在于承认人作为主体对现实世界的改造，所以他说：“辩证法不崇拜任何东西，按其本质来说，它是批判的和革命的。”[⑦]

马克思恩格斯不仅以明白无误的语言表达了他们所主张的唯物辩证法与旧唯物主义的原则区别，而且还以斩钉截铁的语言表达了他们的辩证唯物观点与黑格尔辩证唯心主义的根本区别。马克思指出：“黑

---

① 艾思奇主编：《辩证唯物主义历史唯物主义》，17页，北京：人民出版社，1961年。

② 参见《普列汉诺夫哲学著作选集》第3卷，79页，北京：生活·读书·新知三联书店，1962年。

③ 《列宁全集》第26卷，77页，北京：人民出版社，1990年。

④ 中共中央马克思恩格斯列宁斯大林著作编译局编：《列宁专题文集·论辩证唯物主义和历史唯物主义》，2页，北京：人民出版社，1990年。

⑤ 《马克思恩格斯选集》第3卷，364页，北京：人民出版社，1995年。

⑥ 《马克思恩格斯选集》第1卷，58页，北京：人民出版社，1995年。

⑦ 《马克思恩格斯选集》第2卷，112页，北京：人民出版社，1995年。

格尔辩证法……无疑是整个哲学的最新成就。"[①] 但"我的辩证方法，从根本上来说，不仅和黑格尔的辩证方法不同，而且和它截然相反"[②]。"因为我是唯物主义者，黑格尔是唯心主义者。"[③] 恩格斯也曾说："马克思和我，可以说是把自觉的辩证法……用于唯物主义的自然观和历史观的唯一的人"[④]，并指出："唯物辩证法""多年来已成为我们最好的工具和最锐利的武器"[⑤]。

由上可见，把马克思主义哲学的本质精神概括为辩证唯物主义，不仅在马克思恩格斯那里有令人信服的经典文本依据，而且在苏版教科书形成以前，普列汉诺夫、列宁等名载史册的马克思主义哲学家早已进行了这一创造性的概括工作。以往教科书在这里的贡献也仅仅在于，以较为系统化、理论化的形式来阐述和展示了马克思主义哲学的这一本质精神。因此，有论者把"辩证唯物主义"指责为是以往教科书用近代哲学加以"捏合"的产物，这就不仅毫无根据，而且也找错了争辩对象。他们应该找列宁、普列汉诺夫，特别应该找马克思恩格斯去争辩。

五、"板块结构"论牵强附会

在对以往教科书持否定的观点中，还有一种叫"板块结构"论的观点。在这种观点看来，以往教科书不是层次结构，而是由辩证唯物主义和历史唯物主义拼凑的二板块结构，也称"二分结构"；或是由唯物论、辩证法、认识论和历史唯物论所机械拼凑的四板块结构，也称"四分结构"。怎样看待这一观点呢?

第一，"板块结构"，如果在"板块"联结意义上加以理解，那么这一概念可以成立；反之，如果在"板块"分立意义上加以理解，如"板块结构"论那样，那么这一概念则不能成立。这是因为分立的板块因其分立，所以其间并无结构可言。因此，把分立意义上的"板块"与"结构"合成一个词组，自然也就相当牵强，不合逻辑。

---

① 《马克思恩格斯全集》第29卷，540页，北京：人民出版社，1972年。
② 《马克思恩格斯选集》第2卷，111—112页，北京：人民出版社，1995年。
③ 《马克思恩格斯选集》第4卷，578—579页，北京：人民出版社，1995年。
④ 《马克思恩格斯选集》第3卷，349页，北京：人民出版社，1995年。
⑤ 《马克思恩格斯选集》第4卷，243页，北京：人民出版社，1995年。

第二，以往教科书在内部构成上分为辩证唯物主义与历史唯物主义，或者分为唯物论、辩证法、认识论和历史唯物主义等部分，那么这些部分是否就是拼凑在一起的所谓“板块”呢？不能这样认为。从系统论的观点看，结构总是由若干层次构成的。马克思主义哲学作为一个系统整体，也包含有由高到低的若干层次。由此而言，以往教科书把马克思主义哲学的内容在书面形式上分为若干层次或若干部分来加以阐明和展开，这是有根据的，是正常和必要的。应该说，这是任何一门学科的教科书在展开自身内容时的通常做法。可以预言，现在和将来的任何一种新版马克思主义哲学教科书，也不可避免地会沿用这种表述格式。因此，不能把以往教科书所包含的结构层次不加分析地称为“二分”的或“四分”的“板块”。理由在于这些层次是作为理论体系的有机组成部分而获得阐述和展开的。

第三，以往教科书的各部分是在总体的有机联系中获得阐明和展开的。一个理论体系有机联系的程度如何，主要取决于三个方面：一是理论体系的层次展开是否体现了从抽象到具体的逻辑顺序，二是各层次在理论体系中的逻辑定位是否得当，三是逻辑层次的推演过渡是否严密，即有无缺环。就这三个方面而言，以往教科书的有机性是大体可以的。以艾本教科书为例，辩证唯物主义是马克思主义世界观，历史唯物主义是马克思主义历史观，前者是后者的逻辑前提，后者是前者的具体展开和退后证明，并通过物质资料的生产把辩证唯物主义自然观与辩证唯物主义历史观有机地联系了起来。[①] 因此，不能像有的论者所认为的，以往教科书是所谓“二分结构”。另外，唯物论、辩证法、认识论、唯物史观的逻辑顺序安排，除认识论的逻辑定位有些不妥以外（李秀林等于 1995 年主编的《辩证唯物主义和历史唯物主义原理》第四版已就这种不妥进行了调整），大体是可以的。因此，不能把上述总体安排称之为所谓“四分结构”。当然，这样说，并不否认以往教科书在内容的逻辑展开方面还存在不少缺环，还有许多不通畅、不严密之处。最近出版的几种新版教科书已经在注意并力求克服这些不足。[②]

---

① 艾思奇主编：《辩证唯物主义历史唯物主义》，209 页，北京：人民出版社，1961 年。

② 马克思主义哲学编写组编：《马克思主义哲学》，北京：人民出版社，2009 年；黄枬森主编：《马克思主义哲学体系的当代构建》，北京：人民出版社，2011 年。

六、“缺根少据”论不足为据

还有论者就苏版教科书的文献格局提出疑义。即认为，名曰马克思主义哲学教科书，可依据的文献却是列宁的著作多于恩格斯的著作，恩格斯的著作多于马克思的著作。其言下之意：苏版教科书是缺根少据的。不知这些论者注意到没有，相对于苏版教科书，中版教科书（例如，艾本教科书）不仅保留了上述文献格局，而且在其中还另添一景。即在引用的文献中，毛泽东的著作还稍多于列宁的著作。那么如此一来，能否像有些论者那样，仅仅依据上述事实，就断言以往教科书缺根少据呢？不能。

第一，要从实质看问题。以往教科书所依据的文献，不论是毛泽东的著作、列宁的著作、恩格斯的著作，还是马克思的著作，是多是少这只是形式问题，而非实质。这里的实质在于，这些文献引证是否体现了马克思主义哲学的本质精神，即马克思主义哲学的唯物论、辩证论、实践改造论、以人为本论和自由社会论及其统一的精神。如果某本哲学著作体现了这种本质精神，即使很少引证甚至没有引证一段马克思主义经典作家的哲学论述，那么它也不失为一本马克思主义哲学著作。例如，毛泽东于1930年写作的《反对本本主义》一文，就没有引用一段马克思列宁主义的论述，但它确实又以蕴含其中的实事求是、群众路线、独立自主等思想，坚持和弘扬了马克思主义哲学的本质精神，因而它也就成为毛泽东的一本极为珍贵的马克思主义哲学著作，成为毛泽东哲学思想的开山之作。

第二，不能把马克思主义哲学搞成原教旨主义。上述论者强调对马克思论述加以引证的重要性，主观愿望是好的。一本马克思主义哲学原理教科书引经据典，特别是引证马克思的有关论述是完全必要的，但不能因此而绝对化、教旨化，不能以引用马克思论述的多少作为衡量某版教科书的马克思主义哲学性质如何的标准。因为马克思主义哲学在本质上是一个不断发展、与时俱进的思想体系，它要通过后世涌现的继承者的著作，而不断获得新的概括和表现的。因而任何一种新版马克思主义哲学原理教科书，比较多地引证这些后继者的著作，也就不仅是一种必须，而且也是一种必然。因为这恰恰表现了马克思主义哲学的生机勃勃，欣欣向荣，不然也就僵化，也就没有生命力了。

第三，以往教科书所引证的恩格斯著作并非纯属恩格斯。以艾本教科书为例，被大量引证的恩格斯著作主要有两部：一是《反杜林论》，二是《自然辩证法》。关于《反杜林论》恩格斯在第二版序言中曾明确指出：“本书所阐述的世界观，绝大部分是由马克思确立和阐发的，而只有极小的部分是属于我的，所以，我的这部著作不可能在他不了解的情况下完成，这在我们之间是不言而喻的。在付印之前，我曾把全部原稿念给他听，而且经济学那一编的第十章（《〈批判史〉论述》）就是由马克思写的。”[①] 关于《自然辩证法》的写作，它是恩格斯“确立辩证法的同时又是唯物主义自然观”而刻苦研究自然科学的结晶，是马克思主义哲学不可缺少的组成部分。这部著作虽然在马克思恩格斯生前没有发表，但恩格斯在1873年写信给马克思详细谈了他的计划和基本思想。马克思对恩格斯关于自然辩证法研究的一些看法不仅认为“完全正确”[②]，而且还认为，恩格斯将要写作的《自然辩证法》是比《反杜林论》“更加重要得多的著作”[③]。

总之，在文献格局上对以往教科书进行非议，是不可取的，是不足为据的。

七、教科书重在建设

否定对以往教科书体系进行主观武断的批判，但并不否认其有局限性，也并不否认要对其加以丰富和发展。这里结合以往教科书建设的经验教训，谈以下几点体会。

第一，教科书建设不能废弃。不能因为以往教科书，以及现在和将来的新版教科书不可避免地会带有缺陷和不足，而放弃教科书建设，甚至认为根本不用再编教科书，不要再用教科书教育学员，而应引导学员去学习马克思主义哲学原著。这种意见，不可听取。一是如前所说，用教科书这种形式来表述、宣传马克思主义哲学，这是一个进步、

① 《马克思恩格斯选集》第3卷，347页，北京：人民出版社，1995年。

② 《马克思恩格斯全集》第31卷，312页，北京：人民出版社，1972年。

③ 《马克思恩格斯全集》第34卷，194页，北京：人民出版社，1972年。

一个创举，应该加以继承。二是学习马克思主义哲学原著是重要的，但学习原著不能代替通过教科书学习原理。这是因为哲学原理在哲学原著中往往是特殊情境下的分散陈述，而在教科书中它则是一种逻辑的整体陈述。因而原著学习是必要的，它有助于对某个原理的生动形象的理解。同样，教科书学习也是必要的，它有助于从整体上把握马克思主义哲学原理体系。因此通过哲学原著和通过教科书学习原理各有其特点和功能，不能互相取代，而应相得益彰。三是对非哲学专业的大学生和一般干部而言，通过教科书学习马克思主义哲学原理，依然是他们掌握马克思主义世界观和方法论的一个主要学习途径。

第二，教科书建设要常建常新。以往教科书建设取得了很大成绩，这是应该肯定的，但任何一种版本的教科书总要受到编者水平，特别是决定编者水平的所处时代马克思主义哲学研究水平的制约，因而总会有这样那样的不足和缺陷，但这些不足和缺陷在发展了的时代条件下又可以逐渐得到克服。当然，随之而来的新的不足和缺陷又会产生出来，因而又需要加以克服。正是在这种不断建设中，才得以使教科书不断以新的面貌呈现。这里不能用完美主义来要求教科书建设，要提倡学术宽容，要注重累积效应。特别是不能夸大其中的不足和局限，以图推倒重来，另起炉灶。实际从艾本教科书到李秀林主编的一版到五版教科书，再到近几年出版的几种教科书，都在不断汲取和努力体现我国哲学界比较带有共识的马克思主义哲学研究成果。无论是教科书的内容、结构，还是在表述和素材方面都在不断更新。曾有论者批评以往教科书体系僵化、教条化，应该说，在这里存在一些误解。从中版教科书的建设实践和发展历程来看，这一批评是没有多少事实根据的。如前所说，艾本教科书作为中版教科书的典型代表，但它从没有被定于一尊。这从近50多年来中国教科书版本的多种多样可见一斑。

第三，教科书建设创新要科学把握。现在大家都在讲哲学创新，这是件好事。用哲学创新的精神来要求教科书建设创新，也是完全应该的，但问题在于要具体分析，科学把握。

一是哲学创新的涉及面广，它至少包括新领域的开拓、新观点的提出、新方法的采用，以及哲学理论与新的现实的结合等。而教科书建设创新则主要表现为汲取哲学创新中基本原理方面的创新性见解，以及结合当代科学技术的新发现和新问题，结合社会实际生活，结合当代哲学领域的反对意见，把基本原理及其运用讲深讲透。除此之外，对教科书建设创新也就很难再提出更多要求。

二是哲学创新的理论表现形式是个人见解，或曰一家之言，也可以是探索性的、引发争议的见解，而且重在说明差异性和独特性的见解。因而它对涉及的基本原理可以不作说明，或一带而过，甚至只重一点，不及其余。而教科书建设创新则与之不同。它的观点无疑要体现创新性，但这种创新已从先前的“私有”变成了当下的“公有”，也就是说，它已不是“私人语言”，而成为“公众语言”。即得到了马克思主义哲学界绝大多数人的认同，并经过了长期实践的检验。与这一点相联系，教科书所阐述的新鲜观点应该是具有普遍性和相对稳定性的见解。另外，教科书作为哲学初学者的入门书，它必须从马克思主义哲学的 ABC 讲起，要在大体上体现马克思主义哲学世界观的完整性和科学性。因此，教科书建设的创新，更多的是在大众认同、内容相对稳定、全面准确阐述基本原理等内在要求意义上的创新。故而，不能把教科书建设创新与哲学创新不加区别。毋庸讳言，若干年来，有一些论者往往通过奚落以往教科书来彰显自己在马克思主义哲学研究上的创新，或者用一般意义上的哲学创新来要求和衡量教科书建设创新，这样做都是很为不妥的，这对实现哲学创新和教科书建设创新都是不利的。

第四，教科书建设要加大研究力度。如何把教科书体系建设得内容更丰富、逻辑更严密、受众更认可，如前所说，经过多年努力，已经取得了很大成效，但到目前为止，还不能说令人满意。其原因主要在于，喊得多，做得少；原则性要求提得多，扑下身子深入研究少。比如，如何把坚持物质世界的统一性与人在实践基础上实现的世界的分化与统一结合起来；如何把物质世界的联系运动与人的实践所实现的世界联系运动统一起来；如何把世界的过程辩证规律论（对立统一、质量互变、否定之否定）与系统辩证规律论统一起来；如何把规律的客观性与人的价值运用性统一起来；如何把社会机体的矛盾与社会机体的调节统一起来；如何把社会关系形成的客观依据与主体向度的操作方式统一起来；如何把社会存在发展与人的存在发展统一起来；如何把认知、评价、审美等观念作统一的说明；如何把从实践到认识的“反映”与认识到实践的“设计”统一起来；如何对信息、意识、符号、话语、文化作统一的说明；等等。毋庸讳言，在上述这些方面，我们的研究还很不够，很不到位。归纳起来，就是要通过研究，把唯物主义原则与实践原则、客体原则与主体原则、真理原则与价值原则等的统一精神，贯穿和体现于教科书的系统整体和所包含的各层次、各环节中去，并在坚持这种统一的前提下，凸显实践原则、主体原则、价值原则的主导性，从而在归根到底的意义上凸显作为实践主体、认识主体和价值主体的人的主导地位和作用。

我坚信，在马克思主义哲学精神指导下，在已有成绩的基础上，经过大家的共同努力，在以上诸多方面一定会形成一系列新的理论成果，并达成广泛共识，从而必将使我国的教科书建设以新的面貌呈现在世人面前。如是，马克思主义哲学民族化、时代化和大众化的中国事业也必将获得极大的推动。

论实践主导的辩证唯物主义*

——马克思主义哲学本质精神新解

在对马克思主义哲学本质精神的理解史上，有这样两种观点：一是把马克思主义哲学的本质精神概括为辩证唯物主义，以往哲学教科书秉持这一观点，但它多少忽视从主体，即人对自然和社会进行实践改造的维度，而偏重从客体，也就是自然和社会本身的维度，去说明客观世界的辩证运动，去理解作为马克思主义哲学本质精神的辩证唯物主义；二是作为对这种理解的极端反拨，脱离辩证唯物主义，单纯把实践观点理解为马克思主义哲学的本质精神。

为了克服和超越这两种片面性，可以通过继承和完善历史上那种对辩证唯物主义与实践观点作统一理解的传统，并在此基础上，进一步把马克思主义哲学的本质精神概括表述为实践主导的辩证唯物主义。只有肯定实践观点在马克思主义哲学辩证唯物主义本体论、认识论和价值论等建构中的主导地位和作用，才有助于深刻把握马克思主义哲学革命的实质和根本精神，澄清在马克思主义哲学理解上的一些重大是非，促进马克思主义哲学的当代生成。下面就此作一些具体说明。

一、超越两种片面性

马克思恩格斯作为马克思主义哲学的创立者，在他们的哲学行程中，超越了唯心主义，而走向了唯物主义。这在国内哲学界是获得绝大多数人赞同的。因此，把唯物性作为马克思主义哲学本质精神的一种体现是没有多少疑义的。

诚然，马克思主义哲学唯物主义不是一般的唯物主义，而是克服了

---

* 原刊于《马克思主义研究》，2014（4）。

旧唯物主义形而上学机械论和直观论的辩证唯物主义。因而把辩证唯物性作为马克思主义哲学本质精神的体现，也是言之有据的。

在马克思主义哲学理解史上，最早使用辩证唯物主义这一概念来称呼自己哲学的，是把马克思作为该派之首的工人哲学家约·狄慈根。最早把马克思主义哲学明确称之为辩证唯物主义的是俄国哲学家普列汉诺夫。他认为："'辩证唯物主义'这一术语，它是唯一能够正确说明马克思的哲学的术语。"[①] 列宁继承了普列汉诺夫关于马克思主义哲学是辩证唯物主义的观点。他指出："辩证唯物主义"是马克思的"世界观"[②]，并对此作出了系统的论证。

以往哲学教科书，包括苏版教科书和艾思奇本以及以此为基础修订、改编的多种中版教科书，都坚持了对马克思主义哲学本质精神的辩证唯物主义理解，应该说，这是正确的，值得肯定的。但问题在于它对辩证唯物主义的说明，主要针对的是旧唯物主义的形而上学机械论，而不是对其直观论进行批判，因而它主要是从客体，即自然的机械、物理、化学、生物等的运动和社会的基本矛盾运动的维度，而多少忽视从主体，即人对自然和社会进行实践改造的维度来论证客观世界的辩证运动，来理解和说明辩证唯物主义。在这种说明中，人的主体能动性淡化了，人通过实践对客观世界辩证运动的推进和展示隐退了；原本作为人的活动的社会历史也被说成了社会基本矛盾自行运动的过程。于是在那里，实践仅仅作为一个与认识论相关的概念而限定在非常有限的范围内和层次上。这是以往哲学教科书在关于马克思主义哲学辩证唯物主义理解和说明上的一个严重缺陷。

以往哲学教科书的上述偏颇，遭到了来自另一极端的观点的反驳。这种观点不仅拒斥以往哲学教科书对辩证唯物主义的理解，而且根本拒斥辩证唯物主义本身。于是在国内外哲学界先后形成了否定辩证唯物主义而凸显马克思主义哲学的实践观点的思潮。1948年，梅洛·庞蒂首先在否定辩证唯物主义的意义上，把马克思主义哲学看作是实践唯物主义。[③] 20世纪60年代南斯拉夫"实践派"则是明确否定辩证唯

---

① 《普列汉诺夫哲学著作选集》第1卷，768页，北京：生活·读书·新知三联书店，1959年。

② 《列宁全集》第26卷，77页，北京：人民出版社，1990年。

③ 袁贵仁、杨耕：《马克思主义哲学教学体系的形成与演变》（下），《哲学研究》，2011（11）。

物主义，认为“马克思所理解的‘哲学’并不是‘辩证唯物主义和历史唯物主义’”，它“同马克思是毫无关系的”。“马克思的基本思想，即实践的思想”[①]。由此，在南斯拉夫发生了“实践派”与“辩证唯物主义派”的激烈争论。与此同时，民主德国哲学界也发生了多少体现上述两种倾向的“实践论争”和接下来的“体系论争”。

上世纪80年代中期以来，这种论争又以实践唯物主义与辩证唯物主义相对峙的方式在我国展开。这场历时20多年，参加人数众多的争论，有力地促进了我国哲学界对马克思主义哲学的实践本质精神的理解，但对这一成就也不能估计过高。因为就这场讨论的主流观点来说，它是在脱离辩证唯物主义的前提下，去孤立强调实践观点的重要地位和作用，于是最终走上了迷途。

在这里，且不说，在这场讨论中，有不少论者把“实践唯物主义”化蝶为“实践本体论”，试图脱离唯物主义，把实践的地位和作用作绝对化和本体化的理解，从而陷入了困境；就拿不少论者所赞同且至今仍在坚持的“实践首要论”或“实践核心论”来说，它们也未能正确说明实践观点在马克思主义哲学体系中的重要地位和作用。因为这两种观点都试图在辩证唯物主义体系之外，另立一个以实践观点为首要观点或以实践观点为逻辑起点的理论体系，然而这种努力至今没有成功，可以预见，将来也不会成功。

首先，“实践首要论”不能成立。“实践首要论”把实践观点说成是马克思主义世界观的首要观点，按照马克思主义关于逻辑与历史相统一的原理，如果实践观点首要论能够成立的话，那么这也就意味着人的实践活动是世界的首要存在。然而在事实上，实践并非是世界的首要存在，自然界才是这样的存在。因此，马克思主义实践观是在承认自然界的客观性、普遍联系性和永恒运动性等唯物辩证观点的前提下，肯定实践的重要地位和作用的。可见，在马克思主义哲学世界观意义上，并不存在那种不以唯物辩证观点为前提而充当所谓首要观点的实践观点。很显然，把实践观点说成是马克思主义哲学的首要观点，是人为的虚设，是没有根据的。

其次，那种把实践观点说成马克思主义哲学逻辑起点的“实践核

① 贾泽林：《南斯拉夫当代哲学》，206页，北京：中国社会科学出版社，1982年。

心论”，也不能成立。诚然，如果“实践核心论”把这里的实践确认为马克思主义哲学唯物论、辩证论和关于人生理想的个性自由论，以及关于社会理想的自由社会论等根本观点相互交结和为之旋转的核心，那么这一观点是能够成立的，是正确的。但问题在于，那些以“实践核心论”相标榜的论者并非作如是理解。他们囿于对辩证唯物主义的偏见，而把所谓的“实践核心”理解为实践观点是涵盖和说明其他观点的逻辑起点。不难看出，赋予实践观点核心论以这样一种内涵，那么也就是道地的乱贴标签或移花接木。

不难看出，如果把实践观点理解为涵盖和说明马克思主义哲学其他观点的逻辑起点，那么作这样一种理解的“实践核心论”，与“实践本体论”“实践首要论”等也就只是用语不同，而无实质区别。众所周知，在哲学逻辑体系中，充当逻辑起点的只能是最抽象、最一般和最具涵盖性的概念。对马克思主义哲学而言，这一概念也就是国内哲学界绝大多数人所认同的辩证客观实在概念，或曰科学的物质概念，而非“实践本体论”“实践首要论”“实践核心论”等所认为的实践概念。就物质概念与实践概念的逻辑关系而言，是前者涵盖了后者，而不是相反。这也正是马克思把实践称之为“物质实践”的原因所在。因此，在马克思主义哲学逻辑体系中，物质概念是逻辑起点；实践概念是物质概念的逻辑引申，但同时又是对它的能动表现和展示。或如列宁所说，坚持“实践观点”“必然导致唯物主义”[①]。然而有些论者脱离实践观点的逻辑根据即物质观点，武断地把实践观点对物质观点的表现和展示，加以颠倒，说成是实践观点是物质观点的始源发生。这样一来，列宁关于坚持实践观点必然导致唯物主义这一论断，在他们那里也就被曲解为以实践观点为逻辑起点引申出唯物主义，并以此作为其所谓实践观点核心论得以成立的论据，而且是唯一论据。

很显然，这种逻辑上的前后倒置和理论错位，是不能令人赞同的。殊不知，如果实践观点不以物质观点为逻辑根据，那么坚持这种实践观点，也就不仅不会导致唯物主义，而且还必然会陷于唯心主义。

总之，在作为马克思主义哲学本质精神的辩证唯物主义的理解问题上，那种对辩证唯物主义偏重从客体维度而多少忽视从实践维度来

---

① 《列宁选集》第2卷，103页，北京：人民出版社，2012年。

理解的观点，是片面的，不可取的；那种否定辩证唯物主义，而把单纯的实践观点作为马克思主义哲学本质精神的观点，也是片面的，不可取的。因此，在这里，必须坚持辩证唯物主义与实践观点的统一理解，即本文所主张的实践主导的辩证唯物主义的理解。这样做才比较符合马克思主义哲学创始人的本意，同时也才能为上述两种理解中所内含的片面真理，在互补、融通中获得肯定性存在，提供一种较为妥帖的理论安排。

二、实践主导的辩证唯物主义的思想溯源

众所周知，马克思主义哲学的创始人马克思恩格斯既没有用辩证唯物主义来概括自己哲学的本质精神，也没有用实践观点来概括自己哲学的本质精神，但马克思恩格斯在谈到唯物主义时，确实曾指出，他们所创立的“现代唯物主义”，“在本质上都是辩证的”①，而非机械的形而上学的唯物主义；他们同时指出，他们的唯物主义是“把感性理解为实践活动的唯物主义”，而非“直观的唯物主义”②。马克思恩格斯在谈到辩证法时，也曾指出他们的辩证法是唯物主义而非唯心主义的，③ 并同时强调他们的辩证法是“批判的和革命的”④，即实践的，而非直观的，消极无为的。另外，马克思恩格斯在谈到实践观时，也曾指出他们理解的实践，不是唯心主义所理解的“想象主体的想象活动”，而是现实的人的“感性的活动”⑤，是“物质实践”⑥ 活动，是能动地“反对并改变现存的事物”⑦ 的活动。并且他们认为，通过实践“使现存世界革命化”，这是他们哲学的根本使命，也是他们的哲学与一切旧哲学的根本区别。⑧ 由此可见，唯物性、辩证性和实践性及其统一是对马克思主义哲学本质精神较好的体现，这是毫无疑义的。

---

① 《马克思恩格斯选集》第 3 卷，363、364 页，北京：人民出版社，1995 年。
② 《马克思恩格斯选集》第 1 卷，56 页，北京：人民出版社，1995 年。
③ 参见《马克思恩格斯选集》第 2 卷，111—112 页，北京：人民出版社，1995 年。
④ 《马克思恩格斯选集》第 2 卷，112 页，北京：人民出版社，1995 年。
⑤ 《马克思恩格斯选集》第 1 卷，73 页，北京：人民出版社，1995 年。
⑥ 《马克思恩格斯选集》第 1 卷，56 页，北京：人民出版社，1995 年。
⑦ 《马克思恩格斯选集》第 1 卷，75 页，北京：人民出版社，1995 年。
⑧ 《马克思恩格斯选集》第 1 卷，75 页，北京：人民出版社，1995 年。

在对马克思主义哲学本质精神的理解史上，把辩证唯物主义观点与实践观点统一起来加以理解，是不乏其人的。

如前所说，普列汉诺夫曾是把马克思主义哲学称为辩证唯物主义的第一人，但他在这样做的同时，又指出，马克思主义哲学是实践哲学，“全部他的实践哲学归结为行动。辩证唯物主义是行动的哲学”①。

列宁在系统论述关于马克思主义哲学是辩证唯物主义的同时，也并没有疏离或忽视马克思主义哲学的实践观点，而是特别强调坚持这一观点的必要性和重要性。在人对世界改造的问题上，列宁指出：“人的意识不仅反映客观世界，并且创造客观世界。”他说：“世界不会满足人，人决心以自己的行动来改变世界。”② 在人对世界认识的问题上，他强调：“生活、实践的观点，应该是认识论的首要的和基本的观点。”③ 在人与世界价值关系的问题上，他指出：“必须把人的全部实践——作为真理的标准，也作为事物同人所需要它的那一点的联系的实际确定者——包括到事物的完整的‘定义’中去。”④ 总之，在列宁看来，脱离人的实践，就没有人对世界的创造，没有人的认识的产生，也没有人的需要的满足即价值的形成。

但列宁在肯定实践观点在马克思主义哲学中重要地位和作用的同时，并没有否定和消解辩证唯物观点，而是以此为前提和基础的。列宁指出：“‘客观世界’‘走着自己的道路’，人的实践面对着客观世界，因而目的的‘实现’就会遇到困难。”⑤ 但这个困难并非不可克服。这里的关键在于，实践目的的产生要以客观世界为前提，要以它来规定自己的活动。对此，列宁指出：“外部世界、自然界的规律，乃是人的有目的的活动的基础。”因此，“人在自己的实践活动中面向着客观世界，以它为转移，以它来规定自己的活动。”⑥

列宁主要在《哲学笔记》中表述的上述这些理论观点，不仅十分重要，而且难能可贵。因为列宁在写下这些论述时，马克思最具特色

① 《普列汉诺夫哲学著作选集》第1卷，769页，北京：生活·读书·新知三联书店，1959年。
② 《列宁全集》第55卷，183页，北京：人民出版社，1990年。
③ 《列宁选集》第2卷，103页，北京：人民出版社，2012年。
④ 《列宁选集》第4卷，419页，北京：人民出版社，2012年。
⑤ ［俄］列宁：《哲学笔记》，231页，北京：人民出版社，1974年。
⑥ ［俄］列宁：《哲学笔记》，200页，北京：人民出版社，1974年。

的哲学著作《1844年经济学哲学手稿》和作为马克思哲学诞生标志的著作《德意志意识形态》都还没有发表。也就是说，列宁是在不知晓马克思这两本著作所提出的关于“人化的自然界”，关于“劳动”的“作为推动原则和创造原则的否定性”①，以及劳动是“整个现存的感性世界的基础”② 等重要观点的情况下，写下上述论述的，这说来令人惊叹！

不过，话说回来，马克思的《1844年经济学哲学手稿》和《德意志意识形态》直到1932年才在苏联以德文发表，这也造成了某种遗憾。同样令人遗憾的是，列宁的《哲学笔记》写作以后，也被搁置近20年，直到1933年才开始以《哲学笔记》的书名正式出版。这种情况的存在，也就影响了苏版教科书对马克思主义哲学实践本质精神的体现和表述。因为作为苏版教科书的辩证唯物主义，或历史唯物主义，或辩证唯物主义与历史唯物主义体系，早就以1916年德波林出版的《辩证唯物主义纲要》和1921年出版的布哈林的《历史唯物主义理论》等为标志而获得开启，其后又经过不少哲学家的揉搓塑抹，到1932年、1934年出版的米丁和拉祖莫夫斯基主编的《辩证唯物论和历史唯物论》为节点，已经基本形成。很显然，这种时间上的落差，是造成上述遗憾的一个方面的客观原因。

另外，马克思的《1844年经济学哲学手稿》和《德意志意识形态》以德文发表，这对俄国人来说也存在理解上的语言障碍。诚然，对列宁《哲学笔记》的理解虽无此障碍，但这种读书笔记的写作形式，确也妨碍了相关观点的系统说明和深入阐发。特别是《哲学笔记》关于马克思主义哲学实践观点重要地位和作用的论述还没有凝炼成准确简明的概括性结论，即没有形成相关的命题，这从而也妨碍了其作用的发挥。

《哲学笔记》的上述不足，在中国人对马克思主义哲学本质精神的理解中得到了一定程度的弥补。1937年由上海笔耕堂出版的李达的《社会学大纲》，在坚持对马克思主义哲学的本质精神作辩证唯物论与实践论统一理解的基础上，进一步提出了“当作实践的唯物论看的唯

① ［德］马克思：《1844年经济学哲学手稿》，87、101页，北京：人民出版社，2000年。

② 《马克思恩格斯选集》第1卷，77页，北京：人民出版社，1995年。

物辩证法”这一命题。李达指出：“辩证法的唯物论，以劳动的概念为媒介，由自然认识的领域扩张于历史认识的领域，使唯物论发生了本质的变化，变成了实践的唯物论。”① 这从而表明，他已初步具有了关于马克思主义哲学是实践的辩证唯物论的思想。

艾思奇于1939年编有《哲学选辑》一书，该书虽非他自己所作，但其所选观点则体现了他的哲学倾向，体现了他把唯物辩证论与实践论作统一理解的倾向。选辑中引：伯恩斯坦“对于唯物辩证法的修正，是向着唯物辩证法的最重要方面——能动性、革命性——实行的。这种修正是打破理论的活动与实践活动的统一之尝试，而这两者的统一在唯物辩证法上”。在这里，实践“能动性”被理解为是物质世界辩证性的一种人为形态的表现。毛泽东十分看重该书所选的这一观点，明确写道：唯物辩证法“最重要的方面是能动性”②。

李秀林、王于、李淮春主编，1982年出版的《辩证唯物主义和历史唯物主义原理》（第1版），提出了“马克思主义哲学的奠基人才把自己的学说，称之为‘实践唯物主义’”③ 这一命题，其中包含着马克思主义哲学是实践的辩证唯物主义的思想。

冯契在创立其马克思主义哲学中国化的“智慧说”体系时，也明确宣布，他的哲学是“沿着实践唯物主义辩证法的道路前进”的。他说：“在苏联模式的教科书中，辩证唯物主义认识论也是只讲知识理论，没有讲智慧学说。因此，我给自己规定了一个哲学的任务，就是要根据实践唯物主义辩证法来阐明由无知到知，由知识到智慧的辩证运动。”④

另外，从上世纪50年代开始，苏联学者通过探索和研究，也开始对以往辩证唯物主义教科书的前述缺陷作了一定程度的纠正。例如，苏联学者阿力山大罗夫主编，1954年出版的《辩证唯物主义》就提出了“辩证唯物主义是实践的唯物主义”这一命题，其中蕴含了马克思主义哲学是实践的辩证唯物主义的思想。书中指出：“马克思和恩格斯

① 《李达文集》第2卷，60页，北京：人民出版社，1981年。

② 中共中央文献研究室编：《毛泽东哲学批注集》，311页，北京：中央文献出版社，1988年。

③ 李秀林、王于、李淮春主编：《辩证唯物主义和历史唯物主义原理》，25页，北京：中国人民大学出版社，1982年。

④ 《冯契文集》第1卷，13、16页，上海：华东师范大学出版社，1996年。

把辩证唯物主义推广去理解社会生活，从而使哲学和革命实践、和政治、和反对资本主义的斗争联系起来。正因为这样，他们认为辩证唯物主义——唯物主义理论的最高发展——是实践的唯物主义。"[①] 这是苏联教科书首次提出马克思主义哲学辩证唯物主义是实践唯物主义的命题。

通过上述梳理可以看出，把马克思主义哲学的本质精神理解为辩证唯物观点与实践观点的统一，并非今人所为，而是有其传统的。对这一传统，我们必须在进一步完善的基础上加以弘扬。这是因为上述关于马克思主义辩证唯物论与实践论统一的论述也还存在一些不足。

第一，他们在所论中肯定了辩证唯物主义的实践性，但基本上还是限于辩证唯物主义的实践功能，或者是表明把辩证唯物主义理论付诸行为的一种哲学态度、哲学取向，而不是把实践观点作为马克思主义哲学辩证唯物主义体系的建构原则。

第二，他们在所论中提出了一些把辩证唯物观点与实践观点统一起来的命题，在一般意义上，这些命题蕴含了对马克思主义哲学本质精神的总体规定，然究其所指，主要还是限于以实践为基础展开的人类历史的唯物辩证运动，或人类认识的唯物辩证运动的层次上，还没有达于世界观，即以实践为主导环节所能动呈现和展示的客观世界辩证运动的层次。

第三，"实践的唯物主义辩证法"或"实践的辩证唯物论"这样一些命题，虽然体现了关于马克思主义哲学本质精神的辩证唯物论与实践论的统一理解，但这种关于统一的理解，基本上是实践论从属于辩证唯物论，或者说是服务于说明辩证唯物论的，这从而也就多少遮蔽了实践观点对辩证唯物观点所具有的主要支撑作用。如前所说，只有坚持实践主导的辩证唯物主义，才能更加真切地把握马克思主义哲学的真谛，即马克思主义哲学的本质精神。

三、实践主导的辩证唯物主义的基本内涵

如何理解实践主导的辩证唯物主义的基本内涵呢？通过梳理和概

---

① ［苏］阿历山大罗夫：《辩证唯物主义》，马哲译，30页，北京：人民出版社，1954年。

括马克思主义经典作家的相关论述，其基本内涵可以归纳为以下三个方面。

第一，实践主导的辩证唯物主义是关于以实践为主导环节能动呈现和展示客观世界辩证运动的科学世界观理论。

马克思主义哲学在坚持世界的物质统一性、普遍联系性和永恒运动性等唯物辩证观点的前提下，更强调人的实践活动在世界的物质统一性、普遍联系性和永恒运动性中作为主导环节的作用。

从人与世界总体关系的角度说，物质形态可分为自在态、自为态、人工态等三大类。自在态物质是指未被人类作用和改造过的自然物质存在；自为态物质是指创造对象又创造自身的从事实践活动的人或人的实践活动；人工态物质是指通过实践所形成的人工自然物和建立起来的社会关系、社会组织，以及生成着的人本身。

世界的物质统一性是指作为物质具体形态的自在态物质、自为态物质和人工态物质都统一于物质，即客观实在。这种统一不仅表现为本质抽象意义上的物质统一，而且是在辩证历史意义上的物质统一。即自在态物质在自己的辩证运动中，在自然发展史上产生了进行实践活动的人这种自为态物质；自为态物质在自在态物质的基础上通过持续的历史创造，又产生了人工态物质，创造了人类历史。这三种物质形态在辩证的历史运动中不断递进，并相互作用。

自在态物质、自为态物质、人工态物质不仅是辩证历史发展中的物质统一，而且是在人的能动活动中实现的辩证历史发展中的物质统一。没有人的能动活动，自在态物质永远不会产生出自为态物质，及人工态物质。不仅如此，作为自在态物质的死的历史，在积淀和转化为人的实践活动的环境和对象的过程中，也就变成了通过实践呈现和展开的，对人说来的活的历史，即通过实践复活了既往的历史，又开创了新的历史。因此，世界的物质统一性和永恒运动性，对人来说，是通过实践活动获得现实展示的能动的辩证的历史的统一。[①]

正是在这个意义上，马克思恩格斯既肯定外部自然界的优先地位，肯定人是自然存在物，肯定人所生活的人工世界是从自在世界转化而来；但同时又特别强调人是能动的自然存在物，即从事实践活动的存

① 参见陶富源：《实践主导论》，81—83页，合肥：安徽人民出版社，2001年。

在物，人的实践活动是自在世界转化为人工世界的主导环节，从而人的实践也就成为人工世界，即现存感性世界的基础。实践主导的辩证唯物主义正是科学说明了这一主导环节，从而借以把自在世界、自为世界、人工世界的物质统一性能动地呈现和展示出来。

这样一来，也就使马克思主义哲学辩证唯物主义本体论不仅与唯心主义的能动精神本体论划清了界限，而且与旧唯物主义局限于自然观的、单纯直观的物质本体论划清了界限，从而成为内含实践主导意蕴，即在实践展开基础上不断获得确证和丰富的，真正科学的世界观理论。

第二，实践主导的辩证唯物主义是关于以实践为首要基础能动反映世界，又通过观念设计去能动改造世界的科学认识论理论。

马克思主义哲学认为，主体与客体的相互作用是认识的基础。在坚持这一观点的前提下，马克思主义哲学既承认客体对主体的作用是认识的一个基础，更强调人通过实践对客体的改造是认识的首要基础。也就是说，在人类认识的上述两个基础中，人的实践具有主导的地位和作用。正是在这个意义上，马克思在《关于费尔巴哈的提纲》中指出：对事物、现实、感性不仅要从客观维度，即客体对人的作用的维度去理解，而且更要从主体维度，及人通过实践对客体进行改造的维度去理解。①

也正是在这个意义上，恩格斯进一步强调“人的思维的最本质的和最切近的基础，正是人所引起的自然界的变化，而不仅仅是自然界本身；人在怎样的程度上学会改变自然界，人的智力就在怎样的程度上发展起来”②。恩格斯的这一思想在列宁那里获得了一个更为经典的表述，即实践的观点是认识论的首要的基本的观点。

毛泽东的《实践论》就是对列宁这一观点的继承、丰富和发展。实践观点是认识论的首要的基本的观点，这一命题也就标明人们是在改造世界同时也改造自身的实践中获得认识，并在用认识指导实践去改造世界与人自身的过程中，检验和发展着认识的真理性。正如毛泽东所概括指出的，这是一个从实践到认识，又从认识到实践，循环往

① 参见《马克思恩格斯选集》第1卷，54页，北京：人民出版社，1995年。

② 《马克思恩格斯选集》第4卷，329页，北京：人民出版社，1995年。

复、不断提高的过程。不难看出，在对这一过程的说明中，实践观点是居于主导地位和发挥主要作用的观点。这样一来，不仅使马克思主义哲学辩证唯物主义的认识论与唯心主义的认识论划清了界限，而且也与旧唯物主义的直观反映论划清了界限，从而成为能动的革命的反映论与设计论相统一的科学认识论。即在实践基础上能动地反映世界，又通过观念设计去能动改造世界的科学认识论理论。①

第三，实践主导的辩证唯物主义是关于以实践为根本道路实现个性自由和自由社会的科学价值观理论。

马克思主义哲学不仅是一种在实践基础上解释人与世界总体关系的科学理论体系，而且也是一种指导实践去改善人与世界总体关系的价值理论体系。价值是客体对主体的意义。马克思主义哲学作为价值理论体系的意义所在是促进人的自由的实现。这里包括人的个性自由的全面发展，也包括人的自由社会的实现（自由社会即自由人平等联合的社会）。前者是马克思主义哲学的人生理想，后者是马克思主义哲学的社会理想。马克思主义哲学的理想是这两种理想的有机统一。即通过自由社会的建设，去实现个性自由的发展；又通过个性自由的发展去促进自由社会的建设。

在资本主义社会中，最不自由的是那些受资产阶级剥削压迫而丧失社会权利的工人阶级和广大人民群众。因此，马克思主义哲学致力于实现和维护工人阶级和广大人民群众的根本利益，致力于把他们从一切束缚的关系中解放出来，而解放是一种历史活动，必须诉诸工人阶级和广大人民群众的革命实践。道路决定命运。实践主导的辩证唯物主义关于实践是个性自由发展和自由社会实现的根本道路的观点，也就科学说明了目的与手段、理想与现实、个人发展与社会发展的有机统一。这样，也就使马克思主义哲学辩证唯物主义价值论与抽象人道主义、伦理主义及个体本位主义等价值论划清了界限，而成为指导无产阶级和广大人民群众争取解放、自由和幸福的真正科学的价值观理论。②

总之，实践主导的辩证唯物主义坚持以实践为主导原则，把自在

① 参见陶富源：《实践主导论》，398—406页，合肥：安徽人民出版社，2001年。

② 参见陶富源：《实践主导论》，409—413页，合肥：安徽人民出版社，2001年。

世界与人工世界、自然与社会、主体与客体、思维与存在、认识世界与改造世界、真理与价值、必然与自由等有机地联系了起来，从而表现为一个客观的、能动的辩证运动过程。很显然，如果脱离辩证唯物主义的实践主导观点，那么马克思主义哲学也就基本丧失了自己的核心和灵魂，也就不成其为马克思主义哲学。

四、坚持实践主导的辩证唯物主义的根本意义

坚持实践主导的辩证唯物主义，对深刻把握马克思主义哲学革命的实质和根本精神，以及在当代条件下坚持和发展马克思主义哲学，都是具有根本意义的。这里从以下三个方面来加以说明。

第一，有助于深刻把握马克思主义哲学革命的本质和根本精神。

马克思恩格斯在哲学上实现了一场革命变革，这在马克思主义哲学界是人所共知的。但如何理解这一场革命的实质和根本精神，认识就不一致了。按以往最流行的说法：马克思恩格斯批判继承了黑格尔辩证法，摒弃了其唯心主义；批判继承了费尔巴哈的唯物主义，摒弃了其形而上学，从而把唯物主义与辩证法结合起来，创立了作为整体的辩证唯物主义哲学。这一说法如何呢？应该说，这一说法不错，但比较肤浅。因为它没有说明马克思恩格斯是怎样实现上述批判继承并将唯物主义和辩证法统一起来的。不仅如此，而且还因其肤浅，造成了一种错觉：以为马克思恩格斯所实现的哲学革命，只是在书斋里、在头脑中，对以往哲学进行加加减减的逻辑操作过程。很显然，这一认识与事件的真相相距甚远。

历史和理论的考察说明，马克思恩格斯之所以能实现上述革命，首先不在于他们是哲学家，而在于他们是革命家。作为无产阶级革命的导师，马克思恩格斯在参加工人运动的过程中，通过对无产阶级的生存处境及其实践活动，特别是生产劳动意义的深刻分析，使他们形成了科学的实践观，形成了关于实践对哲学的根本意义的观点，形成了他们不同于以往哲学家的，以实践观点为基础的关于唯物主义和辩证法的新的理解，并进而使他们以其实践主导原则取代了旧唯物主义的直观受动原则和唯心主义的抽象能动原则，最终实现了他们对旧哲学的变革，实现了唯物主义与辩证法的有机统一。

包括费尔巴哈在内的旧唯物主义局限于直观受动原则，不懂得实践对展示和呈现、对理解和说明世界的物质性和辩证性，以及对人和人类社会的生成，所具有的重大意义，因而导致了其唯物主义的抽象性和形而上学性，以及历史观上的唯心主义。正如马克思所指出的："从前的一切旧唯物主义——包括费尔巴哈的唯物主义——的主要缺点是：对对象、现实、感性，只是从客体的或者直观的形式去理解，而不是把它们当作人的感性活动，当作实践去理解。"①

以黑格尔为最大代表的唯心辩证法，则是以抽象能动原则为主导，把人的社会物质实践活动理解为想象主体的想象活动，即抽象精神的活动；把人通过实践对自然的改造和人在实践中的自我生成，说成是绝对精神对自然和人的纯粹创造和派生，是其自我运动的环节表现。这样一来，也就导致黑格尔辩证法的抽象性和神秘性。正如马克思所指出的，唯心主义只是抽象地发展了能动的方面，它"当然是不知道现实的、感性的活动本身的"②。

鉴于旧唯物主义直观受动原则和唯心主义抽象能动原则的片面和错误，马克思提出了自己哲学的实践主导原则。其标志是马克思于1845年春写作的《关于费尔巴哈的提纲》（以下简称《提纲》）。《提纲》虽然没有用"实践主导"这一概念来表述，但实践主导的思想跃然于字里行间，是贯穿其通篇的主线和灵魂。不仅如此，马克思在《提纲》中还提出了"实践活动的唯物主义"这一极为重要的命题。因此可以说，《提纲》是第一次对实践主导原则作出了纲领性的阐述。

可见，实践主导原则的确立是马克思所实现的哲学革命的关键所在。只有抓住这个关键，才能实现对马克思主义哲学革命的实质和根本精神的深刻把握。

第二，有助于从根本上澄清在马克思主义哲学理解上的重大是非。

马克思主义哲学产生以后，随着其影响的不断扩大，它也就愈来愈成为人们关注和研究的对象。在这种关注和研究中，由于人们的价值取向和理解路径的不同，其理解的结果也不同。在这一过程中，也就产生了对马克思主义哲学的种种非马克思主义理解。我把它视之为

① 《马克思恩格斯选集》第1卷，58页，北京：人民出版社，1995年。

② 《马克思恩格斯选集》第1卷，58页，北京：人民出版社，1995年。

关于马克思主义哲学理解上的重大是非。这种非马克思主义的理解，无疑对马克思主义哲学构成了挑战。但挑战本身并不可怕，关键是如何应对。如果应对正确，那么就能开阔视野，激发思维，以至把挑战变成促进马克思主义哲学发展的资源、机遇。所谓正确应对，最根本的，就是要站稳脚跟，即坚持作为马克思主义哲学本质精神的实践主导的辩证唯物主义。如果这个脚跟站不稳，那么自然无还手之力，弄不好，还会不辨风向，以至随风飘摇。从上世纪中期以来，马克思主义哲学主要面临来自相对主义解释论的马克思主义、实践超越论的马克思主义和人道主义的马克思主义等三个方面的挑战。这些挑战至今余波未息。

"相对主义解释论的马克思主义"，认为马克思主义存在于马克思著述的大量文本中，而对这些文本作出什么样的说明取决于我们的"前见"。"因此，这些说明中的任何一种都不能代表真正的马克思。"于是"人们对马克思的确没有一个统一的认识；每个研究者都必须通过自己的能力去认识马克思"[①]。也就是说，并不存在一个真正的马克思，而只有每个人所理解的马克思。然而从实践主导的辩证唯物主义的观点来看，这种"相对主义解释论的马克思主义"，其片面和荒谬是显而易见的。首先，马克思主义存在于哪里？既存在于马克思和恩格斯的"文本"之中，更存在于这些"文本"通过实践所发挥的历史和现实的影响中。因此，那种单纯的文本解释是不可取的。其次，人们对马克思主义文本理解的多样性和差异性是必然存在的，但这并不能对马克思主义哲学的科学本质有任何影响。因为马克思主义哲学的科学本质只取决于实践证明，而不取决于研究者的主观理解。因此，这种用理解的相对性来否认马克思主义哲学根植于实践证明的科学性，即现实性和力量的观点，是不能成立的。

"实践超越论的马克思主义"，认为马克思创立的"实践哲学"是"自主和独立的，不需要某种其他的唯物主义或唯心主义的支撑"[②]。因为实践为主体和客体、物质和精神的统一提供了现实基础，这样也就

---

① ［美］赖特·米尔斯：《马克思主义者》，商务印书馆编辑部译，39页，北京：商务印书馆，1996年。

② ［意］葛兰西：《实践哲学》，徐崇温译，159页，重庆：重庆出版社，1990年。

扬弃了唯物唯心的对立。然而，从实践主导的辩证唯物主义的观点来看，这种“实践超越论的马克思主义”也是似是而非，不能成立的。实践不是动物的本能活动，而是人的能动的活动；不是抽象精神的活动，而是人的能动的物质活动，是人借助一定的物质手段，把参与活动的精神因素，即人的目的、意志、情感外化于物质的活动。这就是实践所实现的物质和精神的统一。不难发现，这种统一的过程本身恰是对“实践超越论的马克思主义”荒谬性的最好驳斥，同时也是对关于实践的辩证唯物主义科学理解的最好证明。因此，这种脱离实践的物质性，从而把马克思主义哲学的实践本质精神作超越唯物主义理解的观点，是错误的。

“人道主义的马克思主义”，以所谓固有的人性为尺度，对资本主义的不人道，即人的异化进行批判，主张通过人性复归，去实现人的解放的共产主义。于是认为，马克思主义就是“真正的人道主义”。怎样看待这一观点呢？应该承认，马克思在成为马克思主义者之前，确实曾信奉过这种异化史观的人道主义。但在其后，正是通过对这种人道主义的扬弃，作为一个原因，才促使马克思创立了内涵人本性的马克思主义哲学。但马克思主义哲学的人本性与作为异化史观人道主义存在本质区别，因而不能混为一谈。因为在马克思主义看来，人性并不是先天固有的，而是实践的、历史的产物；被称之为“异化”的阶级剥削和压迫，也不是所谓人性的迷失，而是社会发展到一定历史阶段的产物，它必将随着人类历史的发展而消灭。另外，人的彻底解放的共产主义，也不是所谓人性的复归，而是用现实手段消灭现存状况的现实的运动。因此，人道主义的马克思主义把人道主义与马克思主义嫁接起来，是没有根据的，是非法的。因此，这种用抽象人性，而不是用人的实践及其历史发展来说明人的解放的观点，是荒谬的。

不难发现，以上这三种所谓的马克思主义，实际是从不同的角度对马克思主义哲学本质精神的曲解。因此，只有坚持实践主导的辩证唯物主义，才能从根本上澄清在马克思主义哲学理解上的这些重大是非。

第三，有助于促进马克思主义哲学的当代生成。

促进马克思主义哲学的当代生成，这既是马克思主义哲学与时俱进品质的内在要求，也是发挥和实现马克思主义哲学社会功能的必然要求。至于如何促进马克思主义哲学的当代生成，许多论者发表了不少很好的见解。我认为，这里的关键在于：必须遵循马克思主义哲学辩证唯物主义的实践主导原则，面向时代的实践，面向时代实践所提出的问题，从而不断开拓马克思主义哲学丰富和发展的新境界。同时，也只有立足于这样一个基本点，才能正确看待和处理“问题研究”与“文本（马克思主义哲学）研究”、与“比较（中西马）研究”、与“新形态（马克思主义哲学）研究”的关系。

首先，关于问题研究与文本研究。在这个问题上，强调问题研究，强调研究的问题意识，强调研究问题中的哲学，都是对的，应该充分肯定的。但也不能因此而看轻、看淡文本研究。因为问题研究总是要以马克思主义哲学的基本理论为指导的。如果不读书，或读死书，不研究文本，那么马克思主义哲学的基本理论也就失去了可靠的依据。因此，问题不在于要不要进行文本研究，而在于要以现实问题的研究为目的，即为这种研究拓展理论视野，寻找理论资源，用毛泽东的话说，是为解决问题找立场、找观点、找方法，而去开展文本研究。应该说，这样的文本研究不仅应该进行，而且多多益善。当然，不直接针对现实问题，而针对一些学术问题，包括少数人所进行的考据学、文献学的文本研究，也都是需要的，有价值的。总之，要大力提倡以问题研究为旨归的文本研究。

其次，关于问题研究与比较研究。在这个问题上，既要强调问题研究，也要重视比较研究。因为比较研究可以为问题研究提供理论思维的宽广性和纵深性。特别是在当今全球化和现代化的时代背景下，全球性问题日益凸显，现代化危机频繁发生，要对这些问题和危机展开哲学研究，寻求化解之道，就必须从古人和洋人那里吸收哲学智慧。即通过中外哲学和古今哲学的比较研究，古为今用，洋为中用。比较研究，就是平等对话，取他之长，补我之短。在这里要注意防止两种偏向：一是以为真理在我，居高凌下，对“他者”一味排斥，用所谓大批判开路，这就难免会把马克思主义哲学置于孤立封闭的境地。我们有过这一方面的深刻教训，是必须要认真汲取的。二是以为真理在他，自我矮化，一味要趋同。比如把马克思主义哲学与现代西方马克思主义作简单的类比、附会，这样阐释出来的马克思主义，也就成了不伦不类的马克思主义。这种情况值得警惕。总之，要大力提倡用现实问题的研究来带动比较研究。

最后，关于问题研究与新形态研究。如何理解这里所说的马克思主义哲学新形态？在这个问题上，我不赞同那种在范式革命意义上所论的马克思主义哲学新形态。马克思主义哲学不论怎样丰富、怎样发展，其基本理论、核心和灵魂，即实践主导的辩证唯物主义，总是一脉相承的。在这个意义上，不存在马克思主义哲学的所谓范式革命，不存在马克思主义哲学的所谓新形态。我所理解的马克思主义哲学新形态，是在马克思主义哲学基本理论与各民族具体实践相结合的过程中，所形成的民族形态的马克思主义哲学。比如俄国的马克思主义哲学、中国的马克思主义哲学，以及与具体领域的实践相结合的门类形态的马克思主义哲学。如马克思主义伦理哲学、马克思主义政治哲学等。对当代中国人来说，所要研究和建构的马克思主义哲学新形态，主要是指马克思主义哲学的当代中国形态，或当代中国的马克思主义哲学。

要研究和建构当代中国的马克思主义哲学，就必须遵循马克思主义辩证唯物主义的实践主导原则，坚持理论与实践相结合，坚持用马克思主义哲学的基本原理去研究中国改革开放和现代化建设以及和谐社会建设中的哲学问题，去概括、总结和提升当代中国的经验，并用当代汉语去表述和言说这些以当代中国经验为基础的哲学思想。总之，当代中国问题的马克思主义哲学研究，与马克思主义哲学当代中国形态的研究和建构，是不可分割的。坚持这二者的统一，是马克思主义哲学在当代中国发展和发挥作用的唯一正确方向。

人不是哲学本体论意义上的世界之本*

——评《“以人为本”的哲学意义》

有论者认为，“人是本体论意义上的世界之本”①（以下简称“人本体论”）。在我看来，这一观点存在硬伤，因而是不能令人信服的。

该观点认为，马克思的实践唯物主义所研究的“世界是现实的世界，是人的生活世界，而不是离开人的虚妄和抽象的世界”。因而“世界之本”中的“世界”，实指人的生活世界。而人的生活世界包含有三个层面，即自然界、人类社会和精神世界。作为人的生活世界的自然是人化的自然，人化自然是人类实践创造的产物，是以人为本的；人类社会也是人创造的，也是以人为本的；精神和意识本身是人高度进化的产物，是人的思维的结晶，它以人的存在为载体，因而精神世界也是以人为本的。由此，该论者得出结论说，人的生活世界是以人为本的。下面就此谈三点看法。

一、马克思实践唯物主义并非只研究人的生活世界

什么是马克思的实践唯物主义？在我看来，马克思的实践唯物主义是以实践为基础，对人与世界的总体关系进行理解和改造的唯物主义。

自从人来到世界上以后，原本统一的世界就分化为自在世界和人工世界，或马克思所说的自然世界和人类世界。在实践活动中，也就发生了这两个世界的相互制约、相互作用。因此，只有透过实践才能揭示这种相互作用，才能经过一系列抽象环节，进而去把握世界的普遍

---

* 该文入选2004年安徽省哲学年会论文。

① 张奎良：《“以人为本”的哲学意义》，《哲学研究》，2004（5）。

本性，即达于对世界的“形上”理解。人本体论者和我国哲学界一些持实践本体论的作者，不赞成上述看法。在他们看来，马克思的实践唯物主义只研究人的生活世界。按这样一种理解，也就否认了实践唯物主义的世界观本性，使它变成了一种关于实践及其创造物的理论。

另外，把实践唯物主义的研究对象，局限在感性世界的范围以内，也就割裂了一般与个别、有限与无限的关系。在马克思主义哲学看来，个别不是单纯的个别，它包含一般；有限不是单纯的有限，它包含无限。感性世界作为个别、作为有限，包含了无限世界的一般。因此，当马克思主义哲学把具体的有限的属人世界当作对象世界时，它同时也就把无限的世界当作了自己的对象世界。这是因为对事物共性、本质和规律的把握，既以局域经验为基础，同时又具有超越局域经验而把握事物“全体”的特征。因此，把事物、现实、感性当作实践去理解，对马克思主义哲学世界观来说，就是要透过实践去把握世界的物质本性和辩证本性，从而为人类改造世界提供最普遍的根据和法则。可见，关于对世界的一般本性的认识，其实也就是对人的实践活动的认识，是对实践这一能动的感性对象进行的最普遍的抽象思维的认识。

人本体论把马克思的实践唯物主义局限于人的生活世界，其理论前提是，马克思对自在自然持排斥态度。为了说明这一点，人本体论者引用了马克思的两段文字。一是“被抽象地理解的，自为的，被确定为与人分隔开来的自然界，对人来说也是无”①。二是“作为自然界的自然界，……是无意义的，或者只具有应被扬弃的外在性的意义”②。人本体论者在引用了这两段文字以后，没有作任何分析，之所以如此，可能在该文看来，这是不证自明的。

其实，并非如此。在我国哲学界早有一些论者（包括本人在内）指出，这两段文字并不是马克思主张对非人化自然加以排斥，而是马克思对黑格尔抽象自然观的批判，以及对其把自然界作为绝对观念展开自身的一个环节的思想的概括。可惜，这种观点并没有引起人本体论者和实践本体论者应有的重视。其实，只要联系上下文，这两段文字的真实涵义是不难弄清的。

---

① 《马克思恩格斯全集》第3卷，335页，北京：人民出版社，2002年。

② 《马克思恩格斯全集》第3卷，336页，北京：人民出版社，2002年。

"被抽象地理解的，自为的，被确定为与人分隔开来的自然界，对人来说也是无"。谁在抽象理解？马克思在这里所说的抽象理解者不是泛指，而是特指，是指黑格尔。马克思的这段文字见诸《1844 年经济学哲学手稿》，是马克思在《对黑格尔的辩证法和整个哲学的批判》这一标题下，在对黑格尔唯心辩证法进行批判的过程中写下的。

黑格尔的唯心辩证法是以绝对观念为起点，在其自在自为的过程中外化为自然界，又扬弃这种外化，并最终通过自我意识获得回归的辩证法。马克思指出，绝对精神作为这个过程的主体，"是居于自然界和人之外的僵化的精灵"①，是纯粹的抽象，是根本不存在的。因而马克思认为："抽象思维本身是无，绝对观念本身是无。"② 当绝对观念在纯逻辑中经历了全部过程之后，为了不至在逻辑中再一次重复全部抽象过程，它就必须"放弃抽象，从而……达到自然界"③，即从抽象思维中释放出自然界。

对此，马克思又指出："当他把自然界从自身释放出去时，他实际上从自身释放出去的只是这个抽象的自然界……只是自然界的思想物，……因此，对他来说整个自然界不过是在感性的、外在的形式下重复逻辑的抽象概念而已。"④ 所以马克思批判黑格尔那种从绝对观念释放出来的自然界，是"被抽象地理解的"自然界；是作为绝对观念的自我产生、自我外化，即作为绝对观念"自为的"象征的自然界；这种自然界是不能作为人的存在的现实前提和改造对象的自然界，即"与人分隔开来的自然界"，所以，这种自然界，"对人来说也是无"，即与绝对观念一样，也是不真实的存在（需要指出的是，一些引用此文为论据的作者，从来没有一个人哪怕是稍微去考察一下，这里的"也"字的涵义）。

很显然，马克思的上述这段文字是马克思对黑格尔抽象自然观的批判，而绝非是马克思对非人化自然的排斥。有些论者在这里搞张冠李戴，并以此作为论据来证明马克思的实践唯物主义只研究人的生活

① 《马克思恩格斯全集》第 3 卷，334—335 页，北京：人民出版社，2002 年。

② 《马克思恩格斯全集》第 3 卷，334 页，北京：人民出版社，2002 年。

③ 《马克思恩格斯全集》第 3 卷，334 页，北京：人民出版社，2002 年。

④ 《马克思恩格斯全集》第 3 卷，335—336 页，北京：人民出版社，2002 年。

世界的观点，自然是不能成立的。

人本体论者所引用的另一段话，即“作为自然界的自然界……是无意义的，或者只具有应被扬弃的外在性的意义”。对照原文，这段引文作了省略。其实，一省略，其真实涵义也就被遮蔽了。这段话的原文是：“作为自然界的自然界，就是说，就它还在感性上不同于它自身所隐藏的神秘的意义而言，与这些抽象概念分隔开来并与这些抽象概念不同的自然界，就是无，是证明自己为无的无，是无意义的，或者只具有应被扬弃的外在性的意义。”①

从这段文字可以看出，“作为自然界的自然界”，不是张文所理解的自在自然，而是指从绝对观念释放出来，以感性形式存在的、“有别于抽象思维的自然界”。作为自然界的自然界“就是无”，这里“无”的涵义如何呢？

联系上下文可以看出，这里的“无”就是否定性。也就是说，有别于抽象思维的自然界，是以感性形式对抽象思维的一种否定，当然这是绝对观念“自身同自身相联系的否定性”②。所谓“证明自己为无的无”，是指通过否定产生的自然界又包含着自身的否定性。马克思在下文中指出：“对抽象的思维者来说，自然界必须扬弃自身，因为他已经把自然界设定为潜在地被扬弃的本质。”③ 这里是说，抽象的思维者把“自然的这种外在性，自然界同思维的对立”，说成是“自然界的缺陷；就自然界不同于抽象而言，自然界是个有缺陷的存在物”④。因此，对抽象的思维者来说，自然界“是无意义的，或者只具有应被扬弃的外在性的意义”。即自然界作为绝对观念的“外化”，其本身具有“不应有的偏差、缺陷”⑤，因而只具有被扬弃的意义。

由此可见，马克思这段话也不是表达自己的观点，不是如人本体论者所理解的，是马克思对自在自然的否定和排斥，而是以笔记的形式，对黑格尔关于把自然界作为绝对观念展开自身的一个环节的思想所进行的一种概括。

---

① 《马克思恩格斯全集》第3卷，336页，北京：人民出版社，2002年。
② 《马克思恩格斯全集》第3卷，336页，北京：人民出版社，2002年。
③ 《马克思恩格斯全集》第3卷，337页，北京：人民出版社，2002年。
④ 《马克思恩格斯全集》第3卷，337页，北京：人民出版社，2002年。
⑤ 《马克思恩格斯全集》第3卷，337页，北京：人民出版社，2002年。

通过以上分析可以看出，被人本体论者和实践本体论者视为经典性论据，而不厌其烦、不计其数地加以引证的马克思上述这样两段文字，是被曲解了的。因而用来作为其论据，原本就是不能成立的。

二、不能在本体论意义上说“生活世界以人为本”

人本体论认为，生活世界包括人化自然、人类社会和精神世界等三个层次。我认为这一观点，是可以商榷的。

其实，人的生活世界包括人化世界，也包括在人的生活世界中发生作用的非人化世界，即部分自在世界。比如在人的生活世界中发生作用的地震、海啸、台风、火山喷发、太阳黑子运动等，都属自在世界。另外，在生活世界中，除了有对人有肯定价值的人化物以外，或人化世界以外，还存在一个人工的对人有否定价值的非人化世界，比如人工造成的环境污染、生态恶化、“三废”排放等。因此，把人的生活世界等同于人化世界，即包括人化自然、人类社会和精神世界等三个层次的世界，这本身就是残缺不全的、片面的观点。

仅就人化自然来说，也不能认为，在本体论意义上，人化自然以人为本。这里的“本”，是在“基础”意义上使用的，意指人化自然是以人及人的活动为基础的。

无疑，人化自然是人的活动所创造的自然，是属人的自然。正如马克思所说：“在人类历史中……形成的自然界，是真正的、人本学的自然界。”① 人化自然是以人的活动为基础的。因此，在这个意义上似乎可以说，人化自然是以人为本体的．然而，如果再追问一下，人及其活动是否是人化自然的唯一基础呢？显然不是。因为人化自然除了有人的活动这一人为基础以外，还必须有外在自然这一天然基础，是这两个基础的统一。马克思说：“没有自然界、没有感性的外部世界，工人什么也不能创造。”② 马克思在《神圣家族》中也指出，劳动“只创造了物质的新的生产能力……人并没有创造物质本身。甚至人创造物质的这种或那种生产能力，也只是在物质本身预先存在的条件下才能

① 《马克思恩格斯全集》第3卷，307页，北京：人民出版社，2002年。

② 《马克思恩格斯文集》第1卷，158页，北京：人民出版社，2009年。

进行。”[①] 在《资本论》《哥达纲领批判》等著作中，对于那种片面强调劳动实践而否认外部自然界对劳动实践的基础作用和制约作用的观点，马克思也一再进行了批判，指出在劳动实践之外，“总还剩有一种不借人力而天然存在的物质基质”[②]。因此，不能像人本体论者那样，否认人化自然的天然基础，而只承认人化自然的人为基础，并进而得出关于人化自然是以人为本的结论。

至于人类社会是否是以人为本，其实也不是。人本体论者认为，人以生产实践而生存自立，而“人本身是自己的物质生产的基础，也是他进行的其他各种生产的基础”。在生产中形成的生产关系就是社会关系，“社会本身即处于社会关系中的人本身”[③]。因而，在本体论意义上，人类社会以人为本。然而这一论证并不能支撑其观点。这是因为：以物质生产实践为根本形式的社会实践，是社会主体和社会客体相互作用的活动，社会实践的进行，既以作为实践主体的人为基础，又以作为实践客体的对象为基础，二者是缺一不可的，只讲实践以人为基础，进而把实践归结为人，这是片面的，错误的。

就社会实践过程中人与社会的关系而言，人本体论者只讲了其中的一个方面，即社会依赖于人，社会以人为基础的一面，而没有讲到另一个方面，即人也依赖于社会，人以社会为基础的一面。在这个问题上，马克思的思想是全面的。马克思不仅讲前一个方面，而且也讲后一个方面。关于这后一个方面，马克思指出：人“不仅是一种合群的动物，而且是只有在社会中才能独立的动物”[④]。马克思又说：“活动和享受，无论就其内容或就其存在方式来说，都是社会的活动和社会的享受。”[⑤] 因此，马克思强调说，“个体是社会存在物。因此，他们的生命表现，即使不采取共同的、同他人一起完成的生命表现这种直接形式，也是社会生活的表现和确证。”[⑥]

可见，人与社会原本就是不可分割地联系在一起的，二者互为存

---

① 《马克思恩格斯全集》第2卷，58页，北京：人民出版社，1957年。
② 《马克思恩格斯全集》第23卷，56页，北京：人民出版社，1972年。
③ 《马克思恩格斯全集》第46卷（下册），226页，北京：人民出版社，1979年。
④ 《马克思恩格斯全集》第46卷（上册），21页，北京：人民出版社，1979年。
⑤ 《马克思恩格斯文集》第1卷，187页，北京：人民出版社，2009年。
⑥ 《马克思恩格斯文集》第1卷，188页，北京：人民出版社，2009年。

在的前提，互为发展的基础。因此，片面强调社会以人为基础，并进而得出人类社会以人为本的结论，是片面的。按此逻辑，如果片面强调社会是人的存在和发展的基础，并进而得出人以社会为本的结论，不也是顺理成章的吗？我国哲学界那种关于社会关系本体论的观点，在某种意义上，就是后一种片面性的表现。然而，两相比较，社会比人更基础，因而社会关系本体论相对于人本体论，虽属同样片面，但更为深刻一些。

至于人本体论认为，精神世界以人为本，我认为，这也不妥。该观点是这样论证的，“精神和意识本身就是人高度进化的产物，是人的思维的结晶，它是以人的存在为载体的”。因而在本体论意义上，精神世界以人为本。其实，就意识的产生而言，并非如人本体论者所说的那么简单和狭隘。在马克思主义看来，意识是自然界长期发展的产物，也是社会的产物，也就是说，意识是在自然界长期发展的基础上，在古猿由本能活动发展为自觉劳动的过程中，由猿进化为人，由猿脑进化为人脑，由猿类的呼号吼叫进化为音节语言，由猿类的动物群体进化为人类的社会，在这多种因素相互作用、相互促进的过程中，猿类的动物心理才发展为人的意识。因而，意识是人的意识，所以意识具有属人性，是人的本质特性的一个方面的表现；但同时因为意识总是社会的人的意识，所以意识具有社会性，是随着社会产生和发展而形成发展的。另外，又因为意识总是关于对象的意识，所以意识具有对象性，意识是对客观存在的反映。

因此，如果像人本体论者那样，只看到意识的属人性的一面，并进而认为在本体论意义上精神世界以人为本，那就很不妥当了。如果真的要问精神世界以什么为本，从世界观意义上来说，唯一正确的回答只能是，精神世界以物质世界为本，或者简单地说，精神以物质为本。

通过上面的分析可知，人本体论者关于人的生活世界是以人为本体的观点，是经不住推敲，是不能成立的（诚然，并不因此而否认，在价值论意义上，世界以人为本）。不仅如此，我还认为，这种在哲学本体论意义上来谈论生活世界之“本”的做法，本身就包含有不可克服的悖论，是不可取的。这里涉及对哲学本体论意义上“本”的理解的问题。

三、不能在哲学本体论意义上论生活世界之本

这是因为：

第一，哲学本体论意义上的“本”具有极大的普遍性，不能在生活世界的意义上被使用。

哲学本体论源远流长，可以说，有哲学，就有本体论。甚至可以说，一开始的哲学，就是关于本体的学说。后来哲学的层次不断分化，但本体论仍然是哲学的最基本层次，或最高层次，从而对哲学的其他层次起着统摄作用。在哲学获得自己的成熟形态以后，哲学本体论作为世界真实体现的学说，在哲学史上经历了一个以自然实体论本体论为主导，到精神实体论本体论为主导，再到科学本质论本体论彰显的演化过程。然而，不论何种形态的本体论，有一点是共同的，即它们都认为，“本”是相对于世界万事万物而言之根本，是关于整个世界之本。对此，古希腊哲学家早有论述，亚里士多德说：“所谓特殊科学……各自割取‘有’的一部分，研究这个部分的属性”，而哲学则是“专门研究‘有’本身”，“能够说出一切‘有’的最确定的原则”①。近代德国哲学家黑格尔也曾正确指出，“本体论，论述各种关于‘有’的抽象的，完全普遍的哲学范畴”②。

由此可见，哲学本体论意义上的“本”是对整个世界普遍本质的概括和反映，是一个广泛已极的普遍概念，因而是不能在生活世界的意义上被使用的。也就是说，不能如人本体论那样，提出所谓哲学本体论意义上的生活世界之本的问题。因为这种提法本身，在概念的使用上就是混乱的，在逻辑上也是自相矛盾的。

当然，这样说，并不妨碍人们在社会观的意义上，去揭示社会生活的本质。在马克思主义看来，在肯定自然界优先性的前提下，社会生活的本质是实践。但不能把这里的作为社会本质的实践说成是社会

① 北京大学哲学系外国哲学史教研室编译：《西方哲学原著选读》上卷，121、122页，北京：商务印书馆，1981年。

② ［德］黑格尔：《哲学史讲演录》第4卷，贺麟、王太庆译，189页，北京：商务印书馆，1978年。

的本体，甚至加以哲学本体论意义上的泛化，提出哲学世界观意义上的所谓实践本体论。另外，也不能进而把实践归结为主体人，提出哲学世界观意义上的人本体论。

第二，哲学本体论意义上的“本”是双方和多方本质之集成，而这对任何对象本体之规定，都是完全适用的，因而不能用单一本质来规定生活世界之本。

就事物共性而言，某一事物的关涉范围愈狭小，其本质共性愈丰富；反之，关涉范围愈广大，则其本质共性愈稀薄。但即便如此，在世界观所关涉的广泛已极的意义上，哲学本体论之“本”也不能用单一本质来规定。不然就会陷于片面而造成理论上的困难。这是传统本体论留给后人的一个教训，是必须要认真汲取的。就马克思哲学本体论来说，它也不应以单一的唯物性来规定的物质本体论，而应是融唯物性与辩证性于一体的辩证唯物本体论，或辩证物质本体论。

就生活世界相对于整个世界而说言，它具有更多方面和更多层次的本质，在其客体维度上，有自然生态、经济基础、政治结构、文化积淀等方面的本质规定。在其主体维度上，有社会的人口构成、国民健康、文化素质，以及积极性、能动性、创造性等方面的本质规定。因此，那种把众多本质之集成的生活世界之本简单地归结为人的做法，是不妥的。也就是说，即使在生活世界的意义上，那种所谓人本论的观点也不是无可非议的。

第三，哲学本体论意义上的“本”具有极大的抽象性，是不能用具体事物来指称的。尽管在哲学史上，在人们的哲学抽象思维能力还没有得到充分发展的情况下，曾经存在过用具体事物来指谓“本”的情形，但那也早已成为过去，现在的人们不应加以重复。

在我看来，实践本体论所指谓的实践本体，人本体论所谓的人本体，以及有的论者所指谓的社会关系本体，都没有达到哲学所要求的极大抽象性。就思维方式而言，它们都不过是古代的“水本体”“火本体”等的思路在现代意义上的某种重复，因而终究是立不住的。

马克思哲学的本体论只能是辩证唯物本体论，这里的“物质”是指从“各种物的总和”中抽象出来的、与意识相区别的唯一特性，即客观实在性。只有坚持世界的物质性，才能坚持一切从实际出发，实事求是，与时俱进，才能保障认识的科学性和行动的自觉性。

在中国哲学界，否认要坚持认识的科学性和行动自觉性的人，是没有的；否认要一切从实际出发、实事求是的人，也是没有的，但却有一些人否认世界的物质性，给这种观点扣上所谓本质主义的帽子。殊不知，否认了世界的物质性，也就从根本上否定了认识的科学性、行动的自觉性，否定了一切从实际出发、实事求是、与时俱进等的科学的哲学依据。在这样一个根本问题上，是不能犯糊涂的。

一本有特色的哲学教材*

——推荐《马克思主义哲学》

对于现今我国通行的马克思主义哲学原理教科书体系，尽管愈来愈多的人感到不满意，切望能够有所改革。然而由于种种原因，要突破教科书已有的框架，建立一个能够充分反映马克思主义哲学的科学性和革命性，反映马克思主义哲学在新时代应当具有的丰富内容的原理体系，确实并非易事。有人估计，要完成这一巨大工程，可能还需要 5 至 10 年，以至更长时间的探索和努力。

那么在新的体系尚未建立起来以前，能不能在原有的基础上，尽量吸收一些新的研究成果，编出一本在内容的组织、体例的安排、结构的调整上，都有所作为的教材呢？应该是，经过努力，这是可以做到的。由蔡德麟、程伟戎、张文煜、符群四同志编写的《马克思主义哲学》一书，就在这一方面进行了可贵的探索。

这本较有特色的哲学教材，是受国家教委师范司的委托，根据中学教师专业合格证书文化专业知识考试《马克思主义哲学教学大纲》的规定编写的。它的读者对象，主要是力求通过学习获得专业合格证书的中学教师。众所周知，在我国教育园地上辛勤耕耘的广大中学教师，从总体上来说，教学任务较重，生活待遇不高，自由支配的业余时间不多，在学习资料的获取方面也有诸多不便。在这种情况下，要想在不太长的时间里，通过自学，使大多数教师在掌握马克思主义哲学方面达到规定的要求，选择合适的教科书，就显得极为重要了。面对这样的读者对象，面对这样的实用性目的，我认为《马克思主义哲学》这本教材是适合的，值得推荐。

---

* 原刊于《安徽日报》，1988·6·28（4）。

可贵的探索*

——《马克思的第一个伟大发现》读后

读完王卫国、史振东、蔡德麟、张文煜四同志写的《马克思的第一个伟大发现》一书，有一种畅快之感。该书对马克思创立唯物史观的过程，进行了可贵的探索。

其可贵之处有三：

第一，该书从青年马克思所进行的实践活动与理论探讨相结合的角度，真实地展示了唯物史观的发端——突破——接近——诞生的全过程。理论与实践、哲学与生活的矛盾是贯穿马克思哲学思想形成过程的一个基本矛盾。该书的作者紧紧抓住这个基本矛盾，昭示了马克思如何在对这个矛盾的不断探索和解决中，一步步向前迈进的。因此，它具有一种深沉的逻辑力量。

第二，该书坚持了历史唯物主义的辩证原则，青年马克思哲学思想的形成过程，是从黑格尔走向费尔巴哈，又从费尔巴哈进一步转向历史唯物主义的。因此，新旧观点的某种界限不清，以及前后思想的表述不一等情况，在马克思的早期著作中并不罕见。如何透过这种扑朔迷离的现象，从中找出马克思哲学思想发展的逻辑联系，历史地而又辩证地分析表现这种逻辑联系的每一个中介、环节，在这一方面，该书的作者是下了一番比较、分析、研究的功夫的。

第三，该书的叙述坚持了系统整体性原则。正如作者所说，马克思在完成世界观的根本转变以前，"几乎每一部著作都会有一些火花闪烁、光彩照人的论断把你吸引"。如何分析这些论断，对于正确认识马克思早期思想的形成和发展过程是极为重要的。本书作者避免了那种通常容易犯的毛病，没有把这些论断孤立起来，用后来成熟时期的思想

* 原刊于《安徽日报》，1986·6·11（4）。

去附会、拔高，而是既肯定了这些新论断的可贵之处，同时又把它放到历史唯物主义的整个形成过程中，放到马克思当时思想的整体中去作恰当的评价，自始至终贯彻了系统整体的方法论原则。

总之，该书是一本好书，是作者从事教学和理论研究的多年辛劳的结晶，值得一读。